# Dictionnaire
## amoureux
## de François Mitterrand

# Du même auteur

*L'État et le Théâtre*, Librairie générale du droit et de la juris-prudence, 1968.

*Le Plateau continental de la mer du Nord. Arrêt de la Cour internationale de justice*, Librairie générale du droit et de la jurisprudence, 1969.

*Éclats* (avec Jean-Denis Bredin et Antoine Vitez), Éditions Jean-Claude Simoën, 1978.

*Demain, les femmes*, Grasset, 1995.

*Lettre à André Malraux*, éditions N° 1, 1996.

*François I$^{er}$*, Perrin, 1997.

*Qu'apprend-on au collège ? Pour comprendre ce que nos enfants apprennent* (avec Claire Bretécher), XO, 2002.

*Anna au muséum*, Hachette Jeunesse, 2002.

*Laurent le Magnifique*, Perrin, 2002.

*Une école élitaire pour tous*, Gallimard, 2003.

*Un nouveau régime politique pour la France*, Odile Jacob, 2004.

*Nelson Mandela. Leçon de vie pour l'avenir*, Perrin, 2005.

*Changer*, Plon, 2005.

*Faire la révolution fiscale*, Plon, 2006.

*Immigration positive* (avec Hervé Le Bras), Odile Jacob, 2006.

*Vaincre le chômage. Huit chantiers pour le plein emploi*, Grasset, 2006.

*L'École abandonnée. Lettre à Xavier Darcos*, Calmann-Lévy, 2008.

*Demain comme hier* (Entretiens avec Jean-Michel Helvig), Fayard, 2009.

*Le Choix de Versailles*, Calmann-Lévy, 2009.

*Les Batailles du Grand Louvre*, RMN, 2010.

*François Mitterrand. Fragments de vie partagée*, Seuil, 2011.

*Pourquoi ce vandalisme d'État contre l'école. Lettre au président de la République*, Le Félin, 2011.

*Michel-Ange*, avec Colin Lemoine, Fayard, 2012.

*Ouvrons les yeux ! La nouvelle bataille du patrimoine*, HC éditions, 2014.

Jack Lang

# Dictionnaire
# amoureux
# de François Mitterrand

*Dessins d'Alain Bouldouyre*

PLON
www.plon.fr

COLLECTION FONDÉE
PAR JEAN-CLAUDE SIMOËN

© Éditions Plon, un département d'Édi8, 2015
12, avenue d'Italie
75013 Paris
Tél. : 01 44 16 09 00
Fax : 01 44 16 09 01
www.plon.fr

ISBN : 978-2-259-24139-7

# Avant-propos

Vingt ans après sa mort, cent ans après sa naissance, François Mitterrand n'a jamais été aussi nécessaire. Le temps a fait son œuvre. L'agressivité de circonstance a reflué. Les déçus permanents ont mis de l'eau dans leur vin aigre.

Surtout, les historiens ont fait la part des choses. Ils ont redonné du crédit à une œuvre majeure, à un double septennat progressiste et libérateur où la justice et l'égalité ont gagné beaucoup de terrain.

J'ai accepté avec ferveur de ressusciter la mémoire d'un président de gauche qui a fait de moi d'abord son ministre de la Culture, puis de l'Éducation.

Un Dictionnaire amoureux n'a rien d'objectif, ni d'exhaustif. Et c'est tant mieux ! Je ne suis ni un chercheur pointilleux ni un observateur distancié. Pour autant, je n'ai voulu éviter aucun obstacle. Je me suis confronté à l'ensemble de l'action du politique et de la vie de l'homme, avec ses méandres, ses silences, ses échecs. Mais aussi et surtout, avec sa constance dans les convictions, son acharnement dans la bataille, son brio dans l'accomplissement de sa tâche.

Un Dictionnaire amoureux est partiel et partial. Et c'est tant mieux ! Je ne renie pas mon engagement à ses côtés. J'en suis fier. Je sais l'importance de ce qu'il a fait, de ce que nous avons fait ensemble, avec toute la gauche.

J'ai été le partenaire de François Mitterrand dans cette entreprise de transformation des mentalités et des attitudes d'un pays qui avait besoin de s'émanciper, de se moderniser.

Nous n'avons pas toujours été d'accord sur tout, mais jamais cela n'a altéré notre proximité, notre enthousiasme fidèle. J'ai été un ami admiratif, un compagnon chaleureux, un soutien offensif et créatif.

Je suis heureux de faire revivre cet acteur majeur du changement et de conjuguer son souvenir au présent de l'incitatif.

# A

# Algérie (Guerre d')

Commençons ce dictionnaire amoureux en nous confrontant à une situation qui n'a rien d'aimable, celle de la guerre d'Algérie où un homme politique que nous admirons se retrouve dans une situation difficile.

Je m'en veux de ne pas avoir assez interrogé François Mitterrand sur la guerre d'Algérie. Je ne suis ni historien, ni journaliste, et encore moins procureur. Pendant les vingt ans passés aux côtés d'abord du premier secrétaire du PS puis du président de gauche, je ne vis que pour l'action. Je me projette dans le futur, je ne me retourne pas sur les ombres du passé. Je veux faire advenir un monde nouveau.

Et c'est cela que François Mitterrand et moi partageons. Nous voulons changer la France, lui apporter plus de justice sociale, plus d'égalité citoyenne. Nous tenons à la libérer de ses pesanteurs et de ses carcans.

En mode mineur, sans le crier sur les toits, aux proches qui connaissent la difficulté de juger d'hier avec les verres correcteurs d'aujourd'hui, Mitterrand reconnaît à demi-mot que ce moment fut l'un des plus délicats de son histoire politique, l'un des plus douloureux de son exercice du pouvoir. Et pour que quelqu'un d'aussi orgueilleux que Mitterrand, d'aussi peu adepte de la repentance confesse à bas bruit ce genre de regrets, c'est qu'il ne se sent pas au mieux avec cet aveuglement collectif qui atteint toute la classe politique française.

Au début des années 1950, l'empire colonial français tient encore bien debout même s'il donne des premiers signes de craquement. Comme Pierre Mendès France, François Mitterrand pense que l'Indochine, l'Afrique noire, la Tunisie et le Maroc vont peu à peu s'éloigner. Il trouve cela légitime même s'il a rêvé d'un grand ensemble franco-africain, où Nord et Sud auraient prospéré et se seraient alliés dans un métissage de valeurs et de ressources.

Dans ce commonwealth républicain, on se serait volontiers passé de reine mère. Néanmoins Marianne serait restée une référence, non plus comme tutelle protectrice, mais comme initiatrice démocratique, tête de pont industrielle, et modernisatrice fraternelle. Il faut garder à l'esprit cette nostalgie d'une union franco-africaine qui anime la génération de la Résistance si on veut comprendre son approche de la tragédie algérienne.

Pour l'Algérie, le pays voit les choses différemment. Comme les Français, Mitterrand et Mendès estiment que les trois départements algériens sont aussi français que le Loir-et-Cher, le Pas-de-Calais ou le Finistère.

En ces années, il y a trois visions de l'avenir d'une Algérie qui commence à trembler sur ses bases et va basculer bien plus vite qu'on ne l'imagine.

Il y a d'abord les colonialistes qui ne cèdent sur rien, qui entendent continuer à exploiter la main-d'œuvre bon marché et ne rien accorder aux populations algériennes.

Il y ensuite les libéraux, dont font partie Mendès et Mitterrand, qui imaginent des solutions d'émancipation et veulent l'égalité des droits pour les Algériens dans le cadre français.

Il y a enfin les indépendantistes qui pensent qu'un peuple a le droit de disposer de lui-même. Ils rappellent qu'en Algérie les neuf dixièmes de la population sont tenus pour des citoyens de seconde zone. Cette idée va monter en puissance mais est peu partagée dans les années 1950. Comme le dit justement André Rousselet dans ses *Mémoires*[1], le mot « indépendance » est à cette époque totalement « inconcevable et inaudible ». Même le PC vote les pouvoirs spéciaux à Guy Mollet en 1956.

Et le militantisme anticolonialiste que je rejoins, lycéen à ce moment-là, est encore dans les langes, si ce n'est dans les limbes.

Jeune ministre de la IVᵉ République, Mitterrand tente de donner plus de latitude aux colonisés.

1950. Il est ministre de la France d'Outre-Mer dans le cabinet de René Pleven. Il cherche à mettre en place une Union africaine et une autonomie négociée. Il est traité de « bradeur d'empire » par la droite.

1952. Il est ministre d'État dans le cabinet d'Edgar Faure. Il présente le plan d'autonomie interne pour la Tunisie. Ce plan prévoit l'égalité des droits entre colons et colonisés. Mort-né, ce gouvernement n'aura pas le temps de faire avancer ce dossier.

---

1. André Rousselet, *À mi-parcours. Mémoires*, Kero, 2015.

1953. Il est ministre délégué au Conseil de l'Europe du cabinet de Joseph Laniel. Il démissionne, s'opposant à la déposition du sultan du Maroc. Contre la répression déclenchée au Maroc et en Tunisie, il signe un manifeste avec Camus et Sartre.

1954. Il est ministre de l'Intérieur dans le cabinet de Pierre Mendès France. Ce gouvernement arrête la guerre en Indochine et accorde l'autonomie au Maroc et à la Tunisie. Ce qui mérite d'être salué. Pour l'Algérie, le cabinet Mendès augmente les investissements sociaux et François Mitterrand prépare un plan très ambitieux assurant progressivement l'égalité entre citoyens européens et arabes.

Éclatent alors, le 1ᵉʳ novembre 1954, des dizaines d'attentats revendiqués par le FLN. Ce qu'on appelle « la Toussaint rouge ».

À l'Assemblée, Mendès tonne : « Il n'y aura aucun compromis avec la sédition. Il s'agit de défendre l'intégrité de la République. Les départements d'Algérie font partie de la République. Jamais la France, jamais aucun gouvernement ne cédera sur ce principe fondamental. »

En séance de nuit, le même jour, Mitterrand, insiste : « L'Algérie, c'est la France. Des Flandres jusqu'au Congo, s'il y a quelques différences dans l'application de nos lois, partout la loi s'impose et cette loi est la loi française, celle que vous votez parce qu'il n'y a qu'un seul Parlement et qu'une seule nation dans les territoires d'outre-mer comme dans les départements d'Algérie et comme dans la métropole. »

Mendès et Mitterrand disent exactement la même chose. Le président du Conseil sera tenu pour un libérateur anticolonialiste et son ministre de l'Intérieur pour un répressif colonial.

Mitterrand est en charge de faire respecter l'ordre public. Pourtant, le locataire de la place Beauvau s'inquiète des méthodes de la police d'Alger, de son recours probable à la torture. Il missionne Germaine Tillion pour établir un rapport sur la question, il décide de la fusion des polices de Paris et d'Alger afin de pouvoir rapatrier, en métropole, les durs à la matraque fébrile et à la gégène électrique, suspectés de mauvais traitements sur les prisonniers du FLN.

1956. Il est garde des Sceaux dans le cabinet Guy Mollet. Élu sur un programme de gauche et une logique décolonisatrice, ce gouvernement accorde l'indépendance à la Tunisie et au Maroc, et l'autonomie aux pays d'Afrique noire.

Pour l'Algérie, il est prévu un processus de paix et des négociations avec le FLN. Mais la première visite à Alger de Mollet se passe mal. Conspué par les pieds-noirs, il vacille et revient, bien décidé à en remontrer au FLN.

La situation devient critique. Attentats aveugles, répression, nouvelles bombes. François Mitterrand se retrouve à présenter le projet de loi accordant les pouvoirs spéciaux à l'armée avec l'appui de toutes les forces politiques, y compris le parti communiste. Les attentats se multiplient, les prisons se peuplent, les tribunaux militaires ont le couperet tranchant, les condamnations à mort se multiplient. C'est d'une guerre civile, d'une guerre coloniale qu'il s'agit. Et la guerre se fait avec des militaires aux commandes qui souvent, dans l'action, dans la répression, prennent le pas sur les pouvoirs élus.

Pendant le temps où Mitterrand est garde des Sceaux, quarante-cinq personnes sont guillotinées. C'est une justice d'exception pour temps terrible qui tranche. Le droit de grâce échoit au président de la République. Le ministre de la Justice n'est sollicité que pour avis.

Le débat est vif au sein du Conseil des ministres sur ce durcissement. Mendès, Defferre et Savary finissent par démissionner. Mitterrand reste jusqu'au bout. Les témoins racontent un Mitterrand mal à l'aise, bouleversé, meurtri.

Quand je lui demande pourquoi il n'est pas parti comme il l'avait fait quand il était membre du gouvernement Laniel, il me dit qu'il ne voulait pas être un récidiviste de la démission au risque de n'être influent sur rien.

Est-ce qu'en 1957 Mitterrand donne des gages pour obtenir la présidence du Conseil qui lui semble promise ? nse-t-il être capable de mener une politique libérale s'il pleines commandes ? Ombre jetée sur sa carrière de tre de la IVe République, ces condamnations à mort nt ses tentatives pour libérer les colonies.

rand porte ce poids en silence. Il se braque devant de l'extrême gauche qui lui reproche, et à lui tes algériennes de la gauche de gouvernement.

Pierre Joxe, ministre de l'Intérieur qui a grandi et servi en Algérie, résume parfaitement l'attitude de Mitterrand : « Il avait un sentiment d'injustice et d'incompréhension qui le poussait à se murer. Souvent, il avait l'impression que devant des choses qu'on ne peut pas expliquer, ce n'est pas la peine de répondre. J'ai toujours connu chez Mitterrand ces failles de douleur et de colère mêlées, comme s'il se sentait incompris. Courageux et patriote, on lui reprochait la francisque. Pionnier de la décolonisation, on lui imputait la guerre d'Algérie[1]. »

Pour ma part, je veux croire que cela a construit le Mitterrand de 1981, celui qui va abolir la peine de mort.

D'un homme que l'on admire, on doit tout connaître. Il faut regarder en face ses erreurs. Avoir failli et s'en être remis fait de vous un être plus humain. Cela permet une compréhension de la complexité du monde et des passions qui le défont et le refondent.

# Allende (Chili, coup d'État)

Salvador Allende et François Mitterrand se ressemblent par bien des manières.

Parlementaire précoce, en lice dès 1938, le Chilien se positionne en centriste de gauche. Ce qui en fait un radical si on se rapporte à la donne française.

Dans les années 1950, Mitterrand aussi est un jeune ministre de la IVe République.

---

1. Pierre Joxe, *Pourquoi Mitterrand ?*, Philippe Rey, 2005.

Avant de devenir président du Chili, Allende échoue à trois reprises. En France, Mitterrand réussira à la troisième tentative.

Quand il accède au pouvoir, Allende est à la tête d'une alliance nommée « Unité populaire » qui va des chrétiens sociaux au parti communiste. Mitterrand entre à l'Élysée à la tête d'une « Union de la gauche » compliquée et agitée.

Allende, comme après lui Mitterrand, est d'un légalisme démocratique scrupuleux. Le Chilien s'interdit toute atteinte à la liberté de la presse. Tenus en laisse par les potentats locaux, les journaux en profitent pour faire leurs gros titres en le traitant d'« escroc » et autres gracieusetés.

Allende mène un programme de nationalisations dans le secteur bancaire et de prises de participations majoritaires dans les minerais (cuivre, nitrate, charbon). Il indemnise largement les propriétaires. Ça ne les empêche pas de s'estimer spoliés et de le crier haut et fort. Mitterrand aussi nationalise et développe un fort secteur d'entreprises nationales.

L'un et l'autre partagent la même conception d'une économie mixte où coexistent privé et public. Dans les années 1970, Allende est plus sensible à la théorie marxiste. Mitterrand la regarde de plus loin, du haut de ses humanités démocratiques, même s'il peut lui arriver de donner quelques gages à son aile gauche.

Pour autant, les deux hommes ont des caractères contrastés et vivent dans des univers très différents. Le Chili des années 1970 doit affronter le pouvoir des latifundiaires qui refusent toute réforme agraire. La France a alors plutôt le souci inverse. Les temps sont au remembrement des petites parcelles. L'Hexagone offre un réseau de transport équilibré quand l'allongement du Chili au flanc de la cordillère des Andes offre une capacité de nuisance importante aux camionneurs.

Le Chili appartient à la zone d'influence des États-Unis. Le grand frère étoilé est alors très Big Brother. La CIA va trouver un relais auprès des multinationales américaines installées à Santiago pour déstabiliser le nouveau pouvoir.

C'est sous les coups des militaires que tombe Allende, lui qui pensait pouvoir compter sur leur loyauté. Jamais, en France, après 1981, l'armée ne bronchera, se révélant parfaitement respectueuse du choix des citoyens.

Lors de son séjour au Chili, en 1971, Mitterrand croise Castro venu lui aussi à Santiago. Allende se flatte d'avoir fait autant au Chili qu'à Cuba, « dans la légalité et sans violence ». Et Mitterrand d'interroger Allende et de s'interroger sur la possibilité de réaliser « une synthèse entre les réformes de structure économiques et le maintien des libertés démocratiques ». Questionnement qui parcourt l'ensemble de la gauche française et qui la divise encore.

11 septembre 1973. Les militaires occupent les rues de Santiago. Moustache et lunettes noires, Pinochet s'inscrit

au rang des sinistres dictateurs sud-américains. Casque sur la tête, mitraillette en bandoulière, Allende se suicide dans son palais de la Moneda.

Qu'aurait fait Mitterrand ? Je veux croire qu'il aurait réussi à échapper aux tortionnaires et qu'il aurait organisé la résistance intérieure sans avoir besoin de s'exiler. Mais tout cela n'est que pure fiction.

En France, à gauche, l'émotion est terrible. Mitterrand rend ainsi hommage à Allende dans *L'Unité*, l'hebdomadaire du PS : « Nous étions devant l'homme qui incarnait cette expérience insolite, la Révolution dans la légalité. L'angoisse qu'il exprimait n'ôtait rien à la résolution. Cette foi dans la raison de l'homme et dans la marche inéluctable des sociétés vers le progrès, que pèse-t-elle désormais tandis que sur l'autre plateau il y a maintenant la mort de Salvador Allende ? Nous n'avons pas fini de répondre à cette question que des millions d'hommes sur la terre poseront demain avec plus d'impatience et de colère encore. »

Et de battre en brèche la comparaison qui monte, celle d'un pouvoir de gauche qui déclencherait en France une situation à la chilienne. Mitterrand poursuit : « Un reporter m'interroge : "N'est-ce pas la preuve qu'une expérience socialiste de ce type n'est pas viable ?" Je lui réponds : "N'est-ce pas la preuve que la droite et ce qu'elle incarne, le pouvoir de l'argent et la dictature d'une classe, ne reconnaît pour loi que la sienne, la loi non écrite mais irrévocable de la jungle ?" »

Le traumatisme nous poursuit longtemps. Les Chiliens deviennent les héros et martyrs qu'il faut soutenir et aider contre le dictateur armé par Washington. Je m'emploie à accueillir en France la diaspora chilienne, et en particulier les artistes et créateurs. Le festival de Nancy que j'anime alors reçoit le musée de la résistance Salvador-Allende composé d'œuvres offertes par de grands peintres principalement latino-américains.

Après 1981, j'insiste auprès du Centre Pompidou pour qu'il présente une grande part de ce musée. Il reviendra à Santiago après la chute du régime de Pinochet avec notre soutien. Chargé par François Mitterrand de l'organisation des cérémonies de son entrée en fonctions, le 21 mai 1981, j'y invite la veuve de Salvador Allende et tous les amis de l'Amérique du Sud qui nous ont accompagnés : Gabriel García Márquez, Carlos Fuentes...

# Amitié

François Mitterrand est connu pour sa passion de l'amitié, son art du compagnonnage, son refus d'abandonner en rase campagne ceux à qui il est lié et qu'il ne sacrifie jamais à la vindicte publique.

Il est un ami excessif, capable de payer le prix de cette affection. Il encaisse les coups les plus rudes. Il ne ménage pas son appui à un ami aussi emporté par la tempête. Et tant pis si ce soutien le tire vers le fond et l'entraîne dans des difficultés imméritées.

Ajoutons que Mitterrand n'est pas mécontent de braver l'opprobre général pour rester fidèle au passé, aux souvenirs, au temps partagé.

Il a l'amitié cloisonnée. Il préfère séparer les cercles, se glisser en douce d'un monde à l'autre comme on se met de biais pour franchir une étroite venelle de pêcheurs quand il fait grand vent.

Ses amitiés sont principalement masculines. Son époque le veut ainsi. Les femmes sont encore peu nombreuses dans la sphère politique. Mais il sera d'un soutien sans faille à celles qu'il a aimées, même si les rapports sont forcément de nature différente.

Pour lui, les liens se nouent au collège à Angoulême, au foyer d'étudiants du 104, rue de Vaugirard, au stalag, dans la Résistance, dans les cabinets ministériels voltigeurs de la IV^e République, dans l'opposition pendant vingt-trois ans.

Quand il devient premier secrétaire du PS, puis président, la chose se complique. Les nouveaux amis se font rares.

Les amis de longtemps ne demandent rien. Surtout pas. Ils sont ravis de le revoir, craignent parfois de le déranger, mais il souhaite leur présence. Il a besoin de leur franchise, de leur déconnexion avec les enjeux du pouvoir.

Voyons les figures marquantes qui résistent au temps.

Pierre Guillain de Bénouville est une connaissance des années étudiantes. Il est de droite et le reste. Sa vénération pour Mitterrand augmente au fil des années, même s'il n'est pas du même bord. Il mène de discrètes ambassades, transmet des messages, continue à l'appeler par son prénom. C'est à ses côtés que je passerai la nuit de la veillée funèbre dans la chambre de l'avenue Frédéric-Le-Play.

Georges Dayan est le frère, l'alter ego. Jean Munier est un ami de camp, un costaud du réseau de Résistance qui sauve la vie de Mitterrand lors d'une rafle, et qui ne s'est jamais engagé en politique.

Roger-Patrice Pelat aussi est dans le même stalag.

Ensuite, il y a les proches de la politique. Gaston Defferre est sans doute l'un des plus anciens, des plus coriaces et des plus tenaces. Et avec Mitterrand, ils vont se croiser, se soutenir, se retrouver, bien plus souvent qu'ils ne se sépareront.

André Rousselet, homme brillant et intelligent à l'humour incisif, est plus un homme de confiance qu'un ami. Il sera le directeur de cabinet de Mitterrand nombre de fois jusqu'à l'être au tout début à l'Élysée.

Ensuite viennent des gens plus jeunes qui seront des proches, des soutiens, des bretteurs, des apporteurs d'idées, des spadassins intellectuels. Il y a aussi les fidèles de la Convention des institutions républicaines. Au-delà de l'action commune, il y a de la sympathie, de la reconnaissance, de la prévenance, parfois une forme de tendresse éphémère.

François Mitterrand pourrait être mon père. Mais je n'ai jamais entretenu avec lui de rapports filiaux. Je ne suis pas à la recherche d'une figure paternelle. Il tient trop à son quant-à-soi pour risquer de l'aliéner dans une fusion excessive et il est trop respectueux du libre arbitre et de la sphère personnelle de l'autre pour y pénétrer.

Par contre, il est très attentif à mes proches. Monique, avec qui je vis et travaille depuis toujours, fait elle aussi partie de l'entourage direct. Et il me demande sans cesse des nouvelles de mes filles. Les itinéraires et les passions de Caroline et Valérie l'intéressent et l'amusent beaucoup.

Je dirais qu'avec François Mitterrand nous avons une complicité de projets, un enthousiasme prospectif commun et que nous aimons unir nos forces pour créer du nouveau. C'est déjà bien, c'est déjà beaucoup.

# Arafat (Yasser)

Fasciné par le judaïsme et par l'État hébreu, Mitterrand a très tôt défini une stratégie équilibrée sur le Moyen-Orient. Pour lui, le droit à la sécurité d'Israël va de pair avec le droit à un État pour les Palestiniens.

Dans les années 1970-1980, cette position n'est pas aussi partagée qu'aujourd'hui. Et demain, à l'heure de l'enkystement des fondamentalismes, il est malheureusement possible qu'elle soit perçue comme une rêverie datée.

Grand ami d'Israël, Mitterrand a sauvé par trois fois la vie de Yasser Arafat. Deux fois, physiquement. Une fois, politiquement.

1. Beyrouth, 1982. Mitterrand tient à ce que la capitale libanaise survive et que le chef de l'OLP qui s'y est réfugié échappe aux Israéliens qui mènent l'opération Paix en Galilée.

Homme à l'incroyable baraka, Arafat sort indemne d'un immeuble bombardé. Des légionnaires du 2ᵉ REP l'escortent jusqu'au port. Il embarque avec le dernier reliquat de ses hommes sur un navire de commerce grec qu'escortent des bateaux de guerre américains et des frégates françaises.

2. Tripoli, 1983. Arafat tente de se réinstaller au Liban. Cette fois, ce sont des dissidents de l'OLP appuyés par les Syriens qui veulent le rejeter à la mer. Pressés par les pays arabes les plus radicaux qu'a toujours insupportés l'indépendance d'Arafat, les Russes s'abstiennent de voler à son secours. Et c'est une nouvelle fois sous escorte maritime française que l'homme au keffieh et ses 4 000 fidèles échappent à l'étau des leurs pour établir leur camp de base à Tunis.

3. Paris, 1989. Menant une offensive diplomatique pour faire avancer la cause de l'État palestinien, Arafat peine à se faire inviter par les puissants de ce monde. Il est considéré comme un dangereux terroriste. Le rencontrer, c'est dîner avec le diable sans longue cuillère.

Mitterrand se fiche de la réprobation publique. Fidèle à ce qu'il croit, campé sur ses convictions, il brave sans vergogne l'impopularité et l'air du temps. Il sait qu'il faut parler avec chacun pour faire avancer les choses, et il a appris à connaître les roueries et les malices d'Arafat.

En échange de son invitation, Mitterrand tient à ce que le Palestinien reconnaisse le droit à l'existence d'Israël, qu'il accomplisse un pas significatif dans cette voie. La venue du dirigeant de l'OLP fait des vagues. La France cache sa crainte derrière les rideaux de sa frilosité. Les politiques de droite comme de gauche sont nombreux à prendre la poudre d'escampette. Mitterrand me dit : « Comme vous soutenez mes thèses, j'aimerais que vous puissiez lui organiser quelque chose d'agréable. » La réception que je donne à l'Institut du monde arabe (IMA) en l'honneur d'Arafat me vaut bien des défections. Celles de hiérarques socialistes comme celles d'intellectuels peu pressés de se confronter aux hommes qui peuvent déplaire mais qui se battent pour leur peuple et qui font l'histoire.

Nous souhaitons qu'Arafat déclare publiquement nuls et non avenus les articles de la charte de l'OLP qui préconisent la destruction de l'État d'Israël. Dans la voiture qui mène aux studios de télévision, Roland Dumas fait répéter à Arafat le mot « caduc ».

Et voilà qu'en direct, au journal télévisé, le dangereux terroriste déclare que la destruction de l'État hébreu n'est plus un horizon indépassable, que cet article de la charte de l'OLP est « caduc ». Cela vaut bien une visite du Louvre que j'organise au débotté.

Janvier 1996, Arafat vient se recueillir devant la dépouille de Mitterrand et récite la première sourate du Coran. Selon son fils Gilbert, il s'assied au bord du lit, prend la dépouille dans ses bras et la berce, tout en psalmodiant, telle une pleureuse.

À Notre-Dame, pour l'hommage officiel à Mitterrand, il est placé à quelques chaises de Shimon Peres, le travailliste israélien. La proximité de ces vieux lutteurs, tous deux respectés par Mitterrand qui les admirait en retour, témoigne de la flamme d'un espoir vacillant et qu'il faut sans cesse ranimer.

# Arbres

François Mitterrand est d'une espèce en voie de dispa-rition, celle qui tire « fierté d'appeler les arbres par leur nom ». Il est d'avant l'urbanisation du goût et la numéri-sation des mémoires.

Quand on se promène à ses côtés en forêt, il faut s'at-tendre à subir une inspection en règle des frondaisons et une leçon de botanique appliquée.

Avec l'âge mûr, Mitterrand fait retour à ses racines agraires, à un enthousiasme bucolique jamais démenti. L'homme connaît et aime la nature. Il jardine sans talent exagéré. Il est jaloux des dons de Benoîte Groult, écrivaine et femme de Paul Guimard. Il compose des bouquets de fleurs des champs, mais surtout il veille sur ses plantations.

Dans *La Paille et le Grain*, il raconte ses douces manies : « Latche. Chaque jour ou presque, je visite mes chênes. Ce rite amuse mon entourage quand j'affirme qu'ils changent à vue d'œil. C'est vrai pourtant. […] Ce sont ces chênes résistants qui ont donné corps à l'idée que je nourrissais d'en planter assez pour atteindre à l'orgueil d'une forêt. J'en suis loin. Il me faudrait finir centenaire pour recevoir un début d'ombre. » Et, se sou-venant de la Saintonge de l'enfance et de ses rivières tranquilles, il poursuit : « À l'exception peut-être du saule qui continue de m'émouvoir tant il ressemble à la France de mon paysage personnel, je n'aime rien tant que les chênes[1]. »

---

1. François Mitterrand, *La Paille et le Grain*, © Flammarion.

Le chêne est l'arbre du pouvoir et de la maturité. C'est aussi celui des forêts françaises de toujours. À Jarnac, le cognac vieillit en fût de chêne, coupé dans la forêt de Tronçais dans l'Allier. Le Président mariera d'ailleurs le chêne à l'olivier pour en faire son emblème.

Député de la Nièvre, Mitterrand se bat sans succès pour que les résineux qui habitent ses forêts landaises ne l'emportent pas sur son chêne préféré. Il raconte : « J'ai vu disparaître en trente ans la forêt celte du Morvan. Je représente ce pays. Je n'ai rien pu faire pour le défendre. […] Paris n'a jamais répondu que par des bordées d'axiomes. Économie, économie d'abord. À quoi bon ces chênes qui exigent un siècle pour la maturité, ces hêtres dont la fibre refuse de s'intégrer aux techniques rentables de la cellulose, ces frênes, ces charmes, ces trembles, ces bouleaux ? Chaque semaine, par centaine d'hectares, la forêt de lumière tombe sous l'assaut des scrapers. Place aux résineux. »

Difficile de résister au jeu des comparaisons. Mitterrand n'a rien de l'élégance gracile du peuplier, ni de la hauteur élancée et ébouriffée du pin parasol. Il n'est pas pleureur comme le saule, ni apeuré comme le tremble. C'est vrai qu'il ne doit pas se détester en chêne enraciné.

Dans la Grande Bibliothèque qui porte aujourd'hui son nom, il y a en contrebas une forêt-jardin. Quand ils se promènent dans leur cloître, les moines-chercheurs peuvent découvrir 165 pins, 65 bouleaux, 18 charmes, 19 merisiers, 7 sureaux noirs, 3 sorbiers des oiseleurs, 1 peuplier tremble et… 21 chênes.

# Argent

François Mitterrand n'est pas un homme d'argent. Il n'a jamais fait fortune, jamais eu envie de devenir riche, jamais été envieux des facilités de certains.

L'homme privé se fiche de thésauriser. Dans l'opposition comme au pouvoir, il est à l'aise. Il ne se prive de rien, mais n'a pas un train de vie pharaonique. Il mange dans de bons restaurants, voyage où il veut, achète quelques livres de prix. Il a maisons de ville et de vacances, des pins, un étang. Il a le niveau de revenus d'un cadre supérieur, d'un intellectuel qui ferait de bonnes ventes en librairie ou de l'avocat de renom qu'il aurait pu devenir. Il est d'ailleurs probable que le barreau aurait constitué un meilleur investissement bancaire que l'Assemblée.

Mitterrand ressort de l'Élysée avec, sans doute, des économies réalisées sur un salaire de président, mais sans trésor caché, ni palais féerique. Dans ses *Mémoires*[1],

---

1. André Rousselet, *À mi-parcours. Mémoires*, *op. cit.*

André Rousselet rapporte qu'à la demande de François Mitterrand, un reliquat de fonds secrets de quarante millions de francs en bons du Trésor est remis personnellement à Jacques Chirac. C'est sans précédent, et témoigne de l'honnêteté de François Mitterrand. Il est d'ailleurs assez amusant de voir combien de limiers de presse et d'investigateurs ont perdu un temps précieux à inspecter ses comptes en banque, à faxer ses actes notariés et à se faire refiler des infos douteuses vite tenues pour des tuyaux fiables.

La seule chose exacte, c'est que Mitterrand n'a sur lui pas plus de montre au poignet que de menue monnaie ou de liasse de billets. Il n'est ni pingre, ni profiteur, pas plus qu'il ne joue les dispensateurs de bienfaits à toute la compagnie ou les flambeurs ravis d'en jeter plein la vue. Il se fait parfois inviter, mais il sait rendre la pareille.

S'il n'a pas de porte-monnaie, c'est sans doute par ce besoin de se balader les mains dans les poches, nez au vent, attentif à la rencontre humaine et à la couleur du ciel, sans se soucier du prix des choses, de l'heure des comptes à rendre, pas plus que de la météo des jours futurs.

Si l'homme privé n'a jamais un sou vaillant en poche, l'homme politique sait que deux et deux font quatre et ne se laisse pas intimider par les oracles ou traiter comme un écolier par Giscard ou autres professeurs de vertu financière.

Mitterrand sait qu'un Smic ne vaut pas lourd à partir du 20 du mois. Et que les bénéficiaires d'aides sociales ne sont pas les assistés dénoncés par les libéraux, mais des gens qui peinent à payer leur baguette, sans que le boulanger leur fasse crédit.

Grandi dans le catholicisme, Mitterrand regarde le monde de l'argent et de l'usure avec défiance. Il trouvera dans le socialisme démocratique une même prudence envers les choses financières.

Lors du congrès d'Épinay, en 1971, il se lance dans une philippique célèbre que je cite plus largement que d'habitude. À la tribune, en fin de congrès, alors que se met en ordre de bataille un nouveau parti, son nouveau parti, il lance : « Il y a un certain nombre de décennies, l'adversaire, qui était-ce ?... Eh bien, une certaine classe dirigeante, assurément. D'autres auraient ajouté l'Église, qui apportait le sceau du spirituel aux moyens de l'injustice sociale... D'autres auraient ajouté : l'Armée... mais ça fait déjà longtemps qu'elle ne fait plus de coup d'État ! D'autres auraient ajouté : les notables.

« Le véritable ennemi, j'allais dire le seul, parce que tout passe par chez lui, le véritable ennemi si l'on est bien sur le terrain de la rupture initiale, des structures économiques, c'est celui qui tient les clés... C'est celui qui est installé sur ce terrain-là, c'est celui qu'il faut déloger... c'est le Monopole ! Terme extensif pour signifier toutes les puissances de l'argent, l'argent qui corrompt, l'argent qui achète, l'argent qui écrase, l'argent qui tue, l'argent qui ruine, et l'argent qui pourrit jusqu'à la conscience des hommes ! »

On croirait entendre le pape François. Mais aussi les grands noms du socialisme français qui fustigeaient le mur de l'argent ou les deux cents familles. Car ne l'oublions pas, l'argent se met souvent à droite. Elle lui fait bon accueil et excellentes facilités.

Certaines fortunes françaises ont souvent tenté de torpiller les réformes de gauche qui risquaient de les attaquer au portefeuille pour donner aux moins nantis.

Cette question de la juste répartition des richesses est un éternel recommencement. C'est aussi un éternel débat au sein de la gauche entre ceux qui pensent que l'action collective, celle de l'État ou de l'économie sociale, doit primer sur l'initiative privée et ceux qui pensent qu'il faut laisser la richesse se créer et prospérer avant de la taxer.

Mitterrand tranche par les décisions prises dès 1981. Nationalisations, progrès et avantages pour les salariés. Ensuite, il sera parfois obligé de temporiser avant de repartir de l'avant. Mais il restera toujours cet élan des débuts.

B

# Balladur (Édouard)

La gauche sort laminée des législatives de 1993. Mitterrand est affaibli par la maladie et n'envisage pas une seconde de se représenter, même si à l'époque la Constitution ne limite pas le nombre des mandats. Quelques adulateurs de la dernière heure en feront bruisser la possibilité.

Édouard Balladur est l'exact inverse de Jacques Chirac dans l'attitude humaine. Habile et courtois, gourmé et distingué, intelligent et cultivé, Balladur entretient des rapports civilisés avec un président qui n'a plus le mordant de 1986.

Mitterrand apprécie que Balladur ne soit pas dans une guérilla perpétuelle et le prévienne des difficultés en cours, si ce n'est des conflits à venir. Si, par extraordinaire, Balladur manque à ses obligations, Mitterrand le lui fait savoir. Il n'y a pas de proximité politique particulière qui s'établit, mais une règle du jeu admise par les deux plus hauts personnages de l'exécutif.

Évidemment, comme c'est l'usage et afin de faire les délices de la petite coterie parisienne, les médias laissent filtrer des appréciations assassines de l'un sur l'autre. Ainsi, Mitterrand aurait traité Balladur de « bourreau chinois aux lacets de soie ». Il aurait mis en doute sa franchise : « Avec lui, c'est la technique de l'étrangleur ottoman. Il est tout doux, il s'insinue, il vous neutralise et puis, le moment venu, couic. »

Je ne mésestime pas l'art de la vacherie et le sens de la formule de François Mitterrand. Il nous en a donné maintes et maintes preuves. Mais ces dernières saillies ne sont pas de première main. Elles ne sont pas nées sous la plume du Mitterrand pamphlétaire qui pouvait avoir le tranchant d'une dague, ni dans des entretiens relus avant publication. Elles fleurissent dans les livres d'analystes politiques ou de mémorialistes qui savent prendre des libertés avec la vérité pour mieux vendre leur ouvrage.

Pour ma part, je n'ai pas entendu Mitterrand se livrer à des descentes en flammes de son dernier Premier ministre, de son dernier vis-à-vis à la table du Conseil. Envers Balladur, il pouvait être cinglant, mais rarement assassin.

Balladur, que je vais découvrir plus précisément à la fin des années 2000 au sein d'une commission de réforme de la Constitution où il accomplira un remarquable travail, est un homme particulier, d'une conformation assez étrange dans le monde politique.

Il ne ressemble pas à grand monde et semble un peu venu d'ailleurs. Il est subtil et fin. Il manie l'humour et la litote, avec un sens certain de l'*understatement*. Il possède une culture classique, littéraire et artistique, une

passion pour l'art contemporain sans parler d'un ves-
tiaire à l'élégance aussi british et affectée que son ironie.
Dans le registre libéral et droitier qui est le sien, Balladur
se débrouille parfaitement à Matignon. Il sait gérer, admi-
nistrer, prévoir.

Mais avant de gouverner, il faut aller à la rencontre de
la population et savoir se faire désirer, aimer, élire.

À la veille de la campagne présidentielle de 1995,
Mitterrand s'introduit à sa manière dans le duel qui agite
la droite. Il donne plus de signes d'encouragement à
Chirac qu'à Balladur. C'est comme s'il privilégiait celui
avec lequel il a bataillé dur, entre coups bas et coups fourrés plutôt que celui avec lequel il vit une cohabitation
tranquille, apaisée mais qui, crime de lèse-majesté, a osé
se mêler de politique étrangère.

On fête les cinquante ans de la libération de Paris, à l'été
1994. La guerre des deux droites bat son plein. Mitterrand
quitte la place sur laquelle se déroule la cérémonie. Il disparaît de longues, longues minutes avec Chirac, dans le
bureau de celui-ci. Tandis que Balladur, délaissé, patiente,
esseulé, attendant que les deux larrons daignent consen-
tir à le rejoindre.

Les derniers mois de son deuxième septennat, Mitterrand
va confirmer cette soudaine faveur pour Chirac qu'il a
toujours moqué en énergumène à l'agitation frénétique.

Je peine à trouver une explication à cet engouement
venu de nulle part.

Est-ce pour venir à la rescousse de son camp PS au
moment où Balladur est archi-favori ? Pas certain.
Mitterrand n'est pas ravi de la candidature Jospin. Il garde
de mauvais souvenirs du congrès de Rennes. Il imaginait
que Fabius allait reprendre le flambeau mais l'affaire du

sang contaminé a durablement et injustement coupé les jarrets du dauphin préféré. Il me pousse à me présenter. Je découvre que mon désir de tout sacrifier à la présidentielle n'est pas assez fort.

Mais si ce n'est pas pour diviser l'adversaire, pourquoi Chirac ?

Peut-être pour se mêler une dernière fois des affaires publiques. Pour prouver qu'il reste en phase avec le pays, avec ses attentes, avec ses refus qui n'ont rien à voir avec les diktats des faiseurs d'opinion. Pour démontrer sa vista préservée en pariant très tôt sur le détesté, le méprisé, le déjà oublié. Ou alors c'est pour exercer une ultime influence et peser sur le résultat d'un concours majeur qui a occupé une grande partie de sa vie.

En tout cas, Chirac sera élu. Et Balladur s'en ira à petits pas, toujours extrêmement boutonné, avec au coin des lèvres une bribe d'ironie.

## Barthes (Roland)

Avant l'élection de 1981, j'organise des rencontres où François Mitterrand croise des intellectuels. C'est à la suite de l'un de ces déjeuners chez un merveilleux ami, Philippe Serre, que Roland Barthes trouve la mort. En rentrant au Collège de France, le sémiologue au registre révolutionnaire se fait renverser par une camionnette.

Dans un roman sorti en 2015, Laurent Binet fait revivre cette période et s'amuse à décrire les us et coutumes, les rivalités et les accointances du monde intellectuel français des années 1970-1980 sur lesquelles il greffe une intrigue policière. Binet imagine que le célèbre linguiste Roman Jakobson a découvert une septième fonction du langage qui donne un avantage insurpassable dans le débat et l'argumentation à celui qui la possède. Le romancier mijote toute une série de rebondissements rocambolesques. Sous sa plume, le déjeuner que j'ai effectivement organisé sert de cadre à une mystification qui pourrait avoir existé. Il raconte ainsi : « Jack Lang ignore comment Barthes s'est retrouvé en possession du manuscrit de Jakobson, mais le fait est que son exceptionnel réseau dans les milieux culturels lui a permis d'en être averti. C'est Debray, après en avoir parlé à Derrida, qui l'a convaincu de l'intérêt de ce document. Ils ont donc décidé d'organiser le déjeuner avec Barthes pour pouvoir le lui dérober. Pendant le repas, Lang a discrètement subtilisé la feuille qui était dans la veste de Barthes pour la remettre à Debray qui attendait, caché dans le vestibule. Debray a couru remettre le document à Derrida qui, à partir du texte original, a créé de toutes pièces une fausse fonction que Debray a rapportée à Lang, qui l'a remise dans la veste de Barthes alors que le déjeuner n'était pas achevé. Le minutage de l'opération était très serré, il fallait que Derrida rédige la fausse fonction en un temps record, à partir de la vraie pour qu'elle ait l'air crédible, mais qu'elle ne fonctionne pas[1]. » Ensuite, Binet déroule une course au trésor meurtrière qui s'organise autour de la possession de cette septième fonction. Cette traque du faux manuscrit cause la mort de Barthes et l'on croise Philippe Sollers, les services secrets bulgares ou les sbires de Giscard.

---

1. Laurent Binet, *La Septième Fonction du langage*, Éditions Grasset et Fasquelle, 2015.

Selon le roman de Binet, j'aurais gardé cette arme secrète pour la transmettre à Mitterrand. Ce qui lui aurait permis de dominer Giscard lors du débat télévisé de 1981. Tout cela n'est que fiction réjouissante, bien entendu. Ce qui prouve la fascination intacte sur les esprits créatifs d'aujourd'hui, du Mitterrand de toujours.

Le défenseur absolu du tribun socialiste que chacun me reproche d'être sait bien évidemment que son héros n'avait pas besoin de potion magique, ni de septième fonction pour venir à bout de son opposant.

# Béatrice

Le 28 janvier 1938, on donne un bal à l'École normale supérieure. François Mitterrand, vingt-deux ans, aperçoit une jeune fille blonde qui lui tourne le dos. Quand elle lui fait face, il en reste statufié. La foudre frappe.

Elle se nomme Marie-Louise Terrasse. Elle porte une petite robe brodée en organdi. Son frère est normalien. D'où sa présence en ces lieux.

Mitterrand la fait valser la nuit durant. Ravie de ces attentions mais soucieuse de suivre les recommandations de madame sa mère, la demoiselle refuse de donner nom et prénom. Il la surnomme Béatrice, en hommage à l'adorée idéalisée de Dante.

Sans avoir rien dévoilé de son identité, si ce n'est qu'elle prépare son baccalauréat, Cendrillon disparaît dans la nuit. Mitterrand ne se laisse pas distancer aussi facilement. Il suit les traces du carrosse. Il réussit à apprendre que Marie-Louise suit des cours à Fénelon, un lycée parisien.

Il la suit sur le chemin de l'école, l'attend à la sortie des cours, avec cette obstination qu'il met déjà en toute chose. La demoiselle est sensible à son assiduité et à son charme. Dans *Le Cercle des intimes*[1], elle raconte : « Je le trouvais pas mal du tout. Il était même extrêmement séduisant. J'ai fini par transgresser les ordres de ma mère. »

Mitterrand va se rendre compte que sa Béatrice est bien plus jeune qu'elle ne le prétend. Elle a tout juste quinze ans, elle est en troisième et c'est son brevet qu'elle prépare, pas son bachot.

Ils se fréquentent, comme on dit à l'époque. Elle se souvient : « François était d'une grande gentillesse avec moi, toujours très attentionné. Il ne voulait jamais me quitter. On allait dans les surprises-parties ensemble. C'était un sportif et il adorait danser le swing. C'était un bon cavalier qui n'était pas du tout jaloux. Je pouvais très bien danser avec d'autres garçons et lui avec d'autres filles[2]. »

Le jeune Mitterrand est tout à son amour qu'il agrémente d'un romantisme effréné. Pendant quatre ans, il va écrire 2 000 lettres à sa passion, plus exaltées les unes que les autres. Ces lettres, je les découvre grâce à ma fille Caroline. Catherine Langeais les lui avait confiées comme pour s'en libérer. Caroline ne souhaitera pas les conserver et les rendra à leur auteur. Ont-elles survécu à sa disparition ?

Au courrier, il joint aussi des poèmes, des petits contes, des fabulettes. Il s'épanouit dans cette passion, présente

1. Caroline Lang, *Le Cercle des intimes*, La Sirène, 1995.
2. *Ibidem.*

« Béatrice » à son entourage, fier de sa beauté, heureux de parader à son bras.

Elle le décrit ainsi : « Ce qui me fascinait par-dessus tout, c'était son formidable bagou. François était capable de parler de tout, de jazz, de politique, du monde… Et en plus, il avait beaucoup de fantaisie, toujours à blaguer et à s'amuser. Sa drôlerie et son intelligence le différenciaient des autres[1]. »

Il demande sa main, mais la mère de Marie-Louise refuse. Le prétendant n'a pas accompli ses obligations militaires. Qu'à cela ne tienne ! Il se retrouve simple soldat au 23e régiment d'infanterie coloniale. Il est affecté au fort d'Ivry où il retrouve son condisciple Georges Dayan, qui va devenir son meilleur ami.

Mitterrand voit vite les limites d'un univers dont il s'accommode comme il le peut. Il écrit : « Tomber sous la coupe de sous-officiers à l'intelligence aussi déliée que celle du bélier ne suscite pas particulièrement l'enthousiasme. » Il trompe l'ennui des chambrées en écrivant chaque soir à sa dulcinée. Marie-Louise est moins assidue à lui répondre. Elle se sent intimidée par le talent et la ferveur de son épistolier. Elle est moins amoureuse qu'il ne l'est, mais a promis de l'attendre.

Le début de la guerre contrarie les plans du jeune Mitterrand. Il doit rejoindre son affectation sur la ligne Maginot. Il profite d'une permission pour se fiancer. Mais il est blessé près de Verdun et se retrouve en stalag en Allemagne.

S'il multiplie les évasions, c'est d'abord que la privation de liberté le révulse. Mais c'est aussi pour rejoindre au plus vite les bras de Béatrice. Celle-ci lui écrit de moins en

---

1. Caroline Lang, *Le Cercle des intimes*, op. cit.

moins souvent. Elle revoit un comte polonais. Elle reconnaît : « François, c'était un grand amour, mais Antoine, je l'avais dans la peau. »

Quand il rallie enfin Paris, après sa troisième tentative d'évasion, Mitterrand revient, troublé, se confronter à son malheur d'aimer. Marie-Louise lui rend sa parole et sa bague de fiançailles. Elle se souvient : « Il a pleuré beaucoup. Mais il ne s'est jamais résigné. Il a continué à m'envoyer des lettres et des roses pour mon anniversaire. »

On décrit souvent Mitterrand en séducteur compulsif, en don Juan cynique, en cavaleur à bride abattue. Le découvrir dévasté par la perte de l'être aimé me le rend éminemment émouvant.

Est-ce ce désarroi de jeunesse qui explique son besoin futur de revanche amoureuse ? Un premier échec conditionne-t-il un comportement futur ? Ce causalisme psychologique est sans doute simpliste. Rien ne dit que Mitterrand n'ait pas masqué ses attachements d'homme derrière le masque trompeur d'un Casanova sans états d'âme.

Dans les années 1950, Béatrice devient speakerine de télévision et prend le pseudonyme de Catherine Langeais. Ils ne se perdent pas de vue. Quand il devient président et qu'ils ont tous deux rejoint l'âge auquel on se croit assagi, il décore son ancienne fiancée.

# Bibliothèque (Grande)

Il est exaltant de voir se réaliser des projets, de passer de quelques mots jetés sur une feuille blanche à une construction où s'assemblent des milliers de chercheurs et d'étudiants et que visitent des millions de touristes.

Juste après son élection en 1981, le Président m'interroge sur la question du livre. Je lui fais remarquer que la France souffre d'un sous-développement de ses bibliothèques et que le navire amiral, la Nationale de la rue Richelieu, ne remplit plus son office. Trop peu de place, pas assez d'ouvrages disponibles, un accès réservé à quelques-uns. Je lui fais valoir que « l'actuelle BN craque ».

Pendant le premier septennat, nous commençons par construire ou rénover en région un millier de bibliothèques de tailles variées. L'idée est de décentraliser et de démocratiser l'accès aux livres.

Jacques Attali, le premier, rêve d'une autre Bibliothèque nationale. De mon côté, je lui propose également de mettre les richesses littéraires du pays à disposition des universitaires du monde entier. La BN de la rue Richelieu se consacrerait à l'histoire de l'art.

Jacques Attali veut déjà dématérialiser. Il veut créer un site numérique plutôt encore qu'un lieu physique. C'est visionnaire. Mais dans les années 1980, les esprits ne sont pas aussi avancés. Aux êtres du siècle passé, et peut-être aussi à ceux d'aujourd'hui, il faut de la pierre, du verre, du bois, des bancs, des repères, des sourires. Il leur faut un espace où les humains puissent encore se croiser, se dévisager, se sentir vivre ensemble et étudier au coude à coude sous la lampe.

Il faut choisir un espace. En bord de Seine, entre la gare d'Austerlitz et les entrepôts des minotiers, le site de Tolbiac tient la corde. C'est vaste, central, et cela permet de donner une identité à un quartier qui entame sa rénovation urbaine.

Je ne suis pas convaincu. L'endroit est vide, battu par les vents, manque d'identité. Je pars à la recherche d'une alternative. Défilent au tourniquet du possible une caserne à Vincennes, le quai Branly où sera édifié le musée des Arts premiers et l'île Seguin débarrassée des usines Renault. Cette île-bibliothèque a ma préférence.

Tout à sa volonté de faire rentrer Paris dans la banlieue, Roland Castro nous emmène survoler des emplacements au-delà du périphérique. Mais Tolbiac garde l'avantage.

Question architecture, Mitterrand apprécie, dans le projet retenu, celui de Dominique Perrault, ces tours comme quatre livres ouverts. Il aime le cloître central arboré. Il y a dans ce jardin enfoui une promesse de silence apaisant et de rupture avec l'effervescence de la cité. Et il y a là une cache secrète où se claquemurer entouré de livres, une souille profonde où disparaître aux yeux des autres. Il y a là une Venise à la tentation de laquelle Mitterrand ne cédera pas malgré l'envie récurrente qui saisit souvent les hommes d'action, celle de se retirer des affaires du monde et d'entrer en méditation, en ermitage.

Je suis plus inquiet du vide laissé entre les quatre tours qui semblent des volets entrouverts sur un néant venteux.

Pour en faire un nouveau Quartier latin, il va falloir densifier le quartier et le peupler d'étudiants. Je m'y emploierai après la disparition de Mitterrand, en 2000. Ministre de l'Éducation nationale de Lionel Jospin, je ferai en sorte que de nouveaux locaux soient construits à l'est de la Bibliothèque François-Mitterrand pour accueillir l'université Paris-Diderot et que le site de Jussieu soit désamianté et repensé pour que l'université Pierre-et-Marie-Curie Paris-VI y prenne ses aises.

Le nom de cette bibliothèque a changé. Au début, les médias qui aiment les sigles la nomment TGB. Dans les gazettes, on l'imagine Très Grande Bibliothèque comme il y a des TGV. Annoncé lors de l'allocution du 14 juillet 1988, le lieu est inauguré en 1995, juste avant la fin du second septennat. Elle se nomme alors Bibliothèque de France. Quelque temps après la disparition du Président, elle devient Bibliothèque François-Mitterrand. Et ce n'est que justice.

J'imagine que, là où il est, le lecteur et littérateur Mitterrand se réjouit de voir son nom attaché à une telle œuvre.

# Bibracte

Bibracte se situe au pied du mont Beuvray, au cœur du Morvan. C'est là que, selon certains historiens, aurait vu le jour l'idée d'unité française. Vercingétorix y réunit les irascibles tribus gauloises et réussit à les fédérer pour affronter les légions romaines. C'est là aussi que César aurait pris ses quartiers d'hiver et commencé la rédaction de *La Guerre des Gaules*.

Bibracte est le début d'une idée prometteuse qui mettra des siècles à aboutir.

Aujourd'hui, il existe à Bibracte, par notre volonté, un centre de recherches archéologiques et un musée. Cet ensemble témoigne du désir de Mitterrand de jouer les sourciers d'un récit collectif. Il y a chez lui un souci permanent de l'histoire de France et de la géographie du pays.

On inscrit souvent Mitterrand dans la continuité de personnages de gauche comme Jaurès ou Blum. Certains tentent de l'arracher à sa filiation naturelle et évoquent Clemenceau ou Lamartine. D'autres l'opposent et le comparent à de Gaulle.

Mais s'il y a bien un personnage auquel on pense rarement à l'apparier, c'est à Vercingétorix. Il paraît trop vindicatif comparé à la froideur contrôlée de Mitterrand. Le jeune chef gaulois n'était pas qu'un chef de guerre, c'était aussi un politique et un fédérateur qui ne craignait pas de braver le stratège de l'Empire romain, le roi du monde d'alors.

Bibracte se situe à mi-chemin entre Château-Chinon et Cluny. Dans la Nièvre, Mitterrand exerça tous ses mandats locaux. Il y fut maire, conseiller général, député-sénateur. En Saône-et-Loire, le résistant trouva refuge chez les Gouze, où il croisa Danielle.

Perdu dans les monts du Morvan, Bibracte est aujourd'hui visité pour son quartier gaulois ressuscité. Longtemps méconnu, ce lieu conjugue symboles politiques et personnels à tel point que Mitterrand a pensé un moment à s'y faire enterrer.

Cela aurait eu du sens et de l'envergure. Mais diverses réticences ont fait que c'est à Jarnac qu'il est plus classiquement retourné, auprès de ses parents.

# Bicentenaire de la Révolution

En politique comme dans d'autres domaines, il est des années mémorables, des années où tout réussit, des années sans pareilles. 1989 est de celles-là.

Le Mitterrand politique vient d'être réélu en 1988. Il est dans la ferveur des débuts de mandat. La croissance est de retour. Il nomme Michel Rocard à Matignon. Le Président veut que l'ensemble des forces de gauche soient associées à l'exercice du pouvoir. Il tient à réunir les talents et à n'oublier aucune des idées et des philosophies de progrès qui pourraient permettre au pays de devenir plus juste, plus égalitaire et plus libre.

Le Mitterrand bâtisseur présente aux Français les premiers de nos grands travaux : l'Opéra Bastille, la Pyramide du Grand Louvre, la Tête Défense, l'Institut du Monde arabe, Orsay, la Cité des sciences, le musée Picasso, ainsi que la multitude de nos réalisations en régions (musées, centres d'art contemporain, bibliothèques, écoles d'art, scènes nationales…).

Le Mitterrand stratège accueille en France les dirigeants du monde entier. Ils viennent célébrer le bicentenaire de la chute de l'arbitraire royal et la naissance de la démocratie. La France les invite, en 1989, à réinventer les rapports Nord-Sud et à se soucier des disgraciés de la planète conviés eux aussi à fêter la Révolution.

Le Mitterrand historien inscrit cette année particulière dans la mémoire des siècles passés.

En 1789, la France prend la Bastille, abolit les privilèges et déclare les Droits de l'homme et du citoyen.

En 1889, la France inaugure la tour Eiffel et tient l'Exposition universelle à Paris. La IIIᵉ République fait assaut de nationalisme après la défaite de 1870. Elle fait aussi avancer les libertés pour se défendre du populisme, du boulangisme.

En 1989, un homme seul défie un char, à Pékin, place Tiananmen, et le mur de Berlin se fissure.

La France de Mitterrand soutient les dissidences sans refuser de se confronter à la réalité des pouvoirs autoritaires. Au summum de son influence, son président maintient sa vision des choses et sa conviction dans les valeurs d'émancipation des peuples.

Trois moments signent la flamboyance de cette année exagérée que je vis avec ferveur, lesté d'un titre à rallonge qui frise le ridicule. Je suis alors ministre de la Culture, de la Communication, des Grands Travaux et du Bicentenaire. Jean-Noël Jeanneney préside avec talent la Mission du bicentenaire.

1. Le 20 juin, à Versailles, Mitterrand donne sa version du serment du Jeu de paume dans la salle où se réunirent les députés voici deux siècles. Il détaille sa vision de la Révolution de 1789. Il prend le tout comme un bloc, saluant les émancipations réussies, pointe les crises surmontées et retient les leçons du passé.

Prospectif et prophétique, en recherche de ces promesses d'avenir qui permettent de fédérer les attentes, il déclare : « Je vois dans le refus des exclusions le vrai chantier qui nous attend. La République a besoin de compter son monde : les exclus du travail, les exclus du savoir, les exclus du bien-être, les exclus de la dignité, les exclus de la santé, les exclus du logement, les exclus de la culture doivent disposer de tous leurs droits. L'égalité passe par là. La liberté, aussi. Il n'est pas de République sans espoir. »

2. Le 14 Juillet au soir, la parade que nous avons confiée, Christian Dupavillon et moi, à Jean-Paul Goude est un événement retransmis dans le monde entier. Cet hymne à l'universalité raconte une France fraternelle et émouvante. Il donne l'image d'un peuple ouvert, rieur et joueur qui s'est débarrassé des concepts de race et de religion, de chauvinisme et d'agressivité. Au milieu de la place de la Concorde, le surgissement de Jessye Norman, la cantatrice noire américaine, drapée de bleu blanc rouge et qui entonne *La Marseillaise*, est le signe de cette fusion des identités, de ce mélange des appartenances, de cette tolérance brillante et festive.

Ce défilé est pacifique, ce carnaval ne porte pas de masques, cette parade n'a rien de vaniteux. Ce moment est grandiose et drôle. Il y a des détournements assez surréalistes, des instants ludiques, des modernités joyeuses.

Pour mieux s'en imprégner, le Président s'échappe de l'hôtel de la Marine où sont réunis trente-trois chefs d'État et de gouvernement. Et tel un garnement, il part se perdre dans les rues alentour pour admirer en simple passant et vibrer à l'unisson de la population.

3. Décembre 1989. Un savant, un encyclopédiste et un évêque constitutionnel entrent au Panthéon. Monge, Condorcet et l'abbé Grégoire revendiquent des valeurs de gauche. Ils sont la révolution généreuse, intellectuelle, humaniste. Ils ont initié des avancées majeures : l'égalité homme-femme, l'enseignement laïque et obligatoire, la fin de l'esclavage, la reconnaissance des Juifs, la diffusion de la langue française, la création de l'École polytechnique et du Conservatoire national des arts et métiers. À la demande du Président, je suis chargé de prononcer le discours d'accueil des trois entrants. J'ai bien compris que, avec sa malice amicale, il me met en compétition avec André Malraux, ministre de la Culture de De Gaulle qui salua avec une force inégalable la réception de Jean Moulin en ces lieux.

Il gèle à pierre fendre. Et Mitterrand debout doit subir mon adresse aux trois nouveaux entrants :

[…]
GRÉGOIRE,
CONDORCET,
MONGE,
un prêtre, un noble, un roturier,
que l'Ancien Régime et ses trois ordres séparait, opposait.
La Révolution a rassemblé les trois ordres et uni ces trois hommes.

Ce soir, nous les réunissons pour que l'égalité, avec eux, entre au Panthéon.

[…]

Aujourd'hui, en paix avec ses voisins et avec elle-même, notre République s'est donné comme nouvelle frontière : l'égalité des droits et du savoir.

D'où le choix de ces trois intellectuels en révolution par la pensée, le verbe, les actes – jamais par le sang.

CONDORCET, MONGE, GRÉGOIRE,
trois hommes de l'avant, trois hommes de rupture.

[…]

Face au déchaînement des violences, ils savent là encore être à contre-courant – une autre manière d'être des révolutionnaires.

De toutes leurs forces, ils avaient voulu abolir la royauté. Ils mettront la même énergie à vouloir abolir la peine de mort.

En accordant leurs actes à leurs convictions, et contre tous ceux qui croyaient devoir guillotiner le roi pour décapiter la monarchie, ils ne votèrent pas la mort, demandant avec GRÉGOIRE que Louis XVI « soit condamné à vivre pour être livré à ses remords ».

[…]

Qui eut pu imaginer lorsque s'ouvraient en janvier les fêtes du bicentenaire que 1989 verrait la révolution en marche sur les routes du globe ?

Année sans pareille.

[…]

Ce soir n'est pas le final du bicentenaire.

Ce soir est un prélude : une manière d'ouverture à ce troisième siècle de nos libertés en devenir.

Alors, avec Václav Havel,
Andréi Sakharov, revient le temps des intellectuels en avant
de l'action, revient le temps des hommes des Lumières.

Dans la tourmente, ils ouvrent la voie, ils disent le cap,
l'au-delà des tempêtes.

Alors résonnent avec une force neuve les paroles de
Grégoire :

« Il n'y a de gouvernements conformes aux droits des
peuples que ceux qui sont fondés sur l'égalité et la
liberté. »

Entendez ces paroles dont la prophétie pour notre bonheur s'accomplit sous nos yeux : « Un siècle nouveau
va s'ouvrir : les palmes de la fraternité et de la paix en
orneront le frontispice. Alors la liberté, planant sur toute
l'Europe, visitera ses domaines : et cette partie du globe
ne contiendra plus ni forteresses, ni frontières, ni peuples
étrangers. »
[...]

GRÉGOIRE, CONDORCET et MONGE n'avaient pas
peur des grands projets, des grands chantiers.

Pour eux, les belles choses et la haute science étaient le
plus court chemin pour atteindre le peuple.
[...]

Vous avez donné l'élan d'un mouvement à longue portée, à longue visée.

Vous étiez les ouvriers de la première heure, mais combien de chantiers ouverts par vous demeurent encore ina-
chevés.

Votre pensée, jeune, rayonnante, nous impose le devoir
d'intrépidité et d'audace.

Vous aviez si peu de temps !

Et vous avez tant fait !

Et l'histoire après vous semble si lente.

Cinquante ans pour abolir l'esclavage.

Cent ans avant l'école pour tous de Jules Ferry.

Cent cinquante ans pour que le droit de vote soit enfin reconnu à la moitié du genre humain.

Deux siècles, oui, deux siècles pour abolir en France la barbarie de la peine de mort ou pour imposer l'égalité professionnelle entre les hommes et les femmes.

Long, âpre, laborieux et dangereux souvent, le chemin, de Grégoire et Condorcet jusqu'à Schœlcher,

[...]

de Schœlcher à Jean Jaurès,

de Jaurès à Jean Moulin,

le chemin qu'une rose rouge simplement fleurit un jour de mai.

Combien de temps encore pour abolir le racisme dans les cœurs ?

Nous rêvons encore du jour où chaque Français pourra dire avec Grégoire que « la noblesse » – la couleur – « de la peau est reléguée par la raison dans les archives de la sottise » !

[...]

La première règle de la politique, nous dit Condorcet, c'est la justice ! et la deuxième ? la justice ! et la troisième ? c'est la justice !

GRÉGOIRE, CONDORCET, MONGE,

Ni de marbre, ni de bronze, – vous êtes des hommes.

Nous ne voulons pas vous embaumer, nous ne voulons pas vous statufier, car votre richesse est justement d'avoir été sensibles à la complexité d'un monde bouleversé.

[...]

Toute révolution est un brasier de contradictions.

C'est une forge étincelante où des amateurs jouent avec le feu.

Marteau sans maître entre les mains de millions d'hommes providentiels qui cherchent l'harmonie dans le désordre.

Lorsqu'un ordre se décompose, quand les peuples soulevés agissent avec la fulgurance de la pensée et pensent au rythme de leurs espoirs, lorsque tout se précipite et se radicalise.

1789 renaît à Prague en 1989, à Berlin en 1989, à Moscou en 1989, à Budapest, à Sofia, à Santiago du Chili, à Pékin en 1989.

Quand surviennent plus tard les Printemps arabes, les mêmes mots, les mêmes espérances, les mêmes enthousiasmes embrasent les cœurs. 1789 encore et toujours. Mais l'histoire de France l'enseigne : la démocratie ne s'écrit pas en un seul jour. Le couvercle se referme dans plusieurs pays. Il reviendra le temps où la jeunesse de ces nations fera à nouveau entendre sa voix. Là aussi 1789 renaîtra et vaincra.

# Blum (Léon)

Il y a bien sûr ce chapeau commun de la même couleur noir espoir.

Il tient parfois du borsalino pour Léon Blum qui le porte à plat, en fier hidalgo à l'entrée des arènes, et que ne déparerait pas un lacet à serrer en jugulaire.

Il est plus feutre à la visière légèrement relevée chez Mitterrand, tel celui d'un promeneur bonhomme aux idées secrètement transgressives qui sort sur les quais de Seine en hiver ou d'un professeur d'université qui donne le change mais va rejoindre un réseau de résistants clandestins ou une officine révolutionnaire interdite.

Mitterrand se voit des parentés et des continuités avec Blum, même s'ils ne viennent pas du même monde. Mitterrand est un provincial de moyenne extraction qui regarde Paris avec fascination, voulant y déployer son ambition mais sans pouvoir se déprendre d'une certaine difficulté à s'y sentir à son aise. Blum est le fils d'un riche commerçant, un bourgeois connaissant tous les codes et reçu dans les milieux les plus huppés.

Mitterrand commence par se soucier de littérature en lecteur admiratif, vénère la NRF et autres satellites de la galaxie Gallimard. Blum est au cœur du système des arts et lettres les plus lancés dès son plus jeune âge. Il est poète et proche de Gide. Lauréat du concours général, il suit les cours de Normale supérieure avec la nonchalance des surdoués qui ne détestent pas échouer pour fouetter leur neurasthénie. Critique littéraire, il est porté aux nues, et journaliste, il est aux commandes du *Populaire* jusqu'après la guerre quand Mitterrand se contentera de passer quelques mois à *Votre beauté*, magazine féminin du groupe L'Oréal.

Blum a cette délicatesse hautaine et cette désinvolture des bien-nés qui ont toujours été à leur place. Mitterrand est plus timide à ses débuts, plus agressif quand il veut se faire sa place, moins mélancolique quand il est parvenu à ses fins.

Politiquement, ils mettent la même distance entre eux et le communisme, même si leur approche est inversée. Au congrès de Tours en 1920, Blum se refuse à franchir l'autre rive où les bolcheviques sont déjà passés. Il se propose de garder la « vieille maison », la SFIO. C'est cette même SFIO, ruinée par ses compromissions, décatie par sa mauvaise gestion de la décolonisation, que Mitterrand refonde en 1971 au congrès d'Épinay avant de la rénover de fond en comble. Quant aux communistes, au lieu de s'en tenir éloigné, de les laisser hurler au loup du grand capital, Mitterrand les prend dans ses bras, les serre jusqu'à les étouffer.

Blum est la figure du Front populaire, mais c'est un héros ambivalent, à la virilité introspective, à l'intelligence trop intellectuelle, au manque flagrant de démagogie.

Président du Conseil en 1936 et en 1937, Blum est le maître d'œuvre du progrès social accompli et soutenu par des grèves. Semaine de 40 heures, deux semaines de congés payés, extension des conventions collectives, nationalisation de l'industrie de l'armement, femmes au gouvernement alors qu'elles n'ont pas encore le droit de vote.

Mitterrand sera le continuateur de ces avancées magnifiques, quarante-cinq ans plus tard. En 1981, les congés payés sont portés à cinq semaines, l'âge de la retraite baisse à 60 ans, la durée du travail passe à 39 heures payées 40 et la démocratie d'entreprise progresse encore. La création du ministère du Temps libre est un hommage à Jean Zay et à Léo Lagrange, ministres du Front populaire, les premiers à avoir pensé la civilisation des loisirs naissante.

Par contre, Mitterrand cherche à obtenir la durée dont Blum a été privé. Il n'entend pas refaire les erreurs du Front populaire tiraillé entre les résistances fortes des milieux d'affaires et la pression ouvrière. Il veut le temps long, pas une brève éclaircie dans la pénombre. Il veut l'installation au poste de commande, pas un bref passage de témoin. Il veut que la gauche devienne légitime, qu'elle soit acceptée par le pays dans ses tréfonds, par le petit commerce comme par les élites, quand Blum s'est heurté au mur de l'argent et à la montée des menaces aux frontières.

Blum hésite à aider militairement les républicains espagnols mais il réarme le pays pour parer à la montée de l'hitlérisme. Au procès que lui fera Vichy avant de le livrer aux Allemands qui le déporteront à Buchenwald, ses accusateurs en conviendront. Mitterrand, lui, choisit après la guerre la voie de l'entente européenne, main dans la main avec l'Allemagne. Là encore, les circonstances diffèrent mais il y a comme une volonté du plus jeune de parer aux pièges que n'a pu éviter l'aîné.

Dès son élection, Mitterrand demande à Jacques Attali d'aller fleurir la tombe de Blum, à Jouy-en-Josas.

## Bousquet (Affaire)

Secrétaire général de la police de Vichy. René Bousquet orchestre la terrible rafle du Vél' d'Hiv' qui voit les forces de l'ordre françaises prendre en charge l'arrestation et la déportation des Juifs parisiens.

Comme beaucoup, pendant la guerre, Bousquet joue double jeu. Il accomplit avec zèle le détestable métier exigé par les nazis. Et il se garde un deuxième fer au feu. Il livre des informations aux résistants et les protège quand cela s'avère possible. Bousquet fait ainsi prévenir Mitterrand que son réseau est dans le viseur de la Gestapo.

Dans l'immédiat après-guerre, Bousquet échappe à la virulence de l'épuration. En 1949, il est reconnu coupable d'indignité nationale par la Haute Cour de justice. Mais il est dispensé de peine « pour avoir participé de façon active et soutenue à la résistance contre l'occupant ».

Dans les années 1950, Bousquet redevient un personnage important du monde des affaires et de la politique. Il est administrateur de la banque d'Indochine et de bien d'autres établissements. Surtout, il devient l'influent directeur du quotidien radical-socialiste *La Dépêche du Midi*. Antigaulliste convaincu, il soutient la gauche non communiste éditorialement et financièrement.

Bousquet connaît tout le monde sur la place de Paris qui ignore ou du moins ne fait pas grand cas de ses anciennes fonctions à Vichy. Il serre la main de Pierre Mendès France, se promène avec Édouard Daladier, côtoie Edgar Faure comme Jacques Chaban-Delmas. Connaissance parmi d'autres de Mitterrand, il lui arrive de déjeuner une fois à Latche.

À la fin des années 1980, Serge Klarsfeld réussit à mettre en lumière le rôle déterminant de Bousquet dans la rafle du Vél' d'Hiv'. Mitterrand cesse alors toute relation avec l'ancien préfet. D'ailleurs, jamais il ne gratifie Bousquet d'aucune fonction ou reconnaissance officielles.

Mais ne comptez pas sur Mitterrand pour faire un *mea culpa* public, pour se défausser sur des tiers ou pour abjurer d'anciennes proximités. L'homme est orgueilleux et ne supporte pas qu'on lui dicte sa conduite. Cette fois, il se sent au clair avec sa conscience. Il trouve intolérables les procès en vichysme, si ce n'est en antisémitisme, qui lui sont faits.

À ceux qui hurlent avec les loups, il oppose l'action de sa présidence. Arrestation et procès de Klaus Barbie, condamnation du milicien Paul Touvier, ouverture de la maison-musée des enfants juifs d'Izieu. Diffusion télévisée du film de Max Ophuls, *Le Chagrin et la Pitié*. Sans oublier Bousquet lui-même, mis en examen pour crimes contre l'humanité et qui ne pourra être jugé car il sera assassiné par un déséquilibré.

La curée à l'œuvre me donne la nausée. Je monte au front pour le défendre et, quand je me retourne, je me sens bien seul. Chez Anne Sinclair, à l'émission « 7 sur 7 », je fais remarquer entre autres qu'Antoine Veil participait aux mêmes conseils d'administration que Bousquet. Ce qui irrite fortement Simone Veil bien que cela soit la stricte vérité.

On s'acharne sur un président fatigué et malade. Les remontées identitaires se conjuguent avec les mémoires vengeresses pour instruire des procès indignes. Il faut déboulonner les idoles, leur inventer des méfaits et des médiocrités, les salir pour mieux jouer les incorruptibles. Surtout, on mélange anachronismes historiques, réinvention du passé et coups de billard à plusieurs bandes.

La droite a vite fait d'oublier comment de Gaulle fit de Maurice Papon, secrétaire général de la préfecture de Gironde sous Vichy, un préfet de police avant que Giscard ne lui confie le ministère du Budget.

Mais le moins brillant, c'est à gauche. Quelques jeunes Turcs du PS crachent leur bile, histoire de se faire les dents et de se fabriquer… un nom. Toujours à gauche, quelques badernes bientôt vieilles mais qui n'ont pas connu la guerre s'improvisent procureurs vertueux. Mais qu'auraient fait ces donneurs de leçons s'ils avaient eu vingt ans en 1940 ? Qui le sait ? Qui peut le dire ?

Je souhaite à beaucoup d'avoir eu le parcours de Mitterrand, prisonnier évadé passé par Vichy avant de diriger un réseau de Résistance, risquant sa vie avec bravoure et un rien d'inconscience pour lutter contre l'armée d'occupation allemande et la milice.

Ce que je crois aujourd'hui, c'est que Mitterrand a la reconnaissance fidèle. Il n'est pas du genre « j'y pense et puis j'oublie ». Bousquet lui aurait sauvé la vie ? Ce n'est pas rien.

Ensuite, Mitterrand a le respect de la chose jugée. On ne poursuit pas indéfiniment de sa vindicte un homme acquitté. Né en 1916, il est d'une génération qui sait tourner la page. Il ne fait pas porter indéfiniment aux fautifs le poids des erreurs du passé quand ils ont payé leur dette à la société.

Comme de Gaulle, Mitterrand a connu le fracas des combats. Comme de Gaulle, il sait éviter de noyer sa mélancolie au creux des ruines de l'âme, reconstruire vite afin de donner un toit à chacun, et tant pis si les fondations ne sont pas irréprochables. Tant qu'elles tiennent, cela suffit bien.

Mitterrand veut un pays réuni, un pays réconcilié, un pays qui avance au lieu de regarder vers l'arrière. Il veut que chacun arrête de réchauffer ses rancunes comme de vieilles soupes aigres. Il veut que les hommes puissent se libérer des entraves du passé.

Mitterrand n'est sans doute pas contemporain de l'époque actuelle qui parfois frise l'apoplexie mémorielle et l'hystérie victimaire.

# C

# Cancer

Dès 1981, le président fraîchement élu subit une première alerte médicale, comme s'il lui fallait payer le prix d'un bonheur trop longtemps espéré. Certains estiment, aujourd'hui, que ces malaises sont l'amorce de son cancer de la prostate, maladie à développement lent, maladie de famille qui a déjà emporté son père.

Mitterrand se tait. Il ne veut montrer aucun signe de faiblesse alors que l'arrivée au pouvoir de la gauche continue à perturber le conservatisme du pays. Il évoque juste un mal de dos, une sciatique.

Sous le soleil de Mexico, où il vient prononcer un discours d'envergure, je le vois vaciller. Sous cette chaleur, le tribun ne porte pas de chapeau. Pour moi, la voilà, l'explication !

Pendant des années, je ne note rien de particulier, aucune fatigue, aucune absence. Le Président me semble toujours aussi alerte, toujours aussi précis dans ses analyses et ses interventions. Est-ce du déni de ma part ? Est-ce de l'aveuglement ? Ou le Président a-t-il l'art de la dissimulation de ce qui l'affaiblirait ? Jusqu'en 1992, je salue sa vitalité, son énergie, sa constance. J'ai du mal à suivre le rythme. Il arrive même à fatiguer mon enthousiasme.

Il faut qu'un communiqué de l'Élysée évoque publiquement une opération de la prostate pour que je réalise enfin que le temps réclame son dû et que la maladie n'épargne pas forcément ceux que l'on aime. Attentif à me faire signe tout en banalisant le problème, Mitterrand me fait prévenir la veille par Marie-Claire Papegay et Paulette Decraene, ses fidèles et affectueuses assistantes, de son entrée à l'hôpital.

Il prend les choses avec détachement. À Elie Wiesel qui le rencontre quelque temps avant sa deuxième entrée à l'hôpital et qui s'étonne de sa discrétion, Mitterrand explique : « Je ne suis pas porté à la confidence. De plus, je considère qu'il m'arrive une chose banale, anodine. Certes, cela ne me fait pas plaisir. Je n'aime pas la souffrance, je détourne la tête quand on me fait une piqûre ou une prise de sang. C'est vous dire que je ne fréquente pas l'héroïsme chaque matin en me levant ! Mais une fois que c'est fait, je supporte. Je suis un patient résigné. Le mal que l'on imagine est insupportable. Celui que l'on subit est presque toujours supportable[1]. »

Le lendemain de son opération, je me rends à son chevet. À défaut de ces bouquets de fleurs envahissants, je lui offre un pull-over de Jean-Charles de Castelbajac comme ceux que je porte parfois et dont il semble apprécier les motifs.

À l'occasion d'une seconde intervention, ce sera une veste dessinée spécialement pour lui par mon ami le créateur japonais Issey Miyake.

---

1. François Mitterrand et Elie Wiesel, *Mémoire à deux voix*, Odile Jacob, 2011.

Une fois encore, Mitterrand affronte l'adversité avec placidité et ironie. Il minimise et balaie d'un revers de main. Il hausse les sourcils et a l'œil qui frise.

Il n'est pas du genre à jouer les victimes comme c'est si souvent le cas. Il est d'une génération à qui l'on a enseigné à ne pas se plaindre.

Surtout, il est conscient que sa maladie n'a rien d'exceptionnel. Elle touche beaucoup de Français. Grâce aux progrès de la médecine et à la solidité du système de santé, le nombre de ceux qui en réchappent augmente. Est-il vraiment optimiste en ce qui le concerne ? En tout cas, il fait comme si.

Pendant la seconde cohabitation, de 1993 à 1995, le malade alterne les phases de répit et les moments d'abattement. Le Président se concentre sur les affaires internationales. Il n'a plus le même ressort pour batailler avec Balladur, comme il l'avait fait contre Chirac.

Son cancer y a bien sûr sa part. Mais le fait qu'il n'y ait pas de troisième mandat possible, qu'il n'y ait plus de perspective politique personnelle complique sans doute la tâche du vieux lutteur.

Je refuse de tenir compte de son état. Je fais comme si rien n'avait changé, comme si rien ne changeait jamais. Je lui invente une immortalité laïque, afin de calfater le bateau de mes angoisses toujours tues, toujours ensablées telles des têtes d'autruches.

Je le rudoie pour qu'il vienne inaugurer un pont dans la ville de Blois dont je suis le maire. Il accepte par amitié et, malgré ses souffrances, va accomplir l'ensemble des obligations sans en négliger aucune. Je lui fais visiter l'ouvrage de long en large sans souci de sa fatigue. Et il lui faut ensuite monter à la tribune où il retrouve du mordant pour traiter avec brio de régionalisation.

Jusqu'à la fin de son mandat, Mitterrand refuse de changer de statut. Il fait comme si la force était toujours en lui et comme si la faiblesse était un ennemi à vaincre chaque jour.

Ensuite, une fois l'Élysée quitté, cela deviendra plus compliqué...

# Castro (Fidel)

Dans les années 1960-1970, la gauche française et le monde latino vibrent à l'unisson. On manifeste contre les dictateurs. On veut que tombent l'Espagnol Franco, le Portugais Salazar et bientôt le Chilien Pinochet ou l'Argentin Videla. La vie est assez simple, très en noir et blanc. Il y a des régimes immondes et des espoirs immenses.

Histoire de liquider définitivement le souvenir de Guy Mollet et de la guerre d'Algérie, la jeune génération s'enthousiasme pour l'expérience castriste. On rêve Cuba comme l'incarnation d'une utopie. Pensez ! Les exploiteurs et les capitalistes sont jetés dehors. Les casernes se transforment en écoles et en hôpitaux. Et le petit David caribéen joue de la fronde face au méchant Goliath américain.

Plus âgé, plus circonspect de nature, moins émotif, le premier secrétaire du PS se laisse pourtant happer lui aussi par l'air du temps. Amateur de rencontres et de contacts, il va sur le terrain se rendre compte par lui-même. Il passe dix jours en Amérique latine. Il roule en

Jeep avec Castro dans la sierra, dîne avec lui en joyeuse compagnie. Il découvre une ironie décontractée et une liberté de parole qu'il n'imaginait pas et qui le changent agréablement du bloc communiste.

Dans une de ses chroniques pour *L'Unité*, il décrit Castro comme « un homme modeste, désireux d'être compris, ouvert, généreux, à la recherche d'une éthique nouvelle ». La révolution cubaine est encore sur un chemin de crête. On ne sait de quel côté elle peut tomber.

Et puis, les coups d'État que fomente la CIA dans l'arrière-cour des États-Unis font qu'on passe plus facilement par profits et pertes les manquements aux Droits de l'homme du jeune pouvoir des *barbudos*.

Après 1981, Mitterrand prend petit à petit ses distances avec Fidel. S'il se défie de Reagan, s'il soutient les révolutionnaires sandinistes au Nicaragua, s'il trouve l'embargo américain absurde, il regarde Cuba avec une certaine circonspection. C'est Danielle qui maintient le contact, avec une fougue enthousiaste. Ce qui n'empêche pas l'épouse du Président de faire la leçon à Castro sur la peine de mort.

Cuba se lasse bientôt de cette prudence française. Castro espérait que Paris développerait une troisième voie qui lui permettrait de desserrer l'étau dans lequel il est pris entre un ennemi trop proche, Washington, et un ami trop exigeant, Moscou.

Au début des années 1980, je suis encore tout feu, tout flamme pour la cause castriste. Cuba me fascine. Je me débrouille pour m'y rendre en 1982. Et je fais des pieds et des mains pour que Gabriel García Márquez m'organise les choses au mieux.

Je me retrouve sur une grosse vedette avec Castro. Nous voilà au large d'une île pierreuse avec un bâti très soviétique. Et en avant pour une partie de pêche ! Le commandant en chef met son maillot de bain et plonge pour sortir des tortues d'une taille conséquente et des langoustes qu'on fait griller sur le barbecue.

La parole est libre. Mais je n'arrive pas à convaincre Castro de libérer sur-le-champ Valladares, le poète emprisonné, afin qu'on l'accueille en France. Castro le traite de faux littérateur. Je fais valoir que c'est tout simplement un être humain.

Nous finissons par obtenir gain de cause pour Valladares. Régis Debray y contribue, qui convient : « L'homme n'était pas poète, le poète n'était pas paralytique et le Cubain est aujourd'hui américain. Ce militant simulait l'hémiplégie sur sa chaise roulante depuis des années. »

Lors de cette aventure tropicale, j'aurais bien aimé avoir à mes côtés François Mitterrand. Il serait resté à l'ombre, sous son panama, regardant le *barbudo* jouer au Neptune écumant et manier le trident en gladiateur marin. Et le Président pas du genre à se mettre en petite tenue aurait peut-être trouvé le regard exact ou l'attitude précise pour faire basculer le débat et obtenir la libération immédiate de l'opposant.

On est en 1995. Avant la fin de ses mandats, Mitterrand tient à recevoir Castro à Paris. Grands courageux devant l'Éternel, les éminences socialistes se cachent pour ne pas être vus aux côtés du grand barbu.

Après un déjeuner à l'Élysée, je fais visiter le Louvre à Fidel. Le conservateur m'ouvre les portes et se carapate. En 2008, à la demande du président Nicolas Sarkozy, je rends visite à son frère Raúl pour normaliser les relations entre nos deux pays. En 2015, François Hollande accomplit un geste historique : il est le premier Président français en déplacement officiel à Cuba. Il converse longuement avec Fidel et Raúl.

En février 1993, pour première rencontre avec le nouveau président Bill Clinton, François Mitterrand me propose de l'accompagner en Concorde, aller et retour dans la journée. Parmi les sujets abordés, Cuba tient une belle place. Mitterrand veut convaincre Clinton de lever l'embargo, acte illégal et illégitime. Pour résister à la demande, le président américain invoque les pressions des Cubains exilés. Il faudra attendre Obama pour que les relations diplomatiques soient enfin rétablies entre Cuba et les États-Unis.

## Chambre mortuaire (avenue Frédéric-Le-Play)

Après avoir quitté l'Élysée, François Mitterrand s'installe dans un immeuble sans âme et sans cachet, près du Champ-de-Mars. Un couloir aveugle mène à un salon, à un bureau et à une petite chambre. C'est là qu'il vit ses derniers mois. Aux murs, il y a quelques photos de sa mère, de son père. C'est un de ces campements de hasard qu'on établit sans y penser.

L'ancien président est miné par la maladie, tourné vers des préoccupations autres, l'esprit requis par les incapacités du corps. Qu'il soit là ou ailleurs, pour lui, cela n'a déjà plus d'importance.

Je lui rends visite de temps à autre dans cet appartement glacé. Parfois, il ne peut quitter le lit. Il me demande de m'asseoir à son chevet. Il fait livrer des huîtres pour me faire plaisir. Lui n'y touche pas.

Je préfère quand nous pouvons sortir et qu'il réussit à profiter de la promenade dans les jardins en contrebas. Et qu'ensuite il lui est possible de s'attabler dans un petit bistrot du quartier. Nous mangeons des œufs pochés et il se ressaisit de l'actualité, en politique passionné, toujours intéressé par la chose publique et par les hommes et les femmes qui la font.

Je donne un cours de droit constitutionnel à Nanterre quand j'apprends sa mort, au matin du 8 janvier 1996. Avenue Frédéric-Le-Play, François Mitterrand est étendu sur le lit de sa petite chambre. Il est habillé, chaussé, mains croisées et jointes. Il paraît reposé, serein, lointain déjà aussi.

Une photo de la dépouille paraîtra dans *Paris Match*. Autant la manigance du voleur d'images qui, pour de l'argent, abuse de la confiance qui lui a été faite me déplaît, autant je trouve qu'il n'est pas absurde qu'une société se confronte aux corps de ses défunts. Il est bon qu'elle puisse voir une dernière fois le gisant qui fut un personnage important de son temps. Hugo, Zola ou Proust ont aussi été photographiés sur leur lit ultime, sans que cela déclenche les hauts cris de ceux qui peinent à regarder la mort en face.

Je ne suis pas coutumier de ces moments. Pour Mitterrand, je vais être présent tout au long de cette veillée funèbre, comme, avant lui, je ne l'ai fait que pour mon père et mon grand-père.

Je suis contemporain d'une génération qui se croit immortelle et qui a longtemps tenu éloigné d'elle tout sentiment de finitude. Mitterrand, lui, avait une plus grande accoutumance à ces instants, à ces interrogations métaphysiques.

Dans la petite chambre, le général de Bénouville, camarade de collège et de Résistance, me parle longuement de son ami qu'il était l'un des seuls à tutoyer.

Assis dans le petit salon attenant, on ouvre la lettre contenant les dernières volontés du Président. Il y a là Robert Badinter, André Rousselet, Michel Charasse. Une formule intrigue. « Une messe est possible », fait valoir le baptisé à l'église de Jarnac, enfant et adolescent très catholique, adulte éloigné des sacrements, mais agnostique en quête de spiritualité.

Lors de ses derniers vœux le 31 décembre 1994, le Président a demandé aux Français de ne jamais séparer égalité et liberté, de mêler amour de la France et construction européenne. Surtout, il leur a dit croire « aux forces de l'esprit ».

La compagnie finit par décider que se dérouleront deux cérémonies simultanées. L'une à Jarnac, pour la famille et les proches. L'autre à Notre-Dame de Paris. Le lieu choisi permet surtout d'accueillir l'ensemble des grands de ce monde qui souhaitent rendre un dernier hommage à l'un des leurs.

# Changer la vie

Cela paraît étrange aujourd'hui où prospèrent le désabusement et la résignation. Mais dans les années 1970, la possibilité d'arriver au pouvoir, de bouleverser l'équilibre des forces et surtout de faire advenir une société nouvelle nous exalte absolument. Nous sommes certains que nous allons réussir à « changer la vie » des Français et, rêvons large, du monde entier.

Cessons de présenter François Mitterrand comme un cynique à la lippe hautaine, comme un petit Machiavel des

Charentes, comme un manœuvrier florentin au lyrisme de commande. Arrêtons de tirer vers le bas l'espoir d'alors, d'abîmer l'enthousiasme joyeux de ces années d'allégresse, de désosser le souvenir heureux et romanesque d'un temps sans pareil. Excellent programme, « Changer la vie » est d'abord un beau mot, repris au vol chez Arthur Rimbaud. Il est symptomatique que le PS des années 1970 se revendique du voleur de feu poétique, de sa jeunesse bouclée et bousculée, de sa trajectoire de comète transgressive.

Mitterrand a sans doute plus d'attrait littéraire pour une œuvre tenue et classique et un parcours politique ancré dans le réel, comme c'est le cas de Lamartine. Mais il a suffisamment le sens du symbole et le souci de la nouveauté pour célébrer Rimbaud à sa manière.

À moins qu'il ne préfère réaliser une alliance surréaliste, déjà anticipée par André Breton qui unissait poésie et économie, Rimbaud et Marx. Breton écrivait : « "Transformer le monde" a dit Marx. "Changer la vie" a dit Rimbaud. Ces deux mots d'ordre pour nous n'en font qu'un. »

Dès 1972, le programme commun de gouvernement que signent le PCF, les Radicaux de gauche et le PS s'intitule « Changer la vie ». Et en 1977, après la conquête de municipalités réussie par le PS, l'hymne du PS s'intitule aussi « Changer la vie ». Mitterrand lui-même a commandé la musique à Míkis Theodorákis. Le compositeur grec se réjouit d'avoir pu « unir les cultures et les luttes ».

Il y a alors à gauche une empathie forte pour une Grèce qui vient de se libérer de la dictature des colonels. *Z*, le film de Costa Gavras, réunit et exalte. Et la gauche grecque commence, elle aussi, à se rapprocher du pouvoir. Melina Mercouri, chanteuse et actrice, s'engage en politique. Elle sera bientôt députée, avant d'être ministre de la Culture. Et nous ferons alliance dans les années 1980 pour faire avancer l'Europe de la culture et inventer l'idée aujourd'hui si populaire des « Capitales européennes de la culture ». Le PS qui a pu se référer à la social-démocratie suédoise s'ouvre au Sud, celui de l'Amérique latine et celui de la Méditerranée.

Inspirées par Jacques Attali, les paroles de l'hymne du PS sont signées Herbert Pagani. C'est lui qui monte sur scène pour le chanter pour la première fois, devant le PS réuni en congrès à Nantes en 1977. Dans les tribunes, lunettes sur le nez, François Mitterrand reprend des paroles qui peuvent faire sourire les ricaneurs d'aujourd'hui mais qui, alors, sonnent vraies et fraîches, en ces belles années d'innocence.

Cela dit :

*Les voix des femmes, et les voix des hommes*
*Ont dû se taire beaucoup trop longtemps*
*Ne croyons plus aux lendemains qui chantent*
*Changeons la vie ici et maintenant*
*C'est aujourd'hui que l'avenir s'invente*
*Changeons la vie ici et maintenant*

*Prendre la parole*
*Décider nous-mêmes*
*Libérer nos vies des chaînes de l'argent*
*Écrire notre histoire à la première personne*
*Être enfin des hommes et non des instruments*

*France socialiste puisque tu existes*
*Tout devient possible ici et maintenant*

*Ne versons plus au nom de leur puissance*
*Notre sueur, nos larmes, notre sang*
*Les travailleurs travaillent pour la France*

*Pas au profit de quelques possédants*
*Pour partager les fruits de l'abondance*
*Changeons la vie ici et maintenant*

*Prendre la parole*
*Décider nous-mêmes*
*Libérer nos vies des chaînes de l'argent*
*Faire du bonheur notre monnaie courante*
*Maîtriser la science et dominer le temps*
*[...]*

# Chêne et olivier (emblème)

Il y a une tradition républicaine qui veut que le Président se dote d'un emblème personnel afin de marquer à ses armes le bleu, blanc, rouge.

Ce drapeau augmenté est utilisé pour signaler la présence du premier personnage de l'État. Il bat sur l'aile de la voiture de fonction, est hissé au mât de pavillon des navires où il embarque et flotte au sommet des résidences occupées.

Beaucoup se contentent de sigler le blanc de leurs initiales. De Gaulle, lui, avait la croix de Lorraine, Giscard, le faisceau des licteurs.

Afin de s'inscrire dans la continuité et d'affirmer que la gauche n'a pas vocation à n'être que de passage, Mitterrand choisit dès 1981 de se doter lui aussi d'un de ces marqueurs personnels.

Il hésite un moment à faire référence au hibou d'Athéna et à sa lucidité dans la nuit des temps. Il choisit de mêler la stylisation de deux arbres symboliques et politiques. Dans le logo retenu, le chêne et l'olivier entremêlent leurs branches et leurs racines.

Le chêne représente la droiture du pouvoir, sa longévité, sa force, sa majesté ombrageuse. Sous le chêne, Saint Louis rendait la justice. Des chênes qu'on abat, on fait toitures, meubles, parquets, sans oublier les bordés des vaisseaux.

L'olivier est un arbre sec et résistant, un arbre de la chaleur maîtrisée, de la résistance aux brûlures des temps et de la douceur préservée et pressée en huile.

Le chêne s'épanouit au nord de la France. L'olivier pousse en ses suds. Le chêne est masculin, l'olivier est plus féminin. Le chêne raconte le Nord et s'entremêle au Sud, points cardinaux opposés, civilisations adversaires que Mitterrand va tenter de marier, d'assembler, de bouturer.

Aujourd'hui, cet emblème survit au Trocadéro, baptisé à ma demande par le Président Parvis des Libertés et des Droits de l'homme en 1985. Et il fait office de sigle pour France Libertés, la fondation créée par Danielle Mitterrand qui partageait ce combat pour le développement Nord / Sud, pour l'alliance du chêne et de l'olivier.

# Chiens (« Livrer aux chiens l'honneur d'un homme »)

Titulaire d'un CAP d'ajusteur et d'un BEP de dessinateur industriel, Pierre Bérégovoy doit abandonner ses études pour subvenir aux besoins des siens. Il est l'un des seuls d'entre nous qui connaisse la condition ouvrière pour l'avoir vécue. Il allie une volonté farouche d'arriver au sommet à la fierté de l'itinéraire accompli et au refus de renier ses origines.

Fiable, maîtrisé, ordonné, Bérégovoy est un collaborateur apprécié sur lequel Mitterrand s'appuie. En lui, il place toute sa confiance. Longtemps secrétaire général de l'Élysée, « Béré » devient ministre de l'Économie lors du second septennat. La presse internationale salue la façon dont il réussit à adapter la France à la nouvelle donne financière.

Dernier Premier ministre de Mitterrand, il est en fonction entre 1992 et 1993, au pire moment de la crise économique que subit le pays et de la crise morale que traverse le PS. « Béré » aurait sans doute aimé accéder aux responsabilités majeures dans une période moins délicate. Mais il fait ce qu'il peut pour apaiser les conflits et rassurer le pays. Malgré tout, les législatives de 1993 sont une catastrophe pour les nôtres.

Honnête et rigoureux, Pierre vit mal ce désastre politique. Il n'arrive pas à se défaire de l'idée que la défaite lui est imputable. À lui personnellement. À cela s'ajoute la traque à laquelle il est soumis. Pour acheter un appartement, il a eu recours à un prêt amical que lui a consenti Roger-Patrice Pelat.

Lors du dernier Conseil des ministres, Mitterrand lui rend hommage. Il déclare : « Durant cette campagne législative, on a voulu vous atteindre injustement et vous blesser en rai-son même du statut que vous occupez et de l'importance que vous avez acquise. Je veux vous redire mon estime à votre égard comme à celui de l'action que vous avez menée. »

Mais ces mots de réconfort ne pansent pas les plaies ouvertes. Pierre entre en dépression. Comme souvent, il est difficile de s'en rendre compte et d'agir en consé-quence. Certains s'acharnent et se moquent, d'autres s'éloignent en silence.

Même ceux d'entre nous qui tentent de lui apporter du soutien ne se rendent pas compte de la gravité de son tourment. Requis par les combats de la cohabitation et par des soucis de santé, le Président lui non plus ne prend pas la mesure des choses.

On est un 1er mai, jour de la fête du Travail que célèbrent la gauche et les syndicats du monde entier. À Nevers, sa ville, le long d'un canal, Pierre se tire une balle dans la tête.

Ce coup de feu atteint symboliquement la gauche au plus profond de son être. C'est comme si « Béré » s'était sacrifié pour racheter nos fautes collectives, afin de laver dans le sang une culpabilité générale.

Le suicide est un choix personnel. Il est impossible de lever le voile du mystère qui l'entoure. Il est délicat de lui donner un sens, de l'interpréter selon des logiques col-lectives, rationnelles. Mais je ne nie pas que l'écho de ce drame ait pu résonner longtemps dans les consciences des amis et des camarades, des compagnons de route comme des électeurs désabusés.

François Mitterrand attend au Val-de-Grâce le rapa-triement du corps du Premier ministre. L'orage retarde le vol. Il prend dans ses bras Gilberte Bérégovoy qui vient d'arriver. Il ne sort de son silence que pour dire : « Ils l'ont assassiné. » Et cela sonne un peu comme : « Ils ont tué Jaurès. »

Nous sommes quelques-uns à attendre le retour du Président rue de Bièvre. Je ne l'ai jamais vu aussi bouleversé. C'est la première fois que je le vois étouffer quelques larmes, puis se reprendre difficilement. À la douleur de la perte d'un ami s'ajoute un sentiment de culpabilité qui nous étreint tous. A-t-il fait le nécessaire ? A-t-il été assez présent ? Il sait bien que non, nous savons bien que non. Puisque Pierre a préféré l'irrémédiable à la difficile survie.

Dans le train qui nous mène à Nevers, François Mitterrand rédige un discours funèbre qui vise de plein fouet les maniganceurs d'opinion, les roquets de l'autre camp qui n'ont pas limé leurs crocs, mais aussi les juges vengeurs et ces auxiliaires de justice que sont devenus certains journalistes dits d'investigation.

Devant l'église de Nevers, il cingle ceux qui déchiquettent à la une, ceux qui lynchent sur cinq colonnes et qui ensuite, quand l'honnêteté de l'accusé est rétablie, se contentent d'une brève en bas de page.

Il s'écrie : « Toutes les explications du monde ne justifieront pas qu'on ait pu livrer aux chiens l'honneur d'un homme et finalement sa vie, au prix d'un double manquement de ses accusateurs aux lois fondamentales de notre République, celles qui protègent la dignité et la liberté de chacun d'entre nous. L'émotion, la tristesse, la douleur qui vont loin dans la conscience populaire [...] lanceront-elles le signal à partir duquel de nouvelles façons de s'affronter – tout en se respectant – donneront un autre sens à la vie politique ? Je le souhaite, je le demande et je rends juges les Français du grave avertissement que porte en elle la mort voulue de Pierre Bérégovoy. »

Un an durant, Mitterrand conservera sur son bureau de l'Élysée la feuille sur laquelle il a jeté les notes de sa fureur, les mots de sa haine implacable contre ceux qui ont acculé son ami fidèle au désespoir.

## Chirac (Jacques)

Noël 1980. Je passe les fêtes de fin d'année à Dakar. À l'hôtel, je croise Jacques Chirac. Nous nous connaissons un peu. Je suis conseiller de Paris, ville dont il est le maire.

Chirac qui est de manières assez simples m'aborde et entame la conversation. Il sait que je participe à la campagne de François Mitterrand et me suggère de lui transmettre des conseils rudimentaires quoique frappés au coin du bon sens. Il me répète que Mitterrand doit sillonner la France de part en part, n'oublier aucun village, que c'est la meilleure et la seule méthode.

Il est déjà évident que Chirac qui va lui aussi se présenter a fait son choix. Il veut faire chuter Giscard. Il voit en Mitterrand l'arme par destination de sa prise de pouvoir sur la droite. Mieux, il pense que, Mitterrand élu, les Français s'affoleront devant les ministres communistes. Il se convainc que le RPR pourrait remporter les législatives et qu'une première cohabitation pourrait se mettre en place. Il anticipe de cinq ans.

Entre les deux tours, le soutien de Chirac à Giscard est tellement minimal que ça vaut lâchage public.

Après 1981, Chirac se fait opposant de choc. Cela convient à sa nature guerrière et à son goût de l'action. La campagne

des municipales 1983 se fait au couteau. Chirac fait assaut de xénophobie, sans retenue aucune. Non qu'il soit le moins du monde raciste, mais tout est bon pour satisfaire sa clientèle et pour flatter les peurs en germe. Après les municipales, lors de l'inauguration de la fontaine de Niki de Saint Phalle et Tinguely à Beaubourg, en présence de Claude Pompidou, je tiens un discours où j'égratigne la xénophobie de la droite. Présent, Jacques Chirac me bat froid. Il est furieux et tourne les talons dès qu'il le peut.

À Dreux, lors d'une municipale, le RPR fait alliance avec le FN pour l'emporter sur la gauche. Chirac fait savoir qu'il n'aurait pas été gêné une seconde de voter pour cette liste d'union. Il minimise l'entrée de quatre membres du FN dans un conseil municipal, la comparant à la présence de quatre ministres communistes au gouvernement.

Il aura beau jeu, ensuite, de faire croire que c'est Mitterrand qui joue les apprentis sorciers et fait monter le FN en instaurant la proportionnelle aux législatives de 1986. Comme si cette proposition était sortie du chapeau d'un artiste illusionniste, quand elle faisait partie du programme du candidat de gauche en 1981.

En 1991, Chirac récidive en évoquant « le bruit et l'odeur » causés par les immigrés du voisinage. Son image d'opposant résolu au FN ne se constitue que sur le tard, une fois Mitterrand disparu.

Parfois, entre adversaires politiques, il y a de l'écho, des effets larsen, du grésillement sur la ligne. Ce qui veut dire qu'ils ont quelque chose à se dire, à se reprocher. Quand ils se croisent, cela crispe l'attention, cela sature les aigus. Entre Mitterrand et Chirac, rien de rien jusqu'en 1986. L'un est de gauche, l'autre est de droite. L'un est au pouvoir, l'autre se démène pour y accéder.

Chirac vient d'une lignée d'instituteurs radicaux et de francs-maçons de Corrèze. Son père est administrateur dans l'aéronautique. Ce qui vaudra à Chirac la protection des Dassault, et réciproquement. Il grandit en fils unique à Paris, quand Mitterrand appartient à une famille nombreuse.

Le jeune Chirac fricote avec les communistes, signe l'appel de Stockholm et vend *L'Humanité*. Il aura bien du mal à se dédouaner de ce qu'il vivra comme une « erreur » de jeunesse, lui qui abolira le service militaire et vacillera entre rétablissement et suppression des essais nucléaires.

Au même âge, Mitterrand, issu d'un milieu conservateur, peine également à se construire un corpus d'idées. L'important n'étant pas de savoir d'où chacun part mais où l'un et l'autre finiront par aboutir et quelles seront leurs convictions au moment d'exercer le pouvoir.

Ensuite, Chirac fait le cow-boy en Amérique, et on l'aurait bien vu finir comme un Reagan aux maxillaires plus crispés. Il joue du lasso dans les quartiers huppés et fait un beau mariage. Il s'engage en Algérie quand son statut d'élève de l'Ena aurait pu l'en dispenser. Sous-lieutenant pour cause d'incartades communistes passées, il apprécie la chose militaire et dirige ses hommes avec entrain. Déjà adepte des contradictions, il passe de la compréhension envers l'OAS au gaullisme.

Chirac est de la génération de la guerre d'Algérie, ainsi que Michel Rocard, Pierre Joxe et bien des ministres de droite comme de gauche. Mitterrand, lui, est de la génération de la Seconde Guerre mondiale. Et cela change beaucoup de choses dans le rapport à la réconciliation nationale, à l'Europe, au tragique de l'histoire, à la victoire et à la défaite.

Comme Mitterrand, Chirac est nommé ministre jeune. Il fait carrière à droite auprès de Pompidou. Il fait preuve d'une énergie farouche et d'une plasticité entière. Il se taille un fief en Corrèze, lointaine terre familiale, quand Mitterrand s'invente un domaine dans la Nièvre.

On peut multiplier les tentatives de portraits croisés, il est impossible de faire se rejoindre ces deux destins en parallèle. Ils ont bien sûr des éléments de CV communs. Mais rien qui ne les réunisse jamais.

La première cohabitation est une rencontre inédite entre deux personnalités et deux univers que tout oppose. Mitterrand est maîtrisé, constitué, ironique. Il peut sembler prendre les choses de haut et ne craint pas de faire assaut d'un terrible dédain envers qui l'énerve.

Chirac est ardent, agité, mécanique. Il peut sembler irrésolu, foutraque, désordonné. Il l'est sûrement, mais cela ne l'empêche pas de savoir où il va.

Entre 1986 et 1988, l'assaut est viril et pas forcément correct. Mitterrand est d'autant plus à son meilleur qu'il est le dernier rempart face à un gouvernement et à un Parlement qui veulent leur revanche, qui veulent tout liquider de l'héritage socialiste.

Mitterrand s'arc-boute, résiste, temporise. Dans l'exercice, il excelle. En défense, il a un jeu de fond de court qui fait merveille et il sait garder l'œil sur le chrono. Malgré la solitude, il rayonne. Ou peut-être est-ce justement ce sentiment d'être seul contre tous, de tenir les dernières chances de son camp entre ses mains qui le transcende. Tout cela lui donne une précision dans l'incision, une science des rouages constitutionnels et des retournements des faveurs de l'opinion, une capacité à humilier son second, à le faire tenir en place devant les grands de ce monde à qui il parle d'égal à égal.

La victoire de 1988, et par quel écart, et avec quelle maestria, est le grand œuvre de Mitterrand et d'une gauche revigorée. C'est celle du président assiégé, armé de ses derniers pouvoirs et non plus celle du candidat fort de tous les espoirs. C'est celle de l'homme seul pendant deux ans qui réussit à remobiliser son camp entouré d'une escouade de fidèles pugnaces et non celle du chef de parti poussé par un mouvement social, par une évolution de société. Et c'est la défaite en rase campagne de Chirac. Avant le scrutin de 1995, Mitterrand fait mine de préférer Chirac à Balladur. C'est une façon d'aider son camp plus qu'un choix du cœur. C'est aussi une manière de montrer qu'il est toujours là et qu'il peut influer sur le cours des choses qui après lui viendront.

Au soir de la mort de Mitterrand, Chirac l'évoque dans sa vérité pour la première fois. Et Mitterrand lui en saurait gré s'il avait pu l'entendre. Chirac dit qu'il « a du respect pour l'homme d'État et de l'admiration pour l'homme privé qui s'est battu contre la maladie avec un courage remarquable ». Il ajoute : « De cette relation avec lui, contrastée mais ancienne, je retiens la force du courage quand il est soutenu par une volonté, la nécessité de replacer l'homme au cœur de tout projet, le poids de l'expérience. »

Ce jour-là, ces propos, forts et justes, inattendus et profonds, que n'ont pas su prononcer certains socialistes, me touchent. Ils préfigurent le choix inoubliable du refus de la guerre illégale et illégitime en Irak, conduite par un Bush fanatique, criminel de guerre, et destructeur de cette partie du monde.

# Choisir sa mort

Fatigué de ne pouvoir dominer sa dernière ennemie, incapable de résister à la violente offensive, François Mitterrand décide de partir à son heure et à son jour. Il arrête de prendre ses médicaments, il arrête de se nourrir, il arrête la lutte.

Il veut tirer sa révérence en toute conscience. Il veut laisser à ses proches le souvenir d'un homme au meilleur de ses capacités intellectuelles, même si son corps se refuse à le servir. Il n'aurait pas supporté d'avoir l'esprit défaillant, le mot flouté, l'énonciation vague.

Le réveillon de Latche du 31 décembre 1995 vaut dernier repas partagé avec les amis, les compagnons, les disciples, les femmes et les enfants. Il n'annonce pas formellement son intention d'en finir mais si j'avais voulu voir, si je n'avais pas choisi de m'aveugler, j'aurais compris qu'il avait décidé que cela suffisait.

Mitterrand est d'une époque qui n'avait pas peur de la mort, qui la côtoyait, qui l'apprivoisait. Il s'y est confronté sa vie durant.

Durant sa jeunesse, il dort de l'autre côté de la cloison où il entend son père Joseph souffrir du même mal que celui qui finira par l'emporter et cacher ses soupirs pour épargner son fils adolescent.

Pendant la guerre, le résistant Morland risque la torture et la mort à chaque coin de rue, à chaque réunion secrète, à chaque coup de main contre l'occupant.

Jeune père, il voit son nouveau-né mourir précocement. Président de tous les Français, il engage le pays dans des guerres défensives ou des opérations de maintien de la paix, en commandant en chef de tous les Français, dont il sait que certains n'en reviendront pas.

Il passe du temps au chevet de ses amis, au bord de leur tombe. C'est ainsi quand on avance en âge et qu'on voit ses contemporains prendre congé.

Et quand il est lui-même à l'article de la mort, il ne se dérobe pas. Il met un terme quand la douleur est trop forte et trop fort aussi le risque de ne pas être fidèle à ce qu'il a été.

Je ne sais si Mitterrand aurait été favorable aux évolutions de la législation sur l'euthanasie. Je veux croire qu'il aurait aimé garantir à tous la même liberté que celle dont il a fait usage sans trembler.

## Cinquième République
## (régime politique)

François Mitterrand vote non à la Constitution de 1958.

Comment ne pas souscrire à ce rejet d'un régime autoritaire fondé sur la toute-puissance de l'exécutif et l'asservissement du Parlement ?

Paradoxe : François Mitterrand est pourtant le seul président qui, sous son règne, n'apporte aucune modification à la loi fondamentale, à l'exception de deux tentatives avortées, l'une portant sur l'ouverture du référendum aux questions de société, l'autre énoncée le 14 juillet 1989 sur la saisine éventuelle du Conseil constitutionnel lors d'une procédure juridictionnelle. Il confie aussi tardivement – trop tardivement – à un comité présidé par Georges Vedel une mission de proposition au mandat étroitement limité.

Sachons alors rendre justice aux autres présidents : Georges Pompidou ouvre la voie à la réduction du mandat présidentiel à cinq ans. Valéry Giscard d'Estaing abaisse le droit de vote à dix-huit ans. Avec l'appui de Valéry Giscard d'Estaing, Lionel Jospin arrache à Jacques Chirac l'adoption du quinquennat. Nicolas Sarkozy réalise la plus importante réforme constitutionnelle de la Ve République comportant notamment l'instauration de la question prioritaire de constitutionnalité, la création du défenseur des Droits, la limitation pour le président à deux mandats consécutifs, la réforme du Conseil supérieur de la magistrature, la rénovation de la procédure parlementaire. Seul parlementaire socialiste à voter ce texte, je ne comprends toujours pas que mes camarades rejettent à ce moment-là cette avancée de notre démocratie, qui permet notamment à François Hollande de s'exprimer devant le Congrès à Versailles après les attentats du 13 novembre 2015.

Un régime politique ne se résume pas à sa seule Constitution. Le système des droits et libertés peut être radicalement changé par des lois ordinaires. François Mitterrand ne s'en prive pas. L'œuvre accomplie est ici immense. Libération de l'audiovisuel, libération des collectivités locales, libération culturelle, sans oublier les droits nouveaux : droit des femmes, droit des travailleurs, droit des immigrés… S'y ajoute la loi sur les écoutes téléphoniques, l'instauration de la proportionnelle en 1986, les premières mesures de limitation du cumul des mandats et de financement de la vie politique et des campagnes électorales, la suppression des juridictions d'exception et des discriminations sexuelles.

L'alternance politique inaugurée et perpétuée par François Mitterrand est elle-même source de respiration démocratique nouvelle.

# Cinquième semaine
# de congés payés

Le Front populaire accorde à la fois les 40 heures et les premiers congés payés. Ces deux semaines de repos permettent aux salariés d'oublier l'usine, de quitter les faubourgs, d'enfourcher le vélo-tandem et de partir camper au bord d'une mer jamais aperçue.

Le patronat est furieux et fait tout pour revenir sur ces avantages acquis. Vichy lui donne raison et la journée de 11 heures est maintenue, ce qui s'explique aussi par les nécessités de production en temps de guerre. La Libération met un point final à cette régression sociale.

La IVe République poursuit cette évolution majeure et Guy Mollet décrète la troisième semaine de congés.

De Gaulle et Pompidou se font secouer par Mai 68 et les grèves qui l'animent. Grâce aux Trente Glorieuses, ils ont les moyens d'accorder les quatre semaines de congés sans que le patronat se récrie trop fortement.

La gauche de 1981 se veut la jeune sœur du Front populaire. Elle tient à s'inscrire dans la continuité et tient à donner du grain symbolique à moudre à ses militants et à ses électeurs. Elle ne peut faire moins que de dépasser le mois de repos, d'accorder cinq semaines aux salariés. Ensuite, il faudra attendre les lois Aubry pour que les RTT permettent à beaucoup d'organiser leur temps plus à leur guise et d'individualiser leur rapport au travail, à la prise en charge des enfants ou à l'engagement associatif et culturel.

Mitterrand, lui, ne déteste pas les vacances. Il apprécie les habitudes et les rituels. Il est en Égypte à Noël, au premier de l'an dans les Landes, à Solutré à la Pentecôte, près d'Avignon en juillet ou à Latche en août.

Bien sûr, ce temps du repos ne l'est pas tant que ça. C'est le moment des rencontres informelles, de la visite aux amis ou aux écrivains, de l'accueil décontracté des grands de ce monde. Évidemment si une actualité majeure le requiert, le Président remonte sur le pont.

# Cohabitation 1 – 1986-1988

Il pourrait s'imaginer roi déchu emprisonné en son palais, chef gaulois retenu en otage et qui ne sera rendu aux siens que deux ans plus tard si tout se passe bien, général dégradé mis aux arrêts de rigueur et obligé à partager le quotidien du camp d'en face.

François Mitterrand doit ressentir ce genre d'impression quand il s'assoit autour de la table du Conseil des ministres, face à Jacques Chirac et à sa tribu droitière.

La gauche vient de perdre les législatives de 1986. Mitterrand ne louvoie pas. Il ne cherche pas à nommer un Premier ministre gaulliste ou centriste qui aurait pu faire consensus mou. Il confie Matignon au dur de la droite, à son chef, à ce Chirac qui incarne une alternative tranchée.

Inutile de finasser, d'atermoyer. Mieux vaut que les Français se confrontent à une politique strictement inverse à celle conduite pendant cinq ans. Ils ont voulu ce changement, cette régression, qu'ils en évaluent désormais les limites. La situation n'est pas aussi désastreuse qu'elle le paraît. Le scrutin à la proportionnelle a limité les dégâts.

Le PS reste le premier parti au Palais-Bourbon, même si l'alliance RPR-UDF a la majorité d'un rien. En pourcentage, le PS fait 31,02 % des suffrages quand le RPR-UDF monte à 40,97 %.

À Matignon, Chirac charge en hussard, panache en effervescence et crâne ouvert au vent des influences du moment. Il a le galop fracasseur, la virevolte intégrale, le tourner-casaque grandiose.

Il y a encore quelques années, Chirac se disait gaulliste colbertiste et voulait un travaillisme à la française. Voilà maintenant qu'il se grime en Maggie Thatcher et revendique un ultralibéralisme économique doublé d'un autoritarisme sociétal.

Il est dans un moment de sa carrière politique où il ne fait pas les choses à moitié. On est encore loin du Chirac président, bon père immobile dans le doux fauteuil de sa compréhension générale des conservatismes rivaux. On est en 1986 et Chirac, frais converti aux thèses de Hayek et de Friedman, veut faire mieux que ses maîtres anglo-saxons. Il privatise à la truelle. Il brade à une bande d'amis et d'initiés. Ces adeptes des participations croisées se constituent en « noyaux durs ». Ils prétendent qu'ainsi ils conservent à la France son patrimoine d'entreprises alors qu'ils se l'approprient.

Montent dans la charrette la Société Générale, Paribas, le CCF, la MGF, la CGE, Saint-Gobain, Suez, Matra, Havas et TF1. La première chaîne française, élément patrimonial d'une culture naissante, celle d'un audiovisuel populaire de qualité, tombe dans les bras d'un caïd du BTP, Francis Bouygues. Celui-ci en fera une puissance superbe mais aussi un aspirateur à publicités et une belle mécanique d'influence auprès des donneurs d'ordre en commandes publiques.

Encore plus fort, Chirac et Balladur, son ministre de l'Économie et des Finances, suppriment l'impôt sur la fortune. Mieux, ils décrètent une amnistie fiscale et douanière pour les capitaux rapatriés. En clair, ceux qui avaient placé leur argent en Suisse par peur des socialo-communistes et des chars russes, qui étaient censés défiler sur les Champs-Élysées le 10 mai 1981, peuvent revenir en sifflotant, les poches lestées de lingots, sans qu'il leur en coûte rien d'avoir fraudé et de s'être comportés en moins-que-rien.

Côté sécurité, Pasqua fait donner les grandes orgues. Les immigrés deviennent des cibles faciles qu'on remet dans les avions comme les 101 Maliens. À ma demande, Charles Trenet accepte de remettre en main propre à Pasqua et aux députés le disque de la chanson « Douce France » reprise par Rachid Taha et le groupe Carte de Séjour.

C'est une réforme universitaire qui met le feu aux poudres et la jeunesse dans la rue. Malik Oussekine se fait tuer par la police lors d'une manifestation contre la loi Devaquet qui sera bientôt retirée.

En face, Mitterrand fait mieux que résister. Tout en laissant le gouvernement aller au bout de sa logique, il use d'arguties pour faire valoir son désaccord. Il refuse de signer les ordonnances quand il en désapprouve l'objet. Il oblige Chirac à passer par la procédure d'urgence de l'article 49-3 à l'Assemblée.

La guérilla est de tous les instants. Elle est juridique, constitutionnelle, politique, symbolique, médiatique. Mitterrand ne cède pas une once de ses prérogatives. Et comme cette cohabitation est une première, que la jurisprudence n'existe pas, tout est prétexte à débat, à rapport de forces, à polémiques.

C'est en politique étrangère que les querelles de bornage sont les plus fréquentes. Le domaine réservé du Président est évidemment convoité par le Premier ministre. Mais Mitterrand sait faire valoir sa prééminence.

Tout le jeu du Président est de faire passer Chirac pour un grand dadais agité qu'il faut tenir en lisière de la cour des grands dont il perturberait les échanges policés, quand Mitterrand, lui, sait y évoluer en majesté.

Ces petits jeux de rôles pas du tout innocents font leur effet. La cote de popularité de Mitterrand remonte. Il y a sans doute une prime au seul contre tous, une sympathie pour l'individu qui incarne un autre idéal et fait face à l'adversité en meute ministérielle. Et puis, la population renâcle devant la suppression de l'IGF ou celle de l'autorisation administrative de licenciement quand le chômage prospère.

L'entrée en campagne des deux duellistes ne fait qu'aviver la conflictualité. En fin de campagne, deux événements surchauffent encore l'ambiance.

La libération des otages du Liban intervient trop opportunément à quelques jours du scrutin pour que le doute soit permis sur les manigances du camp Chirac. L'assaut déclenché contre les indépendantistes kanaks de la grotte d'Ouvéa met un nouvel accent tragique sur ce difficile partage des tâches qu'est une cohabitation. Pour couronner le tout, Jacques Chirac ordonne le rapatriement des faux époux Turenge, les agents secrets du *Rainbow-Warrior* internés sur un îlot français du Pacifique en exécution d'un arbitrage rendu par Pérez de Cuéllar. La violation des accords internationaux est manifeste.

# Cohabitation 2 – 1993-1995

Les législatives de 1993 sont un désastre pour le PS. Nous perdons les quatre cinquièmes de nos représentants. Lionel Jospin et Michel Rocard font partie des exclus. Nous sommes quelques survivants quand la droite compte 84 % des sièges.

Les députés de notre camp pas plus que les dirigeants du PS n'ont voulu revenir au scrutin proportionnel qui avait limité la défaite en 1986. Je me souviens d'un déjeuner en petit comité, à Rambouillet, où Mitterrand avait essayé sans succès de faire entendre raison sur la question à Mauroy, premier secrétaire affaibli d'un PS déboussolé.

Cela aurait sauvé beaucoup des nôtres, cette fois encore, tout en permettant une plus juste représentation des courants profonds qui travaillent, bouleversent et parfois sédimentent la société française.

Cette fois, François Mitterrand est livré à lui-même plus encore qu'en 1986. L'esseulement vient aussi du fait que les deux années à venir ne peuvent déboucher sur aucune résurrection. Sa santé est profondément altérée. Il est inenvisageable qu'il se représente, si tant est qu'il ait pu y songer. Devrait-il démissionner en cette année 1993 ? C'est mal le connaître. Élu pour sept ans, il ne veut laisser aucune miette du temps qui reste. Il veut surtout installer la gauche dans la durée et en finir avec les procès en illégitimité.

Et puis, je ne l'imagine pas acceptant de prendre la porte en démissionnant après une défaite d'une telle ampleur. Je crois qu'il est de ceux qui tiennent plus que tout à aller au bout des choses. Au-delà de ce souci de tenir l'engagement pris devant les Français, il y a, dans ce refus de dételer, un espoir et une crainte.

Comme tous les maîtres du temps, il a ce fol espoir qu'à un moment donné, pour une raison inconnue, les aiguilles vont se mettre à tourner à l'envers et les dés à rouler dans l'autre sens. Et il y a la crainte plus humaine et plus répandue que, après sa sortie de scène, sa vie perde de ses couleurs au miroir où il démaquillera son pouvoir.

Question caractère et comportement, Édouard Balladur est l'inverse de Jacques Chirac. Le climat de la seconde cohabitation est à l'opposé de celui de la première.

Balladur est respectueux et précautionneux. Il prévient et anticipe les refus. Pour autant, le nouveau Premier ministre n'a rien d'un enfant de chœur, ni d'un homme de progrès.

Les privatisations reprennent. Elf, Rhône-Poulenc et la BNP passent le Rubicon. Le système des retraites est réformé dans le creux de l'été et la durée de cotisations passe de 37,5 à 40 années pleines. La création d'un Smic jeunes nommé CIP met les étudiants dans la rue. Et une fois encore, le gouvernement doit reculer.

Mitterrand continue à renâcler, à jouer la montre et à prendre l'opinion à témoin.

Mais le groupe socialiste à l'Assemblée et le PS sont convalescents. Pire, la guerre de succession et la captation de l'héritage, à moins que ce ne soit son inventaire, occupent plus les uns et les autres que le nécessaire travail d'opposition. Mitterrand s'irrite de voir se défaire cette union sacrée qui l'avait si bien porté de 1986 à 1988. Et il s'afflige que le PS, ce PS qu'il a forgé, s'éloigne de lui, pour en faire à sa guise, et pas forcément de la meilleure façon.

Son cancer le handicape. Mais il tient ferme la barre, ne baisse pas pavillon, accomplit sa tâche avec scrupule jusqu'au bout.

D'autant plus impartial qu'il n'est pas du même camp, Balladur est un excellent observateur qui le côtoie chaque jour. Il donne acte à Mitterrand de sa lucidité. Il reconnaît que le Président fait en sorte que la France n'ait pas à souffrir de son état de santé. Conseiller à l'Élysée pendant la maladie de Pompidou, Balladur est averti de la difficulté et constate que l'un comme l'autre ont gardé leur vivacité d'esprit.

Cela prouve que la publication des bilans médicaux n'est pas nécessaire pour que la continuité de l'État soit assurée. Les malades qui nous gouvernent ont assez le sens des responsabilités pour juger du moment où ils ne sont plus en capacité.

## Confiance

François Mitterrand n'accorde pas sa confiance aisément. Il observe, évalue, jauge. Sa confiance se gagne pas à pas, sur des actes, parfois des confidences.

Sa première marque d'attention à mon endroit date de septembre 1974. Le secrétaire d'État à la Culture du nouveau président Valéry Giscard d'Estaing me révoque de la direction du Palais de Chaillot. Sur le chantier de la future salle, un rassemblement d'artistes manifeste sa solidarité. François Mitterrand est présent, silencieux, attentif et un brin énigmatique.

Dans un bref discours, Maurice Duverger décrit notre grande aventure culturelle comme celle de « voyageurs de l'impossible ». La formule vaut bien davantage pour la longue marche parsemée d'embûches entreprise par le premier secrétaire du PS vers la conquête d'un pouvoir qui paraît inaccessible.

Un an plus tard, François Mitterrand se prend de passion pour le festival de Nancy. Cet événement que je crée en 1963 avec une bande d'étudiants devient progressivement le rendez-vous mondial du théâtre d'avant-garde. Le premier secrétaire s'y rend par deux fois, en 1975 puis 1977. François Mitterrand y découvre de jeunes talents, des expressions dramaturgiques inattendues. Pétri de culture classique, il aime emprunter des chemins de traverse, s'ouvrir à des arts nouveaux, humer les inspirations intellectuelles de la jeunesse.

Mais le déclic qui ouvrira la voie à notre vraie rencontre se nomme Georges Dayan. Il est son meilleur ami. Il dirige la liste de gauche aux élections municipales de 1977 dans les 2ᵉ et 3ᵉ arrondissements de Paris. Il m'invite à m'y agréger. François Mitterrand se rend sur place à plusieurs reprises. Il apprécie que je me sois opposé dans notre programme à la destruction du Carreau du Temple à laquelle s'étaient ralliés les socialistes locaux.

Mes relations avec lui prennent un tour plus décisif après son échec aux élections législatives de 1978. Face aux attaques de Michel Rocard contre l'archaïsme qu'il est censé incarner, François Mitterrand étoffe son équipe de nouvelles jeunes pousses. Je suis nommé directeur de campagne de la première élection au suffrage universel du Parlement européen et conseiller pour la science et la culture.

Très vite intronisé dans le cercle des proches, il m'invite à le rejoindre en août à Latche. Là, nous imaginons un plan qui, de ville en ville, dix mois durant, portera notre vision de l'Europe à travers des événements concrets (agriculture, inégalités sociales, environnement...). Simultanément, ces manifestations lui permettront de reconquérir sur le terrain la sympathie des militants provisoirement ébranlés par la campagne Rocard et les sondages défavorables. Nous voulons faire d'une pierre deux coups : remporter les élections européennes, gagner le congrès de Metz.

Dès septembre, nous frappons fort : ouverture officielle de la campagne européenne à l'Opéra de Lille en présence de Willy Brandt, de Melina Mercouri, de Giorgio Strehler, tenue à Montpellier d'une Convention sur l'entrée de l'Espagne et du Portugal dans le Marché commun. Une fois de plus le courage intellectuel ne manque pas à François Mitterrand. En pleine terre viticole, il annonce son acceptation de l'adhésion à l'Europe de ces deux pays enfin rendus à la démocratie au moment même ou le RPR et le parti communiste mènent une campagne populiste contre cette proposition.

Les efforts de François Mitterrand sont récompensés. Il l'emporte au congrès de Metz. La campagne européenne s'achève en une sorte d'apothéose en plein cœur de Paris au pied du Trocadéro. Le London Symphony Orchestra, les grandes voix des leaders européens soulèvent l'enthousiasme de 100 000 personnes tandis que nous réussissons à inscrire le poing et la rose au laser dans le ciel de Paris.

Mai 1981 approche. Le premier secrétaire me demande de multiplier les colloques, les rencontres associant intellectuels et créateurs de nombreux pays. François Gros, le directeur de l'Institut Pasteur, m'aide à préparer une manifestation internationale sur la biologie à Valençay réunissant une dizaine de prix Nobel. Un symposium organisé en mars 1981 à l'Unesco permet à François Mitterrand de présenter les grandes lignes de notre programme culturel et scientifique.

La campagne présidentielle resserre nos liens. Au lendemain de la victoire, il me confie l'organisation de la journée d'investiture du 21 juin et en particulier la cérémonie au Panthéon.

Puis vient le temps du pouvoir. Sans solliciter à aucun moment mon sentiment, il me nomme ministre de la Culture. Il me demande d'agir sans délai, de déployer mon imagination pour multiplier les projets. En quelques semaines nous prenons plusieurs décisions de rupture : loi sur le prix unique du livre, doublement du budget du ministère de la Culture, lancement du Grand Louvre et des Grands Travaux à Paris et en province, préparation d'une Exposition universelle, ouverture de nombreux chantiers (réforme du cinéma, transformation de la politique musicale, rénovation de la politique théâtrale, métamorphose des musées, création des centres d'art contemporain…), reconnaissance d'arts souvent ignorés par le ministère de la Culture (la bande dessinée, la photographie, le rock, le design, le hip-hop, la mode, le jazz, l'art contemporain, l'archéologie…).

Notre alliance dans l'action comme notre connivence dans la pensée s'amplifient et se fortifient. Grâce à son soutien permanent, la rue de Valois se métamorphose en une ruche permanente où se bousculent les projets, les artistes, les créateurs. Les idées fermentent, il en goûte l'esprit. Je peux avancer sans trahir ses pensées. Il délègue sans inquiétude. Il m'accorde un champ d'action qui déborde largement les frontières du ministère de la Culture : la Cité des sciences de la Villette, la Grande Galerie du Muséum, le musée des Arts et Métiers. Je m'implique dans les décisions relatives aux télévisions, aux radios, à la politique culturelle internationale. Il m'invite à l'accompagner dans ses voyages à l'étranger.

Mon lien direct avec le Président facilite l'éclosion de nos plans. J'abuse de son amitié. Je le submerge de notes, probablement plusieurs centaines en dix ans. Parfois elles frisent le harcèlement. Quelques jours après la Berezina de 1993, lors d'une conversation téléphonique, il me dit non sans humour : « En tout cas, je ne regretterai pas vos notes budgétaires incessantes ! »

Cette confiance s'éprouve aussi autour d'une table à Paris, les dimanches soir souvent, à Latche aussi parfois, à Brégançon rarement, avec des amis à Solutré chaque année.

Nos désaccords son rares. Le plus grave porte sur la création de la cinquième chaîne privée et sur l'Exposition universelle.

Porte-parole de fait de son action, je m'emploie aussi à sa demande à intervenir dans les médias sur l'ensemble de sa politique. Accusé de mitterrandolâtrie – oui, quand j'aime, j'aime –, je me dresse parfois un peu seul contre tous sur les sujets les plus controversés (l'Allemagne, les Balkans, l'affaire Bousquet, Vichy). Mes liens étroits avec Lionel Jospin, Laurent Fabius, et de nombreux autres amis proches (Gaston Defferre, Jacques Attali, Jean-Louis Bianco, Louis Mermaz, Pierre Joxe, Jacques Delors), me permettront de mieux accomplir toutes ces missions. Témoignage ultime de sa confiance : il me nomme porte-parole de la campagne pour le oui au traité de Maastricht, fonction que j'exerce avec Élisabeth Guigou.

# Congrès de Rennes

Après sa réélection en 1988, François Mitterrand a une vision claire des postes à pourvoir, des personnalités à mettre en situation.

Michel Rocard est Premier ministre. Lionel Jospin est le premier des ministres d'État, en charge de l'Éducation. C'est Pierre Mauroy qui a succédé à Jospin comme premier secrétaire quand celui-ci a rejoint la rue de Grenelle.

Mais pour le PS, Mitterrand pense plutôt à Laurent Fabius. Il souhaite que son deuxième Premier ministre remplace le premier afin de réorganiser le parti et de le moderniser.

Le congrès de Rennes doit permettre ce passage de témoin.

Fabius est doué de beaucoup de qualités. Il est intelligent et compétent. Il a le sens de l'État et la vivacité intellectuelle nécessaire. Il a tant de talents que cela effraie peut-être ses concurrents moins bien dotés. Et il est d'une fidélité sans faille à Mitterrand. Ce qui est sans doute plus simple quand on est le dauphin préféré.

Cependant si Fabius a de l'envergure, il manque parfois de sens tactique. Il veut prendre le parti en séduisant les militants, mais néglige les hiérarques. Il irrite quelques fidèles à Mitterrand qui s'éloignent de lui.

Une alliance de bric et de broc se noue pour éjecter Fabius. Il ne s'agit pas d'un débat d'idées mais d'une guerre de Succession sur fond de querelles personnelles.

Jospin supporte mal d'être tenu à l'écart de Matignon, de ne pouvoir y faire ses preuves comme l'a fait Fabius. Ils sont rivaux en âge et en talents. Mauroy a peu apprécié les comparaisons en sa défaveur qui ont suivi le passage de relais à Fabius en 1984. En mars 1990, au moment du congrès de Rennes, il a l'impression de voir se reproduire le même scénario, avec les mêmes évaluations toujours aussi négatives à son endroit.

Rocard est en charge du gouvernement. Cela devrait lui suffire et il pourrait se tenir en lisière du parti. Mais on ne se refait pas. Il ne peut résister au plaisir de mettre dans l'embarras celui qu'il considère comme un ennemi, malgré leur cohabitation au sommet de l'État. Ce faisant, Rocard verrouille des inimitiés graves qui le handicaperont quand il finira par prendre le PS en 1994.

Ces jalousies diverses, ces récriminations larvées, ces détestations recommencées déclenchent un rejet de Fabius. C'est un camouflet pour Mitterrand. Mais c'est surtout un désastre pour le PS qui donne un spectacle détestable et qui va durablement en payer le prix.

Pierre Mauroy reste un premier secrétaire de transition, un animateur de raccroc, le plus petit dénominateur commun. Seul à la tribune, il tient à la main une rose effeuillée, à demi brisée, aux pétales fanés. C'est le parfait symbole de l'état des lieux et des épines couronnant les esprits.

# Cour de sûreté de l'État (Suppression de la)

Dans les situations de crise, intérieure ou extérieure, le vieil État central français supporte mal de rester à la merci des scrupules des magistrats ou des atermoiements des jurés.

Il veut que justice passe, vite et bien. Il tient à avoir un tribunal à sa main. Et tant mieux si les juges sont aux ordres.

Il y a souvent eu des juridictions d'exception. Sous l'Ancien Régime, elles se nomment Chambres ardentes. Après 1789, voici venir le Tribunal révolutionnaire et ses Fouquier-Tinville. À Vichy, ce sont les Sections spéciales qui font le sale travail.

À la fin de la guerre d'Algérie, tandis que le gaullisme a pris le pouvoir, se succèdent un Haut Tribunal militaire, puis une Cour militaire de justice. En 1963, naît la Cour de sûreté de l'État, constituée de trois magistrats et de deux hauts gradés. Elle a compétence dans les affaires d'espionnage et de terrorisme. Elle n'est plus là pour cibler le FLN. La guerre d'Algérie est finie. Il s'agit de répliquer au putsch des généraux à Alger et de cibler les membres de l'OAS.

Évidemment, les juridictions spéciales survivent aux circonstances qui les ont vues naître. Dans les années 1970, les militants indépendantistes basques, bretons ou corses y sont convoqués par le jacobinisme martial.

Dans son libelle *Le Coup d'État permanent*[1], Mitterrand trouve les mots pour cingler toute justice d'exception.

Au début de son septennat, il supprime la Cour de sûreté de l'État comme les tribunaux permanents des forces armées.

Devant la montée du terrorisme international, reste malgré tout en place une cour d'assises spéciale. Afin de protéger les jurés parfois menacés par les accusés, elle est composée de magistrats professionnels et non de militaires.

---

1. François Mitterrand, *Le Coup d'État permanent*, Plon, 1964.

D

# Danielle (Mitterrand)

Danielle Mitterrand est une personne magnifique pour laquelle j'ai affection et respect.

Danielle Gouze naît à Verdun. Sa mère est institutrice. Son père est principal de collège. Il est laïc, franc-maçon et de gauche comme l'ensemble de la famille. Après être passée par Dinan en Bretagne où Danielle est la seule fille du lycée de garçons dirigé par son père, la famille s'installe à Cluny, en Bourgogne.

Vichy révoque son père pour avoir refusé de recenser les élèves juifs. Tout juste bachelière, Danielle est infirmière bénévole et agent de liaison. Elle sillonne à bicyclette la région pour porter les messages. La maison Gouze abrite souvent des membres du réseau Combat, comme Berty Albrecht dont Danielle devient l'amie. Sa sœur aînée, Christine, fait des études de cinéma à l'Idhec à Paris. Elle est aussi « boîte à lettres » pour le réseau d'anciens prisonniers dirigé par François Mitterrand.

Il aurait découvert une photo de la petite sœur dans l'appartement de Christine où il venait rencontrer Roger-Patrice Pelat. Et aurait promis de l'épouser.

En tout cas, après une rafle de la Gestapo, Mitterrand part se mettre au vert en Bourgogne. Danielle lui sert de couverture lors d'un voyage en train. Ils jouent au couple d'amoureux. La fiction va bientôt devenir réalité.

Le premier dîner dans un restaurant de Saint-Germain-des-Prés n'est pas concluant. Mitterrand, vingt-huit ans, qui porte alors une moustache à la Zapata, camouflage qui le rend très visible, joue les séducteurs de haut vol et déploie son charme caustique. Face à lui, une adolescente toute simple se moque de ces approches de chasseur emplumé et regarde toute cette activité avec perplexité.

Mitterrand s'acharne, revient à la charge et finit comme souvent par arriver à ses fins. Il emporte la promesse de la jeune femme. Le mariage est célébré à l'été 1944, celui de la Libération.

À l'église Saint-Séverin, les officiers du bataillon Liberté, celui de Pelat, mettent sabre au clair pour saluer les jeunes époux. Elle est en blanc et le voile cache un regard enjoué, étonné et moqueur. Lui est en jaquette noire sur chemise à col cassé.

Pendant le repas de noces, Mitterrand regarde l'heure sur la montre de son voisin. Il est 17 heures. Il annonce son départ. Danielle lui demande où il va. Ce qu'il détestera toujours. Mais ce jour-là est particulier, une explication est possible. Il doit assister à une réunion de son mouvement de prisonniers. Danielle choisit de l'accompagner sans passer se changer.

Le couple loue rue Guynemer derrière le jardin du Luxembourg puis achète rue de Bièvre.

En politique, ils jouent en double mixte. Dans le privé, la complicité remplace l'amour. Danielle raconte cet arrangement intelligent dans *Le Livre de ma mémoire*[1] : « Nous étions mariés, nous avions des enfants et, à un moment, nos vies affectives ont bifurqué. Mais cela ne nous a pas empêchés de rester des amis très proches l'un de l'autre. »

L'un et l'autre sont au courant de leurs vies parallèles. Ils ont des liaisons, des amours, et pour Mitterrand un autre enfant, une fille, Mazarine. Tout n'est pas exprimé, mais tout est connu par chacun. Danielle précise : « Les non-dits ne signifiaient pas ignorance. Assumer ce double foyer fut pour chacun des acteurs un exercice d'équilibriste des plus périlleux pour ne pas déboucher sur des ruptures, aussi bien d'un côté comme de l'autre. Il fallut beaucoup, beaucoup d'amour[2]. »

Mitterrand est d'une fidélité rare à la parole donnée et au temps partagé. Il ne renie rien de ce qu'il a été, de ce qu'il a fait. Il aime encore celles qu'il a aimées. Il est toujours ami avec ses camarades de jeunesse. Il n'abjure rien, ne se repent jamais, revendique l'ensemble de ses actes et de ses passions. Pourquoi divorcer, si c'est pour faire valser les nouvelles têtes et blesser le souvenir des anciennes préférences ?

Politiquement, la France guillotineuse continue à exiger que l'élu soit en couple parental, si ce n'est royal. Cette demande finira sans doute par s'émousser. Mais

---

1. Danielle Mitterrand, *Le Livre de ma mémoire*, Gawsewitch, 2007.
2. *Id.*, *Mot à mot*, Le Cherche Midi, 2010.

l'individualisme a beau gagner, l'heure n'est pas encore venue d'un vrai célibataire à l'Élysée. Sauf à observer que François Hollande inaugure depuis quelque temps, et très courageusement, une nouvelle pratique.

Surtout, Danielle aime la politique. Elle est prête à supporter la lourdeur et le poids d'une campagne. Elle veut que la gauche arrive au pouvoir. Elle le veut fortement, violemment. Elle est convaincue que son mari réussira à changer la vie.

Le 10 mai, les Mitterrand entrent à l'Élysée, séparés et maintenus, séparés mais ensemble. Danielle l'annonce de but en blanc, elle ne sera pas une potiche. Elle va faire exploser la norme qui voulait que la première dame soit dévolue à la visite aux enfants malades et à l'inauguration des chrysanthèmes. Elle ne sera pas Yvonne de Gaulle, Claude Pompidou ou Anne-Aymone Giscard d'Estaing.

Elle assure le protocolaire nécessaire, mais elle est là pour faire reculer la réaction. Elle est là pour qu'on coupe les jarrets au conservatisme, pour que le capitalisme financier rende gorge. Elle embrasse Fidel Castro sur les deux joues, monte à cheval avec le sous-commandant Marcos, fulmine contre l'apartheid, s'enthousiasme pour les Sahraouis, les Amérindiens ou les Tibétains. Elle se souciera bientôt de l'accès à l'eau pour toutes les populations.

Avant toute chose, elle prend fait et cause pour les Kurdes. Roger Hanin s'amuse à dire que « si vous demandez l'heure à Danielle, elle vous répond 5 heures moins kurde ». Elle manque d'ailleurs d'y laisser la vie avec Bernard Kouchner lorsque le bombardement de leur convoi au Kurdistan cause sept morts.

À la fin de son second mandat, Mitterrand reçoit le journaliste Robert Schneider qui raconte : « Danielle nous rejoint au café. En souriant, il me dit : "Vous avez de la chance, votre femme est française ! La femme du président de la République, elle, est kurde ! Elle m'a fait rencontrer récemment l'un de ses protégés, un courageux résistant kurde, m'a-t-elle dit, dont j'ai appris ensuite qu'il était un dangereux terroriste !" Danielle sourit à son tour de cet hommage exaspéré à sa foi militante. »

Ses initiatives mettent parfois Mitterrand en porte-à-faux. Danielle refuse les nécessaires médiocrités diplomatiques. Mais son action a aussi le mérite de débloquer les choses, de brandir le problème à la face de l'opinion publique, de brusquer un Quai d'Orsay parfois trop prudent.

Mitterrand respecte la liberté d'action de Danielle. C'est une caractéristique de leur couple si particulier. S'il accepte les bravades de son épouse, cela ne l'engage pas politiquement.

Jamais le Président ne reprend publiquement sa femme quand elle le met dans un embarras géopolitique. Toujours la militante vole au secours de son mari quand les polémiques les plus misérables le ciblent violemment. Jamais l'un ne manque à l'autre.

On pense que Danielle est la conscience de gauche de Mitterrand, qu'elle l'ancre du côté de la misère humaine, de la justice sociale et du tiers-mondisme écolo qu'il aurait vite fait de passer par profits et pertes à force de côtoyer les grands de ce monde ou de se heurter au mur de l'argent libéral.

Ne jamais oublier que Mitterrand sait faire son miel de tous ceux qui l'entourent, qui le conseillent, qui s'opposent à lui. Qu'il sait où il va et ce qu'il veut.

Au cimetière de Jarnac, en entourant de son bras les épaules de Mazarine, Danielle donne l'image apaisée d'une famille recomposée, recueillie face à la sépulture d'un homme qui avait une vision du couple qui reviendra peut-être en grâce.

## Dayan (Georges)

Il n'y a pas plus différents *a priori* que François Mitterrand et Georges Dayan. L'un est fils d'une famille nombreuse de Charente où le conservatisme catholique des parents s'est fait oublieux du radicalisme républicain d'un grand-père. L'autre est juif d'Oran, bourgeois éclairé et socialiste de cœur. Et pourtant, ils vont lier leurs destins en amis chers, en camarades d'action, en soutiens indéfectibles.

Dans une rue du Quartier latin, en 1938, des étudiants en droit prennent un verre et discutent paisiblement en regardant les passants. Des antisémites de l'Action française provoquent Dayan. Mitterrand se dresse, s'interpose. Les poings parlent. Pour Mitterrand, la cause est entendue. On ne tombe pas à dix contre un. C'est d'abord une question d'honneur et de bravoure. Et puis, oui, bien sûr, on ne reproche pas ses origines à quelqu'un.

Le service militaire réunit les deux hommes, mais la guerre les sépare. Ils s'écrivent sans cesse. Je revois souvent l'une de ces missives, l'une des plus émouvantes qu'Irène, sa magnifique épouse, avocate brillante et militante acharnée, m'a permis de lire. Mitterrand exprime son affection : « Dis-moi que ni le temps, ni le silence ne rompent les liens qui font de notre amitié quelque chose, une des rares choses fidèles et solides de ma vie, de plus sûre et de plus vraie que tant d'événements quotidiens. [...] Si tu es en Algérie, goûte bien la paix de vivre. Ici, nous en sommes dépourvus. [...] Si tu n'étais un détestable mécréant, je te dirais : prie pour moi. [...] Pour toi, reçois tout ce que ma pensée peut imaginer de bon, d'heureux. »

Sous la IVe République, Dayan appartient aux différents cabinets du jeune ministre Mitterrand.

L'un est grand et volumineux, débordant de joie de vivre et d'appétit goulu. L'autre est plus petit, plus pincé, plus ironique. Mais l'autre ne va pas sans l'un. Dayan est un double enjoué et rieur, une ombre charmeuse et pas compliquée. Il sert à Mitterrand de chercheur de têtes. Dans les années 1970, il repère les militants débrouillards, les énarques déniaisés, les jeunes élites socialisantes. C'est Dayan qui me met en contact avec le futur président comme il l'a fait pour Laurent Fabius ou Jacques Attali.

Dayan n'est pas qu'un boute-en-train. Sous le masque du joyeux drille, il y a chez lui de la lucidité psychologique et l'art de modeler la pâte humaine.

Pour Mitterrand, Dayan est l'unique. Il jauge toutes ses nouvelles relations à cette aune impossible à égaler.

Dayan meurt des suites d'une opération du cœur en 1979. Il ne verra pas mai 1981, n'entrera pas avec son ami à l'Élysée.

Et c'est pour réparer cet outrage irréparable, causé par un destin insupportable, que le premier geste d'homme privé de Mitterrand, après son élection, sera d'aller se recueillir sur la tombe de Dayan, au cimetière du Montparnasse, dès le 11 mai. Afin de retrouver la complicité perdue du conseiller idéal et la sagacité politique de l'ami disparu.

# Discours de Mexico, dit de Cancún

Octobre 1981. Les Français qui accompagnent Mitterrand meurent de chaud sous le soleil de Mexico. Nous portons chemises blanches, chapeaux de paille et sombreros. Et nous nous réfugions à l'ombre dès que nous pouvons.

Sur l'estrade installée au pied du Monument de la Révolution, impossible d'échapper à la chaleur de pierre. Mitterrand monte à la tribune et prononce un discours qui fait encore vibrer par son lyrisme.

Il parle au Mexique, à l'Amérique latine et au-delà à tous les peuples du tiers-monde. Il dit non à l'ingérence. Oui à l'autodétermination des peuples. Et oui à la résolution pacifique des conflits.

Ce discours est parent de celui que de Gaulle prononça à Phnom Penh. Il est dit « de Cancún », personne ne sait plus bien pourquoi. Régis Debray, excellent connaisseur du continent américain, a pris une bonne part à sa rédaction. Nu-tête, Mitterrand déclare :

> « La France, comme le Mexique, a dit non au désespoir qui pousse à la violence ceux qu'on prive de tout autre moyen de se faire entendre. Elle dit non à l'attitude qui consiste à fouler aux pieds les libertés publiques pour décréter ensuite hors la loi ceux qui prennent les armes pour défendre les libertés.
>
> « À tous les combattants de la liberté, la France lance son message d'espoir. Elle adresse son salut aux femmes, aux hommes, aux enfants mêmes, oui, à ces "enfants héros" semblables à ceux qui, dans cette ville, sauvèrent jadis l'honneur de votre patrie et qui tombent en ce moment même de par le monde, pour un noble idéal.
>
> « Salut aux humiliés, aux émigrés, aux exilés sur leur propre terre qui veulent vivre et vivre libres.
>
> « Salut à celles et à ceux qu'on bâillonne, qu'on persécute ou qu'on torture, qui veulent vivre et vivre libres.
>
> « Salut aux séquestrés, aux disparus et aux assassinés qui voulaient seulement vivre et vivre libres.

« Salut aux prêtres brutalisés, aux syndicalistes emprisonnés, aux chômeurs qui vendent leur sang pour survivre,
aux Indiens pourchassés dans leur forêt, aux travailleurs
sans droit, aux paysans sans terre, aux résistants sans
arme qui veulent vivre et vivre libres.

« À tous, la France dit : Courage, la liberté vaincra. Et si
elle le dit depuis la capitale du Mexique, c'est qu'ici ces
mots possèdent tout leur sens.

« Quand la championne des droits du citoyen donne la
main au champion du droit des peuples, qui peut penser que ce geste n'est pas aussi un geste d'amitié à l'égard
de tous les autres peuples du monde, et en particulier du
monde américain ? Et si j'en appelle à la liberté pour les
peuples qui souffrent de l'espérer encore, je refuse tout
autant ses sinistres contrefaçons, il n'est de liberté que par
l'avènement de la démocratie. »

L'année suivante, toujours à Mexico, lors de la conférence mondiale des ministres de la Culture, je m'en
prends à l'impérialisme culturel américain. Preuve que
le Mexique est, en ce temps-là, un bel endroit pour parler haut et fort. Dans la délégation qui m'accompagne
figurent – autre temps – Simone de Beauvoir, Jean-Paul
Aron, Jacques Derrida, Jean-Pierre Faye, Félix Guattari !

# Dissidents

En 1981, l'arrivée de l'Union de la gauche au pouvoir angoisse les États-Unis et toutes les autres factions
réactionnaires du monde libre. Ils voient déjà les quatre

ministres du PCF nommés au gouvernement Mauroy croquer tout cru ce pauvre petit Mitterrand.

Dès 1982, Mitterrand fait montre de responsabilité et se comporte en allié loyal. Au Bundestag, il fait valoir que les pacifistes sont à l'Ouest quand les fusées sont à l'Est. Manière, en ces temps de guerre toujours froide, de donner des gages aux libérateurs de 1944 et de tempérer la bonne volonté exagérée d'une jeunesse bien manœuvrée.

Le président français va tenir bon sur une ligne de crête diplomatique qui sera toujours la sienne. 1. Parler avec tous les pouvoirs en place. Ne négliger personne, ne bouder quiconque. 2. Dire son fait à chacun, ne rien cacher des réserves et des désaccords. Et le dire plus ou moins fort, plus ou moins publiquement, selon le moment. 3. Rencontrer aussi les opposants au pouvoir en place, révolutionnaires ou dissidents.

Fidèle à sa philosophie du dedans-dehors, Mitterrand agit ainsi aux quatre coins du globe. Au Proche-Orient comme en Amérique du Sud ou bien sûr dans les pays de l'Est.

À Moscou, dès 1984, il porte un toast au physicien Andreï Sakharov, lors d'un repas officiel.

Afin de briser le glacis que commence à fendiller la perestroïka imaginée par Gorbatchev, Mitterrand lui apporte son soutien à partir de 1985.

En Pologne, à sa demande, après le coup d'État de Jaruzelski, je subventionne les journaux d'Adam Michnik, je distribue les arts et lettres à tout opposant artistiquement *refuznik* ou je fais subventionner le film d'Andrzej Wajda sur Danton.

En juin 1989, en un moment de transition où le régime communiste hésite entre se survivre et se dissoudre,

Mitterrand se retrouve à Gdansk à faire une promenade en barque entouré de Lech Walesa et... du général Jaruzelski.

En Tchécoslovaquie, en décembre 1988, il célèbre les mérites du Printemps de Prague devant les officiels interloqués mais qui doivent l'écouter en silence jusqu'au bout.

Le lendemain, il petit-déjeune avec les opposants parmi lesquels s'est glissé Václav Havel, homme de théâtre tout juste sorti de prison et qui, en guise de remerciement, invitera Mitterrand, quand il aura réussi la révolution de velours et aura quitté les oubliettes où on le consignait pour devenir l'ironique prince d'un palais qu'il ne fera jamais vraiment sien.

À Berlin-Est, en décembre 1989, le Président vient plaider pour une unification allemande paisible auprès du Premier ministre de RDA.

Et puis je lui organise un dîner avec le metteur en scène Heiner Müller, le chanteur Wolf Bierman, le beau-père de Nina Hagen, la romancière Christa Wolf, et il va à la rencontre des étudiants de Leipzig. L'autre manière d'accélérer la mutation en cours est d'accueillir sur notre sol les réfractaires à l'ordre rouge.

Nous accordons l'asile et souvent la nationalité à bien des opposants aux dictatures.

Le premier et le plus emblématique est sans doute Milan Kundera, l'écrivain tchèque fait français dès la prise de fonction de Mitterrand, en compagnie de l'Argentin Julio Cortázar, en butte aux colonels argentins. Histoire de montrer que la France peut prendre toute sa part à la lutte contre l'arbitraire sans frontières.

# Droit d'inventaire

Lors de la campagne présidentielle de 1995, Lionel Jospin prétend exercer son « droit d'inventaire » sur le bilan des deux septennats de François Mitterrand.

Il a déjà manifesté, en temps et en heure, son opposition à l'amnistie des généraux d'Alger, à la vente d'armes à l'Irak ou à la mise sur orbite de la Cinq de Berlusconi. Cela est plus que légitime que tout responsable politique puisse participer au débat public, exprimer ses réserves sinon son refus et ensuite soit se rallier à la position de son camp, soit se démettre.

Mais la notion de « droit d'inventaire » est un cheval de Troie qui cache en son ventre des pensées négatives, des passions tristes.

Au-delà de l'évaluation politique, Jospin veut signifier qu'il s'émancipe, qu'il n'est plus un lieutenant ou un fils, qu'il traite d'égal à égal avec le passé, qu'il peut s'affronter à la stature de Mitterrand à qui il ambitionne de succéder.

Jospin veut aussi prendre ses distances avec l'homme Mitterrand.

Lionel Jospin donne involontairement crédit à l'entreprise de déstabilisation menée contre Mitterrand. Un déversement d'infamies grandes ou petites est actionné par certains lobbies et relayé par des médias toujours avides d'abîmer les héros vivants pour mieux déboulonner les statues des morts de haute stature quand un délai de viduité est passé.

Alors, exerçons un rapide droit d'inventaire contraire.

Non, Mitterrand n'est pas collabo. Et oui, il a fait une guerre glorieuse. Non, il n'a aucune sympathie maréchaliste quand il fait déposer une gerbe sur la tombe de Pétain. Oui, comme chef de l'État, il est habité par un souci de réconciliation nationale que partageait de Gaulle. Non, il n'est pas un soutien inconditionnel de Bousquet. Oui, il pense que les tribunaux ayant jugé Bousquet et l'amnistie ayant été décrétée sous de Gaulle, il peut le fréquenter. Sans doute aussi, l'enfant de chœur que Mitterrand n'est vraiment plus songe qu'à tout pardon miséricorde. Et l'avocat qui ne porte plus la robe depuis belle lurette estime que la prescription doit s'exercer.

Non, il ne porte pas aux nues la canaille affairiste. Et non, il n'a pas de palais à Venise, ni de fonds secrets sur des comptes cachés en Suisse. Mais oui, il est momentanément séduit par la gouaille et l'énergie de Tapie. Et oui, c'est vrai, il n'a jamais un centime en poche.

De là à en faire un prévaricateur antisémite et avaricieux, trop fidèle en amitié pour distinguer le faux du vrai, il y a un pas qu'il faut éviter de franchir.

Faut-il d'ailleurs donner tant de gages à la transparence et mettre sous la loupe l'intimité des hommes publics ? Faut-il que seuls des saints à la vie exemplaire puissent avoir mandat de représenter le peuple ? C'est loin d'être certain. Et il risque de ne plus y avoir grand nombre de candidats d'envergure. Et je vois mal comment les trotskistes de l'OCI qui ont fait de l'entrisme au PS pourraient ne pas se voir reprocher un manque de franchise, si eux-mêmes jouent les procureurs.

Quelques années plus tard, dans un témoignage livré à Pierre Favier, *Lionel raconte Jospin*[1], Jospin mettra de l'eau dans son vin et reconnaîtra les mérites de Mitterrand, en particulier dans son action internationale. Il écrira : « La trace que François Mitterrand laissera dans l'histoire récente est évidente. Il est le premier président socialiste élu au suffrage universel. Il est celui qui met fin, avec la gauche, à vingt-trois ans de pouvoir de droite. Il est réélu. Il a été une forte personnalité et un chef d'État critiqués, davantage au plan intérieur qu'extérieur, mais reconnu par ses pairs sur le plan international. Les Français l'ont estimé à la hauteur de sa charge [...]. » Fidèle à cette définition, Lionel Jospin sera, de 1997 à 2002, un formidable Premier ministre.

« François Mitterrand a fait des choix qui ont honoré la France sur les grandes questions internationales : l'attitude à l'égard de la puissance soviétique avant 1989 ; notre relation avec les États-Unis, celle d'un ami loyal et autonome dans la définition de sa politique ; l'Europe, où le président est un constructeur, parfois un peu résigné à l'insuffisance de ses contenus sociaux, à son libéralisme excessif mais un véritable constructeur ; le Proche-Orient aussi, où sa vision de la réconciliation souhaitable entre les Palestiniens et Israël est pionnière à certains égards. »

---

1. Lionel Jospin, *Lionel raconte Jospin. Entretiens avec Pierre Favier et Patrick Rotman*, Seuil, 2010.

# Duras (Marguerite)

Le romanesque fait partie intrinsèque de la vie de François Mitterrand. Il y aura d'ailleurs une myriade de fictions plus ou moins ressemblantes, plus ou moins fantaisistes dont il sera le personnage principal.

Dans son itinéraire, il est vrai, il y a des rebondissements rocambolesques et des rétablissements inespérés, des ascensions et des chutes, des drames terribles et des moments de comédie, sans compter les mystères jamais élucidés.

Mais quand il croise la route de Marguerite Duras, l'imaginaire prend plus encore le pouvoir même si une grande partie des faits sont avérés. Leurs vies à tous deux sont des romans. Que Duras fait siens sans une hésitation.

Appartement de la rue Saint-Benoît. On est en 1943 en plein cœur de Saint-Germain-des-Prés. Morland-Mitterrand fume une cigarette anglaise. Pour Duras, cela veut dire qu'il revient de Londres, qu'il fait partie de la Résistance et qu'il ne s'en cache pas devant ses hôtes, qu'il honore de sa confiance.

Duras est enchantée de ce geste qu'elle célèbre comme la prise de risque d'un dandy trompe-la-mort. Elle l'identifie comme une tentative de recrutement immédiatement acceptée. Le petit groupe qui gravite autour d'elle s'engage dans le réseau des prisonniers de guerre évadés que dirige Morland.

Il y a autour de Duras, qui s'est occupée un temps de la répartition du papier contingenté pour les éditeurs, des étudiants, des intellectuels, des enseignants, des démobilisés qui tirent le diable par la queue, des écrivains

bouffeurs de vache enragée, des communistes convaincus et des hésitants encore vaguement maréchalistes.

Rue Dupin. On est le 1ᵉʳ juin 1944. La Gestapo déclenche
un coup de filet contre le mouvement piloté par Morland.
Ils ont été donnés. Leurs planques sont connues. Morland
échappe à une première embuscade avenue Charles-
Floquet. Il se rend rue Dupin, où il loge, pour prévenir
ceux qui s'y trouvent. Comme le veulent les règles de prudence, il téléphone depuis le bureau de poste d'à côté.
Il est déjà trop tard. Marie-Louise Antelme et son frère
Robert, le mari de Duras, vont être déportés.

Rue des Saussaies. Marguerite Duras prend contact
avec Charles Delval, un Français gestapiste qui a pro-
cédé aux arrestations du réseau. Elle tente tout pour
faire libérer Robert Antelme. Entre fiction et réécriture
de l'histoire, elle prétend même avoir fait de Delval son
amant dans l'espoir de revoir son mari. Vrai ? Faux ?
Mitterrand, lui, veut penser que le jeu du chat et de la
souris entre Duras et Delval n'est pas allé aussi loin.

Dachau, mai 1945. Mitterrand envoyé par de Gaulle,
participe à la libération des camps. Alors qu'il enjambe

les corps des suppliciés, une voix murmure son prénom. Mitterrand reconnaît Antelme. Il est terriblement affaibli, atteint par le typhus. Le rapatriement est compliqué, il faut ruser. Le rétablissement est long et difficile. Antelme revient à la vie et rédige *L'Espèce humaine*, grand livre sur la déportation...

Cette renaissance extraordinaire est vécue par Duras comme un hasard fondateur, une boucle bouclée, un destin accompli qui les unit à jamais Antelme, Mitterrand et elle.

Après guerre, les itinéraires politiques de Duras et Mitterrand s'éloignent. Duras prend sa carte au PC. Elle finit bien sûr par le quitter dès 1950. Elle se fait dénoncer par l'un de ses camarades pour « trotskisme », « décadence petite-bourgeoise », « inconvenance », « ironie » trop appuyée envers Aragon.

En 1981, elle devient « mitterrandienne ». Elle décrit cette absolue adhésion : « Parce que c'est une personne à part entière. Il n'a rien derrière. Il n'a pas d'argent. C'est une sorte de seigneur. Dans sa personne, il est seigneurial, je trouve. »

On m'a souvent reproché des accès de mitterrandolâtrie. Je dois reconnaître que, face à Duras, il m'est impossible de lutter.

Pendant la première cohabitation, le prix Goncourt et le président de la République reviennent au cours d'entretiens émouvants sur leurs années de jeunesse. Duras évoque le Morland d'avant Mitterrand : « Quand je me souviens de vous pendant la guerre, de cette période de notre vie où nous étions jeunes, je vous vois à la fois dans une crainte profonde et constante de la mort et en même temps dans une disposition non moins constante à la braver. Vous étiez d'une espèce de courage dont je n'ai jamais trouvé l'équivalent – excusez cette confidence que je ne vous avais jamais faite. Vous étiez d'un courage à la fois raisonnable, raisonné, et fou. Comme si combattre votre propre peur de la mort avec des actions quasi suicidaires était la passion véritable de votre vie [...][1]. »

Devant cet enthousiasme à la fois perspicace et exalté, et trouvant sa pertinence dans son exagération même, Mitterrand apprécie, s'amuse, en prend et en laisse. Il s'en explique dans un entretien au *Nouvel Observateur* : « Quand elle pourrait m'agacer, elle m'amuse. Elle est très péremptoire, je la prends comme elle est. Parfois, certains de ses jugements me font rire. Je le lui dis mais je ne me dispute jamais avec elle. Ça lui plaît de choquer la gauche qu'elle exprime pourtant fondamentalement. »

Nul doute que ça plaisait aussi à Mitterrand de choquer son camp.

---

1. Marguerite Duras, *Le Bureau de poste de la rue Dupin et autres entretiens*, Gallimard, 2006.

# E

# École privée

Dans les « 110 propositions » du candidat, il est prévu la mise en place d'un « service public laïc et unifié de l'Éducation ». Alain Savary s'y emploie prudemment. Pierre Mauroy se voit mal en petit père Combes. François Mitterrand, lui-même, n'en fait pas l'alpha et l'oméga de son action.

Le Président connaît l'enseignement privé. Il entre en sixième en pension à l'école Saint-Paul d'Angoulême, tenue par des pères diocésains. Il en sort après son baccalauréat, sans acrimonie particulière contre la vie en communauté masculine ou esprit de revanche contre la sévérité de la discipline.

Étudiant à Paris, il s'installe au foyer étudiant tenu par les frères maristes, 104, rue de Vaugirard. Il ne puise dans son passé en pensionnat aucun sentiment de révolte ou de détestation anticléricale. Il en dit :

« La Bible a nourri mon enfance. Huit ans d'internat dans une école libre à Saint-Paul d'Angoulême m'ont formé aux disciplines de l'esprit. Je ne m'en suis pas dépris. J'ai gardé mes attaches, mes goûts et le souvenir de mes maîtres bienveillants et paisibles. Nul ne m'a lavé le cerveau. Je suis sorti assez libre pour user de ma liberté. Comment après un tel apprentissage et quelque distance que j'ai prise avec lui, n'aurais-je pas été apte à comprendre qu'un socialiste avait le droit de croire en Dieu[1]. »

Deux forces se liguent pour refuser un projet de loi qui ne déplaît pas forcément aux enseignants du privé, qui ne détesteraient pas rejoindre la fonction publique.

Il y a d'une part les catholiques purs et durs qui tiennent à leur particularisme, veulent le transmettre aux membres de leur famille et voient toujours l'école publique comme l'école du diable. Mon grand-père, nommé en Vendée pour y enseigner dans le public, eut à affronter ce genre de *vade retro, Satanas.*

Mais il y a aussi toute une frange de parents qui considèrent le privé comme une deuxième chance pour leur enfant en échec scolaire dans le public, ou juste rétifs à un environnement pesant et préférant les petites structures ou une prise en charge plus serrée. C'est le début d'une approche consumériste de l'éducation qui est aussi un droit de comparer, de choisir et de changer.

L'Église et la droite unissent leurs forces comme elles savent le faire. Pour une fois, elles réussissent à prendre la rue, longtemps réservée à la gauche. Le 24 juin 1984 à Paris, deux millions de personnes, selon les organisateurs, beaucoup en tout cas, défilent pour la défense de l'école dite « libre ». Mgr Lustiger, Simone Veil, Jacques Chirac, Valéry Giscard d'Estaing et Jean-Marie Le Pen sont présents.

---

1. François Mitterrand, *Ici et maintenant. Conversations avec Guy Claisse,* Fayard, 1980.

Il faudra attendre le débat sur le mariage pour tous en 2013, sous la présidence de François Hollande, pour voir de fortes cohortes réactionnaires battre le macadam. Preuve qu'il y a toujours d'opportunes alliances conservatrices sur les sujets sociétaux entre la droite et les Églises.

Devant la force du refus, Mitterrand sonne la retraite. Il met à profit son talent pour masquer le pas en arrière. Le « référendum sur le référendum » qu'il présente est un écran de fumée pour masquer une défaite en rase campagne qui annonce le départ de Mauroy et l'arrivée de Fabius.

Je ne suis pas au cœur du dossier comme je le serai en tant que ministre de l'Éducation en 1992 où je réussirai à faire la paix avec l'enseignement privé alors que l'incendie aura repris. En 1984, je regarde cela de loin, depuis le ministère de la Culture. Mitterrand reste un excellent manœuvrier. Il sait donner le change, masquer la réalité des concessions, faire comme si de rien n'était.

Je ne suis pas sûr que ce soit, chez lui, le genre de talents que je préfère. Même si j'apprécie qu'il aille au front quand on l'y convoque et qu'il ne lâche jamais rien, dans la tempête comme dans l'embellie.

# Économie mixte

Ses adversaires pensent souvent que Mitterrand n'y connaît rien en économie. Qu'il est d'un autre temps, d'un autre monde. D'un temps qui a connu la guerre et le prix du sang. D'un monde qui a vécu la nuit de l'humanité vaincue et la résurgence des résistances ultra-physiques avant d'être métaphysiques. Quand on ne dort pas deux nuits dans le même lit, quand on ne mange pas forcément à sa faim, quand on risque de mourir chaque matin.

Pour les plus jeunes, Mitterrand est comme de Gaulle, d'un temps où la France avait un empire, des colonies et une zone d'influence, où le pays avait les moyens de passer outre aux querelles de subsistance, où le monde était dual, Amérique-Europe, Ouest-Est, quand aujourd'hui la géopolitique est multipolaire.

Beaucoup pensent que Mitterrand se fiche de l'économie, que, comme de Gaulle, il est convaincu que l'intendance suivra. Disons que Mitterrand est plus un littéraire qu'un matheux, plus un historien qu'un statisticien, plus un feuilleteur d'atlas qu'un compulseur de données.

Mitterrand veut dominer l'ensemble des questions, les surplomber et non se laisser noyer dans un océan de notions techniques, parcellaires et contradictoires. Il fait en sorte de ne pas réduire sa pensée à l'étude des taux de change. Il refuse de dépendre des notes de conjoncture des hauts fonctionnaires du Trésor. Il se méfie du côté péremptoire des prévisionnistes et de leurs belles assurances fondées sur du vent. Il veut garder la capacité de mettre les choses en perspective. Il tient à élaborer une vision politique du monde, plutôt que de suivre les avis autorisés des banquiers et des économistes en vogue. Répliquant à Philippe Séguin lors du débat sur Maastricht qui invoquait Maurice Allais, prix Nobel d'économie et partisan, comme au FN, de la suppression de l'impôt sur le revenu, il observe non sans ironie : « Nous avons tous nos économistes. » Il les comparait souvent aux médecins de Molière.

Dans les années 1970, les influences économiques de Mitterrand sont doubles. Il y a d'abord l'air du temps marxiste qui imprègne l'époque et qu'il tamise en le passant au crible de la démocratie bourgeoise de 1789 et du respect de la propriété privée.

Et il y a ses bases arrière de catholicisme social, un peu de Péguy, un peu de Bernanos, qui lui dictent une détestation continuée de l'argent.

Lors du congrès d'Épinay en 1971, après avoir admis que l'Église et l'armée ne sont plus les piliers de la réaction qu'elles ont pu être, Mitterrand tonne contre les monopoles et contre « l'argent qui corrompt, l'argent qui achète, l'argent qui écrase, l'argent qui ruine, l'argent qui tue et l'argent qui pourrit jusqu'à la conscience des hommes ».

Cette vision des choses permet l'alliance avec le PCF au sein du Programme commun. Et malgré la rupture de 1977, cela nourrit les « 110 propositions » du candidat qu'il est en 1981.

Comme si Mitterrand, tout à sa satisfaction d'aller chasser sur les terres électorales du PCF, s'appliquait à être unitaire pour deux et à appliquer un programme originel que le PC voulait durcir pour se sortir de la nasse électorale où le socialiste l'enfermait.

En 1981, Mitterrand met en œuvre son programme économique, sans tergiverser, au pas de charge. En 1983, l'exercice du pouvoir et la résistance du réel le voient réduire la toile dans la tempête, mais il maintient le cap.

En réalité, Mitterrand est un fervent défenseur de l'économie mixte. Il tient au mélange de supports publics et d'initiatives privées. Pour lui, l'État peut être initiateur quand l'entreprise peut avoir le souci de la chose publique.

En 1981, Mitterrand renforce vigoureusement le secteur public, mais il s'agit aussi de le réformer, de le muscler, de lui permettre d'agir rapidement et fortement.

En 1988, il s'interdit de nationaliser ou de privatiser. Préfère le ni-ni au et-et. À tort, à mon avis.

Il est possible que Mitterrand ait pensé qu'il était désormais du ressort de l'Europe de mener une politique de grands travaux dans les transports, l'énergie, la recherche, l'éducation. Il a sans doute considéré que le temps du Concorde et du TGV était passé et qu'il fallait croire en Ariane, en Airbus ou, évidemment, en Erasmus.

Mais en France comme en Europe, il faut continuer à croire en l'économie mixte, en l'alliance des incitations publiques et des agilités privées.

## Élégance vestimentaire

François Mitterrand accorde peu d'intérêt aux vêtements qu'il porte. Il s'habille sans trop réfléchir, sans y mettre la moindre intention. Il ne se prétend ni dandy couture, ni arbitre des élégances. Et quand il lui arrive de porter en vacances de vieux vêtements, il est le dernier à s'en rendre compte. Il s'en fiche. Il peut aussi bien boutonner jeudi avec vendredi que, par inadvertance, réussir à parfaitement coordonner cravate et chemise.

Pendant tout le temps où il est dans l'opposition, il s'habille au décrochez-moi-ça, simple et pratique. À la ville, il endosse la tenue de base du parlementaire. Il y a alors peu de risques de dérapage tant le complet veston de couleur sombre est un uniforme commode.

C'est à la campagne ou pendant les vacances que les choses se compliquent quand elles ne se gâtent pas. À Latche, il apparaît en gentleman-farmer en velours anglais mâtiné de coopérant colonial retour de brousse. Il ose des sahariennes avec des cols pelle à tarte et des barbours ouverts sur des cardigans avachis. Le summum est atteint par sa collection de casquettes de propriétaire de yearlings qu'il coiffe pour aller nourrir ses ânes ou cajoler ses jeunes chênes.

Heureusement qu'un couvre-chef bleu marine de capitaine de remorqueur de Hambourg, offert par Willy Brandt, le rapproche quelque temps de Corto Maltese quand il se balade le long des vagues.

S'il pouvait seulement abandonner sa canne de vieillard, ça le rajeunirait, d'autant qu'il ne s'appuie jamais dessus. C'est juste pour battre les fourrés, pour cingler les ronces qui lui barrent le chemin.

Quand, en 1988, il invite Rocard à une promenade sous la pluie, il a les pataugas appropriés, cuir assoupli par la pratique intensive de la marche, mais il y a toujours cette terrible casquette et ce bâton de pèlerin prêt à partir sur la route de Saint-Jacques-de-Compostelle.

Quand il devient président, Mitterrand affine son approche. Il se fait confectionner des costumes sur mesure, revêt des pardessus en poil de chameau qui tombent parfaitement. C'est à ce moment qu'il fait du feutre noir et de l'écharpe rouge qu'il porte déjà depuis un moment deux emblèmes qui vont le définir pour la postérité.

Mitterrand est d'une génération qui porte chapeau quand la calvitie gagne et que la respectabilité prend de l'âge. Le chapeau lui vaut prestance d'hiver et salut reconnaissant. Le noir du feutre est d'une maturité honoraire plus que d'un passe-partout assombri.

L'écharpe qui va de pair est mieux tissée qu'un vulgaire cache-nez. Rouge, elle est l'oriflamme des combats populaires et d'une fidélité à un passé révolutionnaire pas tout à fait passé. Le rouge et le noir ne sont pas ceux du cardinal et du notaire, mais plutôt ceux d'un Aristide Bruant moins gouailleur mais tout aussi incisif, moins flambeur mais bien plus perspicace. En feutre et écharpe, Mitterrand échappe à la toile de Lautrec et se démarque du chansonnier populaire de Montmartre. Il s'apparente plutôt aux canailles de faubourg revues par le Quartier latin, et finalement recyclées par le boulevard Saint-Germain des intellectuels et des clubs de jazz, le Saint-Germain d'avant la réquisition par le luxe marchand de la mode.

Pour ma part, je ne déteste pas l'habit signifiant et la provocation de bonne tenue. Cela amuse Mitterrand qui taquine et apprécie, moque et soutient à la fois.

Un jour, j'entre à l'Assemblée nationale sans cravate, avec un costume réalisé par Thierry Mugler. Cette
veste n'est pas à col Mao comme s'en indigne la droite,
mais à col à l'indienne, hommage à Nehru et à Gandhi.
Interrogé par Yves Mourousi, lors d'une émission de
TF1, sur ce qu'il pense de cet habit qui fait polémique,
Mitterrand lance, avec une feinte ingénuité : « Un petit
peu austère, non ? »

# Évasion

Il me plaît, ce jeune Mitterrand avide de liberté qui
refuse qu'on aliène sa faculté d'aller et de venir, qui ne
supporte pas de rester enfermé derrière des barbelés. Il me
plaît, ce jeune homme de vingt-cinq ans qui ne songe qu'à
s'évader. Et tant pis s'il est repris, il recommence encore
et encore. Déjà, il est lui-même, obstiné dans l'action,
concentré sur son obsession, soucieux d'employer des
moyens adéquats pour l'accomplir. Il veut aller à l'idéal,
mais sait dialoguer et composer avec le réel pour y parvenir. Il me plaît, ce marcheur qui se cache dans les fossés
quand une patrouille survient, qui se méfie des habitants
qui pourraient le reconnaître, qui regarde haut dans le ciel
se lever son étoile.

Il va d'un bon pas vers son destin, jamais soumis à
une autre autorité qu'à la sienne, toujours appliqué à faire
advenir les choses, jamais plaintif devant les obstacles qui
encombrent sa route, acharné à les franchir, à les contour-
ner ou à les esquiver pour mener à bien son projet.

1. La première évasion commence le 5 mars 1941. Mitterrand a scié et charrié des troncs d'arbres pour pouvoir accéder à un bureau où pendait au mur une carte d'Allemagne. Morceau par morceau, il a recopié le tracé des routes et le nom des localités. Il a joint ces bouts de papier pour constituer son itinéraire. Il ne se voit pas traverser à la nage le Rhin ou le lac de Constance. Il veut rejoindre la Suisse. C'est à 600 kilomètres de son stalag.

Il part en compagnie de Xavier Leclerc, abbé à Saint-Pourçain dans l'Allier. Leurs compagnons d'infortune qui restent au stalag les ont aidés à s'équiper. Mitterrand porte un imperméable en rayonne pour dissimuler sa tenue d'ancien prisonnier et le sac à dos cousu par un détenu. Pour provisions, il a calculé qu'il lui fallait par jour 12 biscuits de troupe, 2 sucres et une barre de chocolat. Les copains se sont privés pour les doter. Ils ont prévu du thé en sachet et comptent boire l'eau des rivières.

Lundi 5 mars, ils se glissent à travers les barbelés. Ils doivent leur tranquillité au chef de corvée et à l'intendant choisis parmi les prisonniers qui tardent à prévenir les Allemands, au risque de sanctions. Ils marchent 600 kilomètres en vingt-deux jours. Exténués, gelés, affamés, guettés par les hallucinations, ils aboutissent dans une bourgade frontalière. Et se font reprendre par les villageois alors qu'ils montent la colline enneigée qui débouche sur la Suisse.

2. La deuxième évasion se déroule le 18 novembre 1941. Ils sont trois à franchir la clôture barbelée un dimanche soir quand les Allemands reçoivent des parents et de la famille. Mitterrand se cache sous un pont, de l'eau jusqu'aux genoux pour que les chiens perdent sa trace.

Il réussit à atteindre Metz, dort à la belle étoile et croit mourir de froid.

Le lendemain, il trouve un petit hôtel. Les tenanciers parlent français. C'est interdit en Alsace-Lorraine occupée. Confiant, il s'endort sous un ouateux édredon rouge. Il est réveillé par un sonore « Polizei ! ». Les honnêtes Thénardier l'ont dénoncé. Ces braves gens n'oublient pas de lui faire payer sa chambre avant qu'il ne soit obligé de suivre les policiers.

3. La dernière tentative a lieu le 10 décembre 1941. Mitterrand est dans un camp lorrain. La discipline y est sévère pour les soldats allemands punis qui y sont enfermés. Pour les Français, la surveillance est plus lâche.

Il craint d'être renvoyé en Allemagne. Il lui faut fausser compagnie à ses gardiens sans attendre.

Il est 7 heures du matin. On est en hiver. Il fait nuit noire. Il franchit la barrière sans qu'on le voie. Il est vêtu d'une blouse rouge et de sabots. Malgré cet accoutrement repérable et peu pratique, il file et bat tous ses records de vitesse.

Il arrive à un bureau de tabac. Une marchande de journaux qui appartient à la Résistance le prend en charge. Ils rejoignent Metz en se tenant par la main, comme deux amoureux.

Dans une église, il retrouve son contact qui le fait monter dans un train. Il saute avant la ligne de démarcation, rampe sur le sol gelé et finit par continuer tout seul, à l'instinct, quand le passeur se révèle perdu.

Et le voici dans un petit village du Jura où il se fait démobiliser officiellement et touche la prime d'évasion que Vichy offre à chaque prisonnier évadé.

# Exposition universelle de 1989 :
# une chance gâchée

À peine arrivé rue de Valois, je prends connaissance du projet d'Exposition universelle conçu par Robert Bordaz et Claude Mollard. Giscard d'Estaing vient de le refuser, il n'en voit pas l'intérêt. Différence de caractères, de styles et de visions entre les deux présidents : François Mitterrand, à qui je le propose aussitôt, l'accepte et l'annonce dès septembre 1981. Il choisit la date de 1989 : manière de célébrer le bicentenaire de la Révolution française, de placer la France au cœur du monde et de créer des emplois tout en modernisant la capitale.

Sitôt dit sitôt fait. Une mission est créée sous la houlette de Robert Bordaz qui avait construit le centre Pompidou avec maestria. Un budget de 50 millions de francs est ouvert. Une équipe est constituée. Des architectes, des artistes, des intellectuels, parmi lesquels : Renzo Piano, Vittorio Gregotti, Ionel Schein, Antoine Grumbach, Pontus Hultén, Martial Raysse, Mona Ozouf, Maurice Duverger, Jacques Lesourne, Jean-Marcel Jeanneney carburent sans relâche. Et quelques mois plus tard, le Bureau international des expositions accepte la candidature de la France !

L'Exposition universelle sera implantée sur les rives de la Seine, y compris sur des pontons prolongeant les quais, jusqu'à Issy-les-Moulineaux. Elle adoptera le thème des « Chemins de la liberté ». Elle contribuera à redonner à Paris son rayonnement international.

Encore faut-il l'accord du maire, Jacques Chirac. Comme Giscard, il n'en ressent pas la portée et propose de l'installer à… Marne-la-Vallée. Les élus de Paris, Jacques Toubon en tête, craignent que les Parisiens aient trop à souffrir des embouteillages ! On apporte des réponses, ils s'entêtent, la discussion s'enlise.

François Mitterrand n'est pas homme à se laisser dicter sa conduite par le maire de Paris. Si ce dernier ne voit pas la chance que représentent les milliers d'emplois induits par le projet, qu'il supporte la responsabilité de son abandon ! De guerre lasse, le 5 juillet 1983, le Président tranche : puisque les élus parisiens n'en veulent pas, l'Exposition universelle ne verra pas le jour.

La France rate une occasion exceptionnelle. La peur de l'innovation a fait reculer les élus parisiens qui n'ont pas su prendre la mesure de l'histoire. Dans l'instant, j'en veux aussi à François Mitterrand de ne pas avoir tenu bon.

# Fabius (Laurent)

Ce matin de janvier 1995, il fait un froid de gueux dans les appartements de Laurent Fabius qui dominent le Panthéon. Le chauffage est en panne. Nous sommes juste tous les deux et il nous faut garder manteau et cache-nez. Engoncés dans nos grands pardessus noirs, nous ressemblons à des gangsters réunis dans un entrepôt désaffecté dans l'attente du partage des lingots.

Nous sommes là pour évoquer la prochaine présidentielle. Fabius ne peut concourir, injustement attaqué dans l'affaire du sang contaminé.

Regrettant que Fabius ne force pas sa chance, Mitterrand me pousse à y aller. Il veut pouvoir peser jusqu'au bout sur la désignation de son successeur. Il ne s'est toujours pas remis du congrès de Rennes qui a vu ses choix contestés par des gens qu'il estime lui être redevables. N'oubliant jamais et pratiquant peu le pardon des offenses, Mitterrand tient à mettre des bâtons dans les roues à ceux qui lui ont manqué. Surtout, il veut pousser sur l'avant-scène des hommes ou des femmes en qui il croit.

Autant Fabius a fait de l'Élysée son ardente espérance, autant je ne sais trop si j'ai la volonté suffisante pour tenter l'aventure. Il faut ne penser qu'à cela, être prêt à tout sacrifier.

Mitterrand comme Fabius sont l'un et l'autre de cette trempe. Ils ont ce côté dominateur et impavide.

Je demande à Fabius s'il pense que j'ai la tête de l'emploi. Il me répond que j'adapterai l'emploi à ma tête. Je suis hésitant. Bientôt, Lionel Jospin annonce sa candidature. Fabius et ses amis rejoignent Henri Emmanuelli qui est sur une ligne bien plus à gauche que la leur, afin de faire pièce à l'ennemi éternel, Jospin.

Fils d'antiquaire, grandi dans les beaux quartiers, Fabius est un excellent élève. Il est normalien, agrégé de lettres modernes, énarque et cavalier émérite. Ses origines privilégiées et ses brillants états de service lui seront souvent reprochés par une gauche populiste qui feint de croire qu'il faut avoir grandi en HLM ou travaillé à la mine si l'on veut lutter pour la justice sociale.

Jaurès, Blum ou même Mitterrand sont d'extraction bourgeoise, comme l'étaient Marx ou Lénine. Il faut souvent un climat agréable, financièrement aidé et intellectuellement doté, pour s'apercevoir que beaucoup ne bénéficient pas des mêmes chances, des mêmes privilèges et qu'il faut faire évoluer les choses.

Non content d'être bien né, Fabius entre au PS recommandé par les recruteurs les plus écoutés par Mitterrand. C'est Georges Dayan, rabatteur de talents, qui le repère à la sortie de l'Ena.

Au congrès de Metz, en 1979, c'est Fabius qui monte au créneau pour défendre Mitterrand des attaques de Rocard et de Mauroy. Il fait valoir qu'« entre le plan et le marché, il y a le socialisme », manière de dire que l'économie mixte a de l'avenir et peut en remontrer tant au capitalisme libéral qu'au collectivisme communiste.

La confiance est forte entre Mitterrand et lui. Il n'est pas neutre que Fabius soit en charge du Budget dans le gouvernement Mauroy. Ce poste est stratégique. Il permet d'avoir une vue d'ensemble des dotations de tous les ministères. Et en 1981, il faut bien un homme de poids pour débusquer les roueries procédurales et passer outre les tentatives d'empêchement de hauts fonctionnaires ayant fait carrière sous la droite.

À l'Industrie, ensuite, Fabius conduit une politique industrielle courageuse, réorganise des entreprises nationales qui se doivent d'avoir des stratégies plus prospectives et des sollicitudes plus sociales.

En 1983, il hésite un moment devant la sortie du franc du SME. Après étude, il tranche pour que la France ne fasse pas cavalier seul.

Son entrée à Matignon en 1984 étonne et surprend. Mitterrand pose un acte de rupture et brise les codes traditionnels.

Il impose une nouvelle génération, rompt avec ceux qui comme lui ont fait la Résistance. Il enjambe ceux qui ont lutté contre la colonisation. Et se paie même le luxe de rejeter les soixante-huitards dans la nuit dont il aurait aimé qu'ils ne sortent jamais, eux qui, à l'époque, commencent à accéder aux responsabilités.

Fabius a trente-sept ans et Mitterrand se félicite de la jeunesse de ce Premier ministre « donné à la France ». La République n'a jamais connu chef de gouvernement plus précoce.

Homme d'État, il est un grand Premier ministre. Il modernise la politique de rigueur engagée, calme les conflits sur le front de l'éducation et de la politique sociale. Il se sort de l'affaire Greenpeace par la démission de Charles Hernu, le ministre de la Défense qui a couvert les agents des services secrets ayant coulé le bateau écologiste.

Les tâches sont bien réparties entre lui et Mitterrand. Ils pilotent avec à-propos le pays. À deux moments, on entrevoit un désir d'émancipation chez Fabius, comme si la tutelle lui pesait.

Lors d'une émission de télévision, il fait valoir qu'il n'est ni le fils du père, ni la créature de Pygmalion, ni un dauphin déjà choisi. Il revendique le fait que « lui, c'est lui, moi c'est moi ». Mitterrand ne le prend pas en mauvaise part, aimant que l'ambition s'affirme, que l'indépendance se conquière, tant que différenciation ne vaut pas opposition.

Quand le général Jaruzelski vient en visite à Paris, Fabius confesse son « trouble » que l'Élysée puisse recevoir l'ennemi de Solidarność et de Walesa.

Fabius est dans sa logique, même s'il n'est pas forcément dans son rôle. Il fait campagne contre l'apartheid en Afrique du Sud, et nous sommes en phase sur la question. Il est sévère avec Castro, exagérément à mon sens. En tout cas, il est très soucieux des Droits de l'homme.

Mitterrand, lui, pense que rencontrer les représentants des pays étrangers ne veut pas dire approuver la politique menée.

Au sujet de la Pologne, Fabius livre sa vision des choses : « Je lui ai dit : "Je n'aurais peut-être pas dû m'exprimer ainsi, mais vous non plus, vous n'auriez pas dû agir ainsi." Cela ne lui a pas fait plaisir, mais la clé de nos rapports, c'est la sincérité[1]. »

C'est le seul moment de tension entre eux, leurs deux attitudes pouvant chacune se justifier. Ce débat ne jettera aucune ombre sur leurs relations futures.

J'ai plaisir à travailler avec lui. Il m'associe directement à la politique de communication du gouvernement. L'image de la gauche se redresse. Laurent Fabius y contribue avec talent. Il me confie l'organisation d'un symposium mondial sur les droits de l'homme qui s'achève par une cérémonie sur le parvis du Trocadéro, qui sera baptisé par François Mitterrand « Parvis des droits de l'homme et des libertés » en présence de Mgr Tutu, de Dom Hélder Câmara et d'Hortensia Allende.

Fabius doit affronter les débuts de l'affaire du sang contaminé. Des lots réservés aux transfusions contiennent le virus du sida. Fabius prend les mesures nécessaires en fonction des connaissances de l'époque, à un moment où le VIH est encore mal connu. Responsable, il est

---

1. Caroline Lang, *Le Cercle des intimes*, *op. cit.*

forcément vu comme coupable par des malades cherchant des explications et par la hargne mise par certains médias à déchiqueter l'honneur des politiques.

Quinze ans après, la Cour de justice de la République lui donnera quitus et déclarera : « Compte tenu des connaissances de l'époque, l'action de Laurent Fabius a contribué à accélérer les processus décisionnels. » Il est trop tard pour rattraper le temps perdu et les occasions manquées. Ce qui n'empêche pas Fabius d'être un excellent ministre des Affaires étrangères de François Hollande.

Je continue à déplorer que nos désaccords sur l'Europe nous aient durablement séparés.

# FN (Montée du)

Dans les années 1980-1990, les commentateurs français ont souvent le chic pour faire porter à François Mitterrand tous les péchés de la terre. Il aurait ainsi contribué à faire monter le Front national pour mettre la droite dans l'embarras.

Voyons ce qui se passe à Dreux, en septembre 1983. L'élection municipale vient d'être invalidée. Françoise Gaspard qui représente le PS doit retourner devant les électeurs. La liste FN menée par Jean-Pierre Stirbois obtient 17 % des suffrages. Elle est en situation pour se maintenir au second tour. La droite qui craint la dispersion des voix accueille quatre candidats frontistes dans son équipe et remporte la mairie.

Aussitôt, le chœur des divas de droite entonne le même refrain. Pour eux, il est moins grave de faire une alliance locale avec le FN quand Mitterrand, lui, convie quatre ministres communistes à entrer dans son gouvernement.

Assimiler PCF et FN est un non-sens. Surtout, la droite ne va cesser de s'exonérer de son flirt avec l'extrême droite, en accusant Mitterrand d'instrumentaliser le FN.

Jacques Chirac pourra bien évoquer « le bruit et l'odeur » dont seraient responsables les familles immigrées musulmanes et noires, cela ne l'empêchera pas de désigner Mitterrand à la vindicte.

En 1986, l'instauration d'un scrutin législatif à la proportionnelle est décrite par la droite comme une nouvelle manœuvre du Florentin de l'Élysée pour donner de l'ampleur au FN.

La proportionnelle fait partie des « 110 propositions » du candidat Mitterrand. Surtout, la proportionnelle favorise l'expression de la démocratie. Pourquoi des partis autorisés qui n'ont pas contrevenu à la loi seraient-ils interdits de représentation ou d'expression ? Pourquoi les Verts, l'extrême gauche, les souverainistes ou bien sûr le Front national n'auraient-ils pas le droit d'être représentés au Palais-Bourbon ?

Il vaut toujours mieux que l'ensemble des idées puisse s'exprimer plutôt que de visser le couvercle sur des réprobations bouillonnantes. Il vaut toujours mieux que les tribuniciens se confrontent à l'exercice du pouvoir plutôt que de se présenter en victimes du scrutin majoritaire.

En 1986, Laurent Fabius réussit à faire voter par les députés PS la réforme du mode de scrutin. Saluons sa force de persuasion. Car les élus, de gauche comme de droite, croient toujours que leurs mérites personnels ou les relations nouées avec leurs administrés viendront à bout des renversements de tendances générales.

En 1986, le passage à la proportionnelle permet au PS de conserver une voix forte. Alors bien sûr, le FN entre à l'Assemblée. Mais il est inutile de penser que c'est en tenant le FN hors de l'espace public que l'on viendra à bout des tendances qu'il représente. La suite va largement le prouver.

Pour 1988, le RPR revient au système majoritaire. En 1993, le PS aux abois refuse de faire le chemin dans le sens d'une meilleure ouverture aux partis divergents. Il en subit les conséquences. La déculottée est fameuse.

Pendant ses deux septennats, Mitterrand ne varie pas. Il est d'un antiracisme constant. Il ne laisse aucun des membres du PS concéder le début d'une compréhension pour les thèses du FN. Il n'est jamais question de la moindre alliance d'aucune sorte. Lors de la campagne de 1988, à l'université de Villetaneuse, il rappelle avec raison que « la droite et l'extrême droite sont des sœurs jumelles » en matière de sujets sociétaux.

# Forces de l'esprit

On est le 31 décembre 1994 et, comme chaque hiver depuis quatorze ans, François Mitterrand présente ses vœux aux Français. C'est le dernier exercice du genre. Il sait bien qu'il ne se représentera pas. Il sait aussi que la maladie s'enkyste, que la mort gagne. La chute de son propos va étonner ou interloquer, inquiéter ou amuser, révulser ou attendrir. En tout cas, elle va surprendre.

Mitterrand maîtrise de mieux en mieux cet exercice convenu. Mais ce soir-là n'est pas tout à fait comme les autres. Il termine par ces mots : « L'an prochain, ce sera mon successeur qui vous exprimera ses vœux. Là où je serai, je l'écouterai, le cœur plein de reconnaissance pour le peuple français qui m'aura si longtemps confié son destin et plein d'espoir en vous. »

Et il ajoute : « Je crois aux forces de l'esprit et je ne vous quitterai pas. Je forme ce soir des vœux pour vous tous en m'adressant d'abord à ceux qui souffrent, à ceux qui sont seuls, à ceux qui sont loin de chez eux. Bonne année et longue vie. Vive la République. Vive la France. »

Analysons le texte de cette étrange allocution.

Il y a d'abord cette allusion un peu cryptée à une disparition, un éloignement, un enlèvement. « Là où je serai... » Il parle de départ et d'avenir, de présence et d'absence. Il y a comme la promesse d'un séjour nuageux, au sommet de l'Olympe. Il y a cette « reconnaissance » pour le peuple français qu'il connaît si bien, qu'il a fréquenté en allant tranquillement à sa rencontre au cœur du moindre village, en se collant au zinc du plus minuscule bistrot de campagne, s'arrangeant toujours pour ne commander qu'un verre d'eau ou au pire un Vittel-cassis qui fasse illusion.

Il sait bien qu'il se ment un peu, qu'il fait la part trop belle à ce peuple ronchonneur et sceptique, conservateur et révolutionnaire, guillotineur et fasciné par la force, bravache et récriminant, gaulois et sporadique, refusant de s'agenouiller avant de reconquérir sa dignité avec panache.

Mais ce dernier soir de réveillon, il refuse de se laisser aller à la critique qu'il manie au fouet, à l'ironie qu'il fait cruelle. Il veut ne tresser que des louanges, ne retenir que le meilleur. Il dénude le fond de son cœur et fait défiler les visages et les figures de ces Français qu'il a aimés et qui ont fini par l'aimer.

Il souhaite « longue vie » à ses compatriotes. Lui qui va mourir, qui en est pleinement conscient quand ce fut longtemps une chose à laquelle il n'arrivait pas à croire.

Mitterrand vient leur dire sa confiance en cette vieille nation qui bouge encore, qui se réforme par à-coups et qui étonne toujours par ses accès de folie avant que l'on finisse par saluer le génie de ses savants, le talent de ses artistes, l'enthousiasme de ses inventeurs.

Mitterrand salue aussi le courage de ceux qui se lèvent chaque matin, de ceux qui sont fiers de bien faire leur métier, de transmettre leur savoir, de soigner les malades, de créer des entreprises et de l'emploi, de procurer du bonheur, du plaisir, de la satiété.

Ce qui retient, c'est évidemment l'allusion aux forces de l'esprit. À gauche, on pourrait donc avoir des tentations spirituelles ? Une foi en un au-delà mal défini ?

Mitterrand s'est toujours déclaré agnostique. Il ne sait pas s'il croit. Ce qui ne veut pas dire qu'il sait qu'il ne croit pas. Le doute existe, l'interrogation l'excite, la certitude semblait remise à jamais.

Il est né catholique. Une messe à Notre-Dame sera dite. Il sera enterré dans un cimetière chrétien, préférant l'inhumation à la crémation.

Fin 1995, un an plus tard, nous passons un dernier réveillon à Latche. Comme d'habitude, sur le coup de

20 heures, nous nous installons devant la télé, dans la mezzanine qui domine la salle à manger.

C'est là que, tous les ans, nous regardions les vœux enregistrés l'après-midi par le Président et commentions l'exercice obligé.

Cette fois, c'est Chirac qui s'y livre. Et c'est là qu'il me parle de la douleur ressentie, affirmant : « J'ai la Gestapo en moi. » Puis il me dit : « J'ai résolu la question philosophique. » Allusion à la survie éventuelle de l'âme.

Moi l'athée, le rétif à toute métaphysique, je ne saisis pas l'occasion au bond de l'interroger, de sonder son discernement.

Je suis sans doute encore dans le déni, dans le refus qu'il puisse disparaître.

Je ne crois toujours pas aux forces de l'esprit. Mais je crois que l'esprit de Mitterrand perdure. Et j'admire la force qu'il lui a fallu pour accomplir sa destinée et sortir de scène en majesté en apprenant aux Français à mourir.

# Force tranquille (La)

Jacques Séguéla est enthousiaste, sympathique, parfois incontrôlable, mais c'est ce qui fait son charme. Il n'est pas fondamentalement socialiste, ni particulièrement de gauche, son itinéraire le prouvera. Mais c'est un homme de l'art publicitaire qui sait réinventer le domaine de la communication politique encore balbutiant.

En 1977, pour les municipales, François Mitterrand apparaît sur la côte landaise. On est sur la dune, non loin de Latche. La mer est agitée, il y a un peu de vent. Les teintes sont chaudes et mordorées. C'est comme s'il y avait une éclaircie lors d'un crépuscule de fin d'hiver. Il y a une trouée de beau temps après le passage d'une dépression.

Le premier secrétaire a grand ouvert le manteau comme après l'effort d'une marche à bonne allure. Il porte une cravate rouge et surtout une écharpe du même rouge, rappel subliminal des origines idéologiques que la personnalisation du propos ne doit pas faire oublier. Le slogan claque en fond de ciel : « Le socialisme, une idée qui fait son chemin. » Avec des guillemets pour signifier que le propos pourrait être de Mitterrand. Il ressort du visuel et du slogan que la pente est forte, la route droite, l'effort constant, la placidité heureuse et le succès à l'horizon, même s'il faut prendre son temps.

On est en février 1981, le temps de la campagne s'accélère. Mai approche. Mitterrand demande à Séguéla de s'y remettre. Je participe à un petit groupe en charge de la coordination de la communication en liens étroits avec Laurent Fabius.

Plusieurs slogans s'entrechoquent. J'en discute par téléphone avec François Mitterrand qui accomplit tranquillement un voyage en Chine, loin du fracas parisien ! « L'élan Mitterrand » risque la confusion avec un animal cornu des pays nordiques. J'ose le laborieux « un président solide pour la France ». Et Séguéla de rebondir sur la même thématique en lançant « La force tranquille ».

Dans cet intitulé promis à un grand succès se mélangent les influences de John Ford et de son film *L'Homme tranquille* croisées avec une citation attribuée à Léon Blum.

Politiquement, l'idée est simple. Il s'agit de rassurer, de calmer les angoisses et d'apaiser les peurs des hésitants. Il faut s'adresser aux électeurs du Marais qui voient Mitterrand en politicien vieilli, en bolchevique à couteau entre les dents ou en archaïque sans avenir.

Plus un programme est progressiste – et en 1981, celui de Mitterrand l'est tout à fait –, plus il faut apaiser les angoisses. Il faut présenter l'homme chargé d'incarner ce changement comme un personnage rassurant, solide, tempéré. Il faut capitaliser sur son expérience, sa constance, son humanité. Et ne surtout pas en faire un dangereux exalté prêt à tout bousculer. Il ne s'agit pas de prêcher les convertis. Il faut déculpabiliser ceux qui tardent à sauter le pas, à se jeter à l'eau.

Le visuel doit être de la même teneur. Une prise de vue devant la cathédrale de Reims, lieu du sacre pour tant de rois, ne peut se faire.

Passant de réunions publiques en meetings, Mitterrand a peu de temps mais il a une idée qui pourrait lui éviter des expéditions lointaines. L'endroit se trouve dans son département, dans sa circonscription, dans son canton, à quelques kilomètres de Château-Chinon.

Sermages est un petit village bourguignon de 250 habitants. Depuis la départementale en surplomb, Mitterrand demande souvent à son chauffeur de ralentir pour pouvoir admirer l'église romane et ses toits de tuiles vernissées.

Trois Volvo noires transportent l'équipe sur les lieux. Séguéla insiste pour que Mitterrand troque son costume rayé de notaire, à veston croisé, pour une tenue Marcel Lassance plus souple, plus décontractée.

Il fait très froid. Mitterrand se dévêt derrière la portière ouverte d'un des véhicules. Puis, il lance au photographe : « Vous avez cinq minutes. »

Patrick de Mervelec commence par enseigner au candidat comment se défaire de ce tic qui le handicape, de ce clignement irrépressible. Il s'agit de fermer les yeux et de ne les ouvrir qu'au signal. Il y aura quinze prises de vue, pas une de plus. Ce jour-là, le modèle est de bonne composition, ce qui n'est pas si fréquent chez lui pour ce genre d'exercice. Mais il est vite bleu de froid. Personne ne fait traîner la séance. Et bientôt la compagnie se rapatrie au chaud, à l'hôtel Au Vieux Morvan.

Installée depuis peu rue de Solférino, l'équipe de campagne tord le nez devant le résultat final. Pour les membres du parti, le socialisme se doit d'être urbain, joyeux, convivial. Et là, ils se retrouvent avec un homme seul, en gros plan, sur fond de petit village idyllique surmonté d'un clocher, le tout nappé d'un bleu, blanc, rouge estompé. Pour les plus virulents, cela fleure bon le pétainisme, la terre qui ne ment pas.

Mitterrand n'est pas forcément enthousiaste, mais il aime la tonalité générale de l'affiche et en comprend l'intérêt politique. Il demande quand même à Séguéla de faire disparaître la croix du clocher pour donner quelques gages aux critiques maison. À l'époque, le PS est un parti très laïc, pour ne pas dire anticlérical. Inutile de faire du candidat de gauche un calotin...

Je ne suis pas certain qu'à l'heure du vote cette affiche ait été déterminante. Il faut dire qu'en face Giscard se prend les pieds dans le tapis en lançant : « Il faut un président à la France », comme s'il ne l'avait pas été pendant sept ans.

Par contre, je salue le talent d'autopromotion de Séguéla qui a réussi à faire croire que la campagne d'affiche avait été décisive. Cela dit, je reconnais qu'*a posteriori* le concept de « La force tranquille » a sans doute façonné une image plus rassembleuse de Mitterrand qui sera celle du candidat du second mandat.

# Francisque (Décoré de la)

Au printemps 1943, le maréchal Pétain décore parmi beaucoup d'autres François Mitterrand de l'ordre de la francisque – hochet que le chef du régime vichyste distribue sans compter. Cela resurgit à la fin de sa vie quand la photo de cette remise de décoration apparaît en couverture d'une enquête sérieuse de Pierre Péan. Cet ouvrage intitulé *Une jeunesse française*[1] raconte l'itinéraire d'un jeune étudiant charentais, qui se cherche, découvre le monde. Mobilisé, il est fait prisonnier. Il s'évade par trois fois et anime un réseau de prisonniers à Vichy où

---

1. Pierre Péan, *Une jeunesse française*, Fayard, 1994.

il joue double jeu pour venir en aide à ses camarades. Le commissariat aux prisonniers est en charge du soutien aux détenus et expédie courriers et colis.

Chargé de rédiger les communiqués de presse, Mitterrand, vingt-six ans, profite des facilités du secrétariat pour imprimer des faux papiers pour la Résistance. C'est au stalag qu'il s'est formé. Et il s'avère un excellent faussaire.

Début 1943, les responsables du commissariat aux prisonniers qui déplaisent au régime de Vichy sont priés de prendre la porte. La situation de Mitterrand devient précaire. Recevoir la francisque peut lui servir de camouflage et lui permettre de poursuivre son action.

Dans ses *Mémoires interrompus*[1], il revient sur la question : « Certes, j'aurais dû réfléchir davantage au motif de ce geste : Vichy cherchait par là à développer sa propagande dans des cercles réputés hostiles. J'y ai vu un moyen d'agir plus commodément dans la clandestinité. J'ai eu tort. C'était une erreur de jugement. Je n'ai aucune peine à l'admettre. J'ai lu quelque part aussi que j'avais été un "haut dignitaire" du régime de Vichy. Les bras m'en sont tombés. »

Il ajoute : « Oui, à Vichy, j'ai croisé des collaborateurs qui n'étaient pas mes amis. Et à Vichy, j'ai aussi rencontré des résistants qui, eux, sont devenus des amis. »

Un demi-siècle après les faits, Mitterrand, malade, est en fin de second mandat. Cette photo apparaît et aussitôt on voit des adversaires devenir des ennemis hurleurs. Les groupes de pression font cuire leur petite soupe identitaire

---

1. François Mitterrand, *Mémoires interrompus. Entretiens avec Georges-Marc Benamou*, Odile Jacob, 1996.

sur des feux qu'ils raniment à grands coups de trompe. Et même quelques jeunes socialistes se font les crocs en s'accrochant aux basques de Mitterrand.

Je fais partie du dernier carré de fidèles qui organisent la défense du Président injustement attaqué. Nous faisons valoir quelques arguments qui, vingt ans après, n'en sont que plus valables.

Mitterrand est un héros de la Résistance. De Gaulle l'a salué comme tel et en a fait l'un des membres de son Gouvernement provisoire à la Libération. D'autres personnages français à qui on ne fait pas de tels procès ont fréquenté Vichy bien plus longtemps et bien plus amicalement.

La pensée et la personne de Mitterrand sont étrangères à tout antisémitisme et à tout racisme. Sous sa présidence, le nazi Klaus Barbie est extradé de Bolivie et est jugé à Lyon. Le milicien Paul Touvier est jugé et condamné. La maison-musée des enfants juifs d'Izieu est ouverte. Et René Bousquet est mis en examen pour crimes contre l'humanité. Son procès n'aura pas lieu car il sera assassiné.

Devant l'acharnement et l'injustice, Mitterrand a parfois tendance à balayer d'un revers de main les excès, à se draper dans son bon droit ou à se tapir dans le silence. Il n'est pas du genre à faire repentance. Ni à s'expliquer encore et encore face à ceux qui ne rêvent que de le salir. Souvent, il se contente de laisser dire. Et de regarder tout cela de haut, avec un mépris souverain.

On finirait par oublier que François Mitterrand s'est vu remettre la croix de guerre pour faits de Résistance. Il n'en fait jamais état et ne porte pas ses décorations avant que ses fonctions présidentielles l'y obligent.

# France unie (La)

La campagne officielle de 1988 débute très tard. François Mitterrand sait qu'il ne peut sortir de l'ambiguïté qu'à son détriment. Il entend conserver les attributs et les prérogatives du pouvoir jusqu'au bout.

Cela tient au fait qu'il vit une cohabitation de guerre avec Jacques Chirac. C'est une lutte de tous les instants, et le Président craint de se retrouver en position de faiblesse s'il se déclare trop tôt. Le surplomb où il s'isole lui permet de peser, de dominer, de nuire à son adversaire.

S'il descend trop tôt dans l'arène, il sera vite ravalé à un rang de gladiateur aux arguments partisans. Or, il tient à continuer à parler le plus longtemps possible à l'ensemble du pays, à cette « France unie » qu'il veut rassembler. Il a raison. Je l'y pousse.

Il attend un mois avant le premier tour pour annoncer sa décision. C'est très tard. On est le 22 mars et le choix du jour n'est en rien un hommage au mouvement libertaire du même nom, l'un des acteurs de 68, dirigé par Dany Cohn-Bendit.

Au journal d'Antenne 2, à la question du présentateur qui lui demande s'il se présente à la présidentielle, Mitterrand répond par un tout petit « oui » étranglé.

Cette acceptation tient du couac de fausset. C'est comme si une surprenante timidité de premier communiant ou de jeune marié mal assuré de son amour paralysait par surprise le grand lutteur.

Inutile de spéculer. Ce n'est sans doute que l'appréhension de l'éternel puncheur avant la dernière montée sur le ring. Ou bien, cela tient du trac du boxeur qui porte encore la ceinture de champion au moment où il va quitter son peignoir, où il remet son titre en jeu et prend le risque du combat de trop.

La stratégie de Mitterrand est complexe. Aux électeurs, il tient un discours de continuité et de rassemblement. La France, il la dirige depuis sept ans et elle s'en porte bien. L'État, c'est lui, et il prouve que le pays peut faire confiance à la gauche pour servir ses intérêts sur la scène internationale. La société se modernise, les lois sont en accord avec les mœurs et il entend continuer en ce sens.

Le Mitterrand de 1981 était l'homme d'une conquête, d'une revanche et d'un rééquilibrage.

Le Mitterrand de 1988 se présente en patriarche de haute volée, en faiseur de paix, transcendant les clivages idéologiques et calmant les querelles inutiles.

Mais sous l'apparence du réconciliateur, couvent les braises rougeoyantes du duelliste qui entend bien jeter le gant à celui qui lui a manqué.

Mitterrand est ulcéré par les façons de faire de la Chiraquie. Il s'est senti agressé pendant ces deux années. Il en veut au RPR de l'accaparement des joyaux de l'industrie française, des privatisations réservées à ses obligés.

Il veut en découdre, il veut sa revanche, il veut faire rendre gorge à son Premier ministre. Le capitaine a soixante et onze ans mais il a la vigueur juvénile d'un sous-lieutenant montant au front pour la première fois.

Sur Antenne 2, il formalise ses arguments ainsi : « Je veux que la France soit unie. Elle ne le sera pas si elle est prise en main par des esprits intolérants, par des partis qui veulent tout, par des clans, par des bandes. Il faut à la France la paix civile et la paix sociale si l'on veut qu'elle soit prête à affronter le temps qui vient. »

Un clip à la conception duquel je participe résume son propos. Rythmé par un battement de tambours, la France déroule son imagerie sur un rythme endiablé. Voltaire, Rousseau, 1789, l'Empire, la machine à vapeur, l'abolition de l'esclavage, l'Exposition universelle, la tour Eiffel, la Commune, Jaurès, 1914, les années folles, le Front populaire, les nazis, la Résistance, Airbus, le TGV, Ariane, et enfin Mitterrand, avec Reagan et Thatcher, soutenu par Rocheteau ou Depardieu, inaugurant l'arche de la Défense ou rêvant le Grand Louvre ou la Grande Bibliothèque. Notons que si Napoléon ou Chateaubriand font irruption dans ce kaléidoscope, histoire de France oblige, de Gaulle, Pompidou ou Giscard sont réduits à des manchettes de journaux, visages toujours estompés. On est en campagne, que diable !

Pour les meetings, je veille à la scénographie avec Christian Dupavillon et Patrick Bouchain. Il s'agit de mettre en lumière une France unie qui soit aussi une France en marche, une France de drapeaux battant au vent et non plantés au pied du mât pour le baisser des couleurs. Concernant le décor, je reprends l'idée de l'œuvre que j'avais commandée à Arman pour le péristyle de l'Élysée : deux cents drapeaux de marbre blanc à hampe dorée. En tribune, ces drapeaux seront en nombre et en mouvement, et bleu, blanc, rouge. Tout cela donne une tonalité assez soldats de l'an II, guerrière, martiale, « marchons, marchons », tout en rappelant la majesté du palais présidentiel et de son occupant.

Avant l'arrivée des orateurs, dans un genre plus guilleret, « Douce France » de Charles Trenet ouvre le bal. Cela vaut pleine réhabilitation pour le fou chantant à laquelle nous avons tant œuvré avec François Mitterrand. Danielle

Mitterrand finit par se plaindre du côté émollient de la ritournelle. Et nous musclons la note en faisant appel à Julien Clerc.

Au Bourget, dans une salle qui verra François Hollande faire un important discours-programme en 2012, Mitterrand revendique son identité à la veille du premier tour, alors qu'on évoque déjà une stratégie d'ouverture au centre. Il dit : « Je suis socialiste. Vous le savez bien. » Tonnerre d'applaudissements. Petite moue satisfaite et fausse modestie surjouée : « Un tel aveu ne mérite pas tant d'acclamations. » Et de poursuivre, avec un art de la dialectique consommé : « Je reste fidèle aux choix fondamentaux qu'impliquent mes convictions. J'entends assumer mes responsabilités dans la ligne de ces convictions sans refuser qui que ce soit qui choisirait comme moi la voie de l'Europe, la voie de la paix, de la modernité, de la solidarité, de l'égalité et de la justice sociale. »

# François

Cinquième enfant de Joseph et d'Yvonne, François aurait dû se prénommer Gilbert, comme bien des hommes de sa lignée. Et comme ce sera le cas pour son troisième fils, député PS de Gironde.

Il est baptisé François à l'insistance de sa mère qui admire saint François d'Assise. Fervente catholique, Yvonne Mitterrand, née Lorrain, est soucieuse de placer son enfant sous la protection d'un ami de la nature qui a fait vœu de pauvreté, d'un poète aux pieds nus et du fondateur d'un ordre religieux accueillant, œcuménique et méprisant les stratégies de pouvoir.

Je ne sais trop si ce patronage aura porté ses fruits…

Pour ma part, je pense n'avoir jamais appelé François Mitterrand ni par son prénom, ni par son nom.

Je le rencontre dans les années 1970. La différence d'âge entre nous est forte de plus de vingt ans. Impossible de le traiter en copain. D'ailleurs, cela ne me vient pas à l'idée. Lui non plus ne tutoie pas ceux avec qui il milite, avec qui il travaille, avec qui il gouverne. Il m'appelle « Jack » tout en me vouvoyant.

Quand il est de bonne humeur ou qu'il souhaite obtenir quelque chose, le ton de la voix peut se faire affectueux ou cajoleur. Ce qui ne l'empêche pas de ne jamais se laisser aller à l'émotivité et de retrouver une froideur avec un rien d'ironie au coin des lèvres.

Mitterrand garde un certain formalisme bourgeois qui est aussi le signe d'une attention à l'autre qu'il espère réciproque, d'une prudence dans l'approche, d'un respect de l'autonomie de chacun.

Il refuse de sacrifier aux décravatages décontractés de 68. Il aime mettre une distance qui permet à chacun de préserver son quant-à-soi. Ce quant-à-soi auquel il tient tant.

Et, puis nous ne sommes pas au parti communiste pour que je puisse me permettre de lui servir du « camarade » long comme le bras qui, sous couvert d'égalitarisme, cache mal des hiérarchies secrètes.

Ils sont peu nombreux ceux qu'une longue fréquentation autorise à une ancienne familiarité. Il y a bien sûr ses frères et sœurs, les compagnons de captivité, les membres du réseau de Résistance et quelques compagnons des cabinets ministériels de la IVᵉ République. Après 1981, certains battront en arrière sans que François Mitterrand ne les rappelle à la pratique antérieure, trop soucieux d'imposer une majesté nécessaire à la pérennité d'un pouvoir de gauche.

Pour beaucoup d'entre nous, le premier secrétaire du PS est déjà le président qu'il ne deviendra qu'en 1981.

L'appellation « Monsieur le président de la République » survient quand la situation est officielle ou quand elle devient conflictuelle et que chacun rappelle l'autre à son rang. Mitterrand donne alors souvent à l'opposant du moment le titre qui est le sien, ce qui le met évidemment en position d'infériorité. Et le contradicteur ne peut faire moins que d'en rabattre.

Le plus symptomatique est la façon dont Jacques Chirac ne parvient pas à se défaire de ce rapport de sujétion ironique. C'est au cours du débat télévisé de la campagne présidentielle de 1988. Chirac fait valoir à Mitterrand qu'ils sont tous deux candidats, qu'il n'y a plus d'un côté un Premier ministre de cohabitation et de l'autre un président éternellement dominant.

Le champion de la droite déclare même que, jusqu'au moment de l'élection, il n'appellera plus le président sortant que « François Mitterrand ». Qui lui répond, patelin : « Comme vous voudrez, monsieur… le Premier ministre. »

Lionel Jospin est le seul que je surprends un jour à s'affranchir du respect des convenances. On est en phase de remaniement. Au sortir du premier Conseil des ministres du gouvernement Cresson, il s'affronte au Président qui lui refuse la nomination de Claude Allègre comme secrétaire d'État aux Universités. Faisant assaut de son physique imposant, il apostrophe un président à qui il donne du « François Mitterrand ». Dominé de deux têtes, l'agressé ne bronche pas, réfrigère encore ses attitudes et renvoie froidement à ses études le ministre de l'Éducation nationale.

# Fuites

L'affaire des fuites est digne d'un roman policier, genre littéraire qu'au demeurant François Mitterrand goûtait peu. Sauf qu'elle aurait pu lui coûter sa carrière et son honneur.

En tout cas, cela prouve que le monde policier grouille de tristes sires et qu'y grenouillent de sinistres personnages. Cette affaire rappelle que de Gaulle est une chose et que le gaullisme d'après guerre en est une autre, que les nervis et les factieux prospèrent plus à leur aise dans une atmosphère sécuritaire, mafieuse et colonialiste. Et cela témoigne de la violence de la détestation que peut provoquer Mitterrand quand ce n'est pas la ferveur de l'attraction qui l'emporte.

Le 18 juin 1954, Pierre Mendès France devient président du Conseil. Il nomme François Mitterrand ministre de l'Intérieur. Par leur action, les deux hommes bousculent des mondes qui voient leur influence décliner : l'armée, les expatriés, les coloniaux. On accuse Mendès et Mitterrand d'être les « ennemis de la France », les « fossoyeurs de l'État ».

En juillet, un commissaire de police, Jean Dides, demande à voir le gaulliste Christian Fouchet qui appartient au gouvernement Mendès. Il lui donne les éléments qui, selon lui, prouvent que Mitterrand a transmis au PCF les délibérations du Comité national de défense. Autant dire qu'en cette période de défaite en Indochine et de guerre froide entre Moscou et Washington, cela relève de la haute trahison. Fouchet communique ce rapport à Mendès France. Le directeur de cabinet de ce dernier laisse dormir le dossier au coffre.

En septembre, des fuites habilement organisées permettent aux journaux conservateurs de lancer la curée. Des parlementaires gaullistes demandent même que Mitterrand soit traduit devant la Haute Cour. Celui-ci ne tarde pas à prouver son innocence et à démonter la manipulation gaulliste, à tout le moins la manœuvre droitière qui se cache derrière cette affabulation. L'affaire tient à la vengeance d'un éconduit que relaient avec délectation les députés les plus réactionnaires de l'hémicycle.

Voici ce qui s'est passé. Dès qu'il s'installe place Beauvau en juin 1954, Mitterrand choisit de muter le préfet de police de Paris. L'année précédente, le chef de la police de la capitale a laissé tuer des opposants vietnamiens et maghrébins lors d'une manifestation. Mitterrand craint que cela ne se reproduise.

Cette mutation-sanction ne se fait pas sans difficulté. Mitterrand est bombardé de demandes de maintien à son poste du préfet par des autorités et des lobbies divers et variés. Même le président Coty s'y met. Mendès soutient la détermination sans faille de Mitterrand de faire partir le préfet.

Quand la campagne de presse se déclenche, la DST se saisit enfin de l'affaire et blanchit Mitterrand de tout soupçon. Le commissaire de police récidive et retourne voir Fouchet, avec de nouvelles preuves, prétend-il.

Innocenté par la DST, Mitterrand voit rouge. Il demande à Mendès de faire emprisonner le dénonciateur qui ne tarde pas à voir ses éléments invalidés. Et qui disculpera par lettre Mitterrand quelque temps après.

Pendant ces deux ou trois mois, Mitterrand est bien seul. Mendès aurait sans doute dû le prévenir de ces accusations qui le guettaient et activer la mise au clair par des enquêteurs confirmés.

À la fin de sa vie, Mitterrand ne lui en tient pas rigueur. Et estime que Mendès s'est toujours montré « loyal et solidaire » envers lui.

G

# García Márquez (Gabriel)

C'est le poète chilien Pablo Neruda qui, le premier, conseille à François Mitterrand *Cent ans de solitude* de Gabriel García Márquez.

Grand lecteur, Mitterrand ne doit pas être réduit à son goût pour Chardonne ou Lamartine, voisinage charentais et jeunesse romantique aidant.

Prudent devant le Nouveau Roman, Mitterrand se passionne pour les grandes fresques, l'épopée. Il apprécie le Mexicain Carlos Fuentes, le Turc Yachar Kemal ou le Brésilien Jorge Amado.

Avec García Márquez, les liens sont anciens et intenses. De lui, Mitterrand écrit dans *La Paille et le Grain* : « Il est semblable à son œuvre, carré, solide, souriant et silencieux[1]. »

García Márquez s'avère un soutien de toujours à Mitterrand. À la veille de mai 1981, García Márquez raconte leur rencontre et comment, alors qu'il s'attendait à croiser

---

1. François Mitterrand, *La Paille et le Grain*, *op. cit.*

« un politicien précis aux éperons fourbis », il se retrouve face à un amoureux de la littérature « fascinant par son savoir, et l'enchantement avec lequel ce maître évoluait parmi les célébrités et les éternelles infortunes des lettres universelles ».

À travers cette adhésion politique qui ne se démentira pas, l'écrivain colombien exprime aussi tout son amour de la France, de la République et de l'histoire de la gauche.

Mitterrand, lui, apprécie la compagnie de cet homme drôle, fin, cultivé. Et d'une fidélité sans faille. À l'égal de celle que Gabo manifeste à celui qu'il nomme « mon frère ». À Castro, prénom : Fidel.

## Général de Gaulle

Charles de Gaulle, voilà le rival majeur, l'adversaire permanent, l'exact contre-exemple. François Mitterrand considère le héros de la France libre, devenu instigateur et président de la V^e République, comme le rocher où aller battre sa vague de récriminations et de remontrances, d'opposition et de contestation.

Le jeune responsable de l'organisation des prisonniers de guerre qui finira après vingt-trois ans d'acharnement par mener la gauche au pouvoir va tempêter tant et plus, afin que cède enfin le granit de la statue du commandeur.

Et le pire, c'est que Mitterrand y parviendra sans céder une parcelle de reconnaissance à l'ennemi, une once de sympathie à la figure de l'autorité passée.

Entre Mitterrand et de Gaulle, il n'y a ni incompréhension, ni rendez-vous manqué. Il y a une querelle fondamentale qui ne fait que prospérer au cours de la seconde moitié du XX^e siècle.

Mitterrand et de Gaulle ont pourtant des origines communes. Ils viennent tous deux d'une bourgeoisie de province, plus fortunée et industrielle chez de Gaulle mais tout aussi catholique et patriote.

Ils font tous deux leurs études dans des établissements religieux. Le jeune de Gaulle lit Barrès et Péguy et se rêve très tôt un destin de sauveur de la patrie. Tandis que Mitterrand adolescent arpente le grenier de la maison de campagne en inventant des discours à la représentation nationale.

Mais ces proximités ne servent à rien. Mitterrand compte une génération de moins que de Gaulle. Ils sont dans un rapport différent au temps, à l'action, à la gloire.

Le cadet déteste être tenu pour quantité négligeable et veut en découdre avec un aîné qui le regarde de loin plus qu'il ne le regarde de haut, toutes considérations de taille mises à part. Même si de Gaulle culmine à 1,93 mètre quand Mitterrand plafonne à 1,72 mètre.

Pendant la guerre, le plus ancien est déjà le chef de la France libre, tandis que Mitterrand, lui, découvre la vie, la politique, le combat et s'éloigne des convictions droitières de son terreau familial en côtoyant la solidarité emprisonnée.

Il tutoie le risque et le drame, le bonheur de risquer et la nécessité d'avancer malgré les drames, tandis que de Gaulle est déjà dans un affrontement avec les puissances ennemies ou... alliées.

La courte participation de Mitterrand au gouvernement très provisoire de 1944 que dirige de Gaulle ne rapproche pas les deux hommes. Mitterrand n'est pas fait Compagnon de la Libération car la camarilla gaulliste qui procède aux nominations sent bien son refus de faire allégeance au grand homme.

Mitterrand détaille ainsi sa réticence envers le personnage à képi, où il entre à la fois une répulsion devant l'ordonnancement caporaliste et un refus absolu que quiconque puisse menacer sa liberté. Il dit : « Il y avait chez de Gaulle un certain comportement militaire qui ne me convenait pas. Je sentais comme un fumet d'aventure personnelle. » Il ajoute : « Autoritaire, il savait aussi se montrer diplomate et courtois. Sa maîtrise, sa force d'âme m'attiraient. Mais il considérait la France comme sa chose et cela me rebutait. Son identification au pouvoir était telle qu'il ne restait plus d'espace pour le réveil de la démocratie, réveil dont il était comptable. Il supportait mal que ses avis fussent discutés. » Et de poursuivre : « Je n'avais pas un tempérament de suiveur. L'Histoire ne se fait pas comme ça. Elle est affrontement et affirmation de soi. Je ne me suis jamais comporté avec de Gaulle comme un serviteur ou un compagnon. Cela n'a pas facilité nos rapports. Ce qui existait en dehors de lui l'irritait, le gênait. » Et de conclure, bravache et irrédentiste, refusant d'être déterminé par celui auquel il s'est beaucoup confronté : « S'il est vrai que mon opposition à de Gaulle m'a singularisé, je pense que j'avais le moyen d'exister avec ou sans lui. »

La IVe République est un instant de répit. Tout repart, et avec quelle fougue, quelle force, dès 1958. Mitterrand cingle : « Lorsqu'en 1944 le général de Gaulle s'est présenté, il avait à ses côtés deux compagnons : l'honneur et la patrie. Ses compagnons d'aujourd'hui, qu'il n'a sans doute pas choisis, s'appellent coup de force et sédition. »

Mitterrand va devenir un adversaire opiniâtre et féroce. Jusqu'en 1969 et le départ de De Gaulle après l'échec du référendum sur la participation, il sort l'épée, il mène l'assaut, il ne cède rien. Il ne voit en de Gaulle qu'un soudard servant les intérêts du conservatisme. Il écrit, mordant, méchant : « De Gaulle a dû rire souvent du personnage légué à sa légende. Je ne pense pas qu'il ait jamais songé à changer quoi que ce fût à la société de son temps. Il a jeté la participation aux ouvriers comme on lance des miettes aux pigeons de Saint-Marc, et faisait du social comme on fait du tourisme. »

Alors que le Général a disparu et que pourrait venir le temps de la mise en perspective, jamais Mitterrand ne rend les armes devant de Gaulle. On sent que ce prédécesseur continue à l'agacer, à l'énerver, à le renvoyer à des impressions nocives, à des humiliations secrètes, à des refus enkystés.

C'est d'autant plus étonnant que l'un et l'autre savent braver l'opinion, aller à contre-courant et défendre des options impopulaires. Mais jamais Mitterrand n'accepte le moindre parallèle avec le Général-président.

La politique étrangère de De Gaulle m'a souvent séduit. Le discours de Phnom Penh au Cambodge, en 1966, est visionnaire. Il s'agit d'affirmer l'indépendance de la France, de trouver une troisième voie, de s'opposer aux deux blocs de la guerre froide.

J'apprécie aussi le « Vive le Québec libre » de 1967 qui sonne comme une défense de la langue française et un défi à l'impérialisme culturel américain.

En Europe, de Gaulle sait jouer la politique de la chaise vide, et je comprends sa méfiance devant l'entrée des Britanniques dans un ensemble continental qu'ils ne vivront jamais vraiment comme le leur.

Mitterrand, lui, se gardera bien de donner quitus à son devancier. Il peut bien s'approcher des positions gaullistes, il lui faut toujours grommeler, trouver à redire, refuser de s'aligner.

Sur la politique industrielle et les grands projets, ils ont tous deux la fibre colbertiste. Ils sont soucieux de la grandeur de la France et tiennent à y contribuer en bâtissant, en soutenant, en innovant. La situation économique est sans doute plus favorable à de Gaulle mais l'ambition est commune.

Et ils partagent le même exercice impérieux de leur pouvoir que sert parfaitement la Constitution de la Vᵉ République imaginée pour de Gaulle mais que Mitterrand se garde bien de faire évoluer, malgré ses déclarations guerrières.

L'opposition la plus réelle se fait sur les thèmes de société. De Gaulle est un conservateur qui aime l'ordre et qui trouve que toutes ces questions sont d'un intérêt limité. Mitterrand est un progressiste amoureux de la liberté. Il est pour que chacun puisse faire ce qu'il lui plaît. Lui, le premier…

## Génération Mitterrand

Pendant la cohabitation de 1986 à 1988, la bagarre d'idées est intense. Il ne s'agit pas seulement de résister aux menées du gouvernement Chirac. Il faut aussi s'opposer à la pensée libérale et réactionnaire mise en œuvre par le RPR. Et pour ce faire, il importe de mener l'assaut sur tous les fronts.

Les leaders d'opinion ne sont plus seulement les élus, les éditorialistes ou les patrons du CAC 40. Les artistes, les sportifs ou les membres de la société civile se révèlent souvent des relais beaucoup plus écoutés. Car ils font appel autant à l'émotion qu'à la raison, à la sensibilité autant qu'à la réflexion.

Pour mener cette lutte d'influence, tous les supports sont bons, pourvu qu'ils allument une étincelle de connivence dans l'esprit des gens.

En 1986, je lance le mouvement Allons Z'idées, auquel Pierre Bergé apporte une contribution active et imaginative. Le mensuel *Globe*, financé par Pierre Bergé et dirigé par Georges-Marc Benamou, prend aussi la défense du Président. À mesure que l'échéance de 1988 approche, les initiatives se multiplient. Gérard Depardieu, Renaud et Catherine Lara achètent des pages de publicité dans les quotidiens pour inciter François Mitterrand à se représenter.

Une campagne de sensibilisation est lancée par Jacques Séguéla. Le slogan retenu ? « Génération Mitterrand ».

En 1988, cela raconte quelque chose d'important de l'évolution de la société française. Bien sûr, la génération en question n'est pas née en 1981. Sept ans ne font pas une génération. Mais les électeurs qui avaient vingt ans en 1981 sont le sel de la terre de cette communauté de destin. Ils accomplissent leurs études et entrent dans la vie active, avec la gauche au pouvoir. Ils découvrent la politique sous Mitterrand. Ils sont confrontés aux promesses tenues et aux espoirs déçus. Ils vivent immédiatement le choc du réel sans s'être laissé bercer par les rêves de l'illusion lyrique. Ils applaudissent l'abolition de la peine de mort, s'interrogent sur le tournant de la rigueur, portent la petite main jaune de SOS Racisme, manifestent après la mort de Malik Oussekine, se réjouissent des progrès accomplis dans le domaine sociétal, fêtent les avancées culturelles.

Qui est cette génération Mitterrand ? Que veut-elle ? Comment va-t-elle vieillir ?

En tout cas, en 1988 comme en 1981, la jeunesse vient en soutien du candidat de gauche.

Ce concept de « Génération Mitterrand » va faire école. De nombreux romans ou films prennent prétexte de ce bouleversement causé par l'arrivée de la gauche aux responsabilités pour raconter les existences changées, perturbées, brûlées.

Il y a souvent dans ces récits de vie, dans ces œuvres chorales les mêmes figures romanesques récurrentes.

Il y a l'enthousiaste qui perd ses illusions au fil des accommodements gestionnaires et finit par se vendre au grand capital à dents vertes.

Il y a le fils d'ouvrier qui réussit une ascension sociale parfaite grâce à ses connexions dans les cabinets ministériels de gauche et doit affronter le procès en trahison intenté par les copains syndicalistes de son père quand l'usine ferme.

Il y a la fille de notable au grand cœur se braquant contre le conservatisme familial, puis virant terrible Antigone dénonçant les turpitudes des Créon de gauche.

Il y a l'artiste à la sensibilité généreuse qui cache son homosexualité à son père patron de PME et qui, grâce à la dépénalisation de l'homosexualité, réussit enfin à faire son coming out avant d'être rattrapé par le sida.

Tout cela, ces bribes d'existence, ces destins croisés, contrariés, tous ces rires et tous ces pleurs forment l'étoffe d'une génération qui, j'en suis sûr, ne s'est pas perdue.

# Giscard d'Estaing (Valéry)

Deux mondes s'affrontent. Tout éloigne François Mitterrand et Valéry Giscard d'Estaing, et rien ne les rapprochera jamais, sans que ni l'un, ni l'autre, animaux à sang glacé, s'en émeuvent une seconde.

Mitterrand et Giscard n'ont pas cette empathie sportive qui vient après le match. Ils ne sont pas de ces bons gars qui se serrent la main et vont boire une bière en se tapant sur l'épaule et en commentant les horions échangés et les meilleures actions du jour.

La politique n'est pas le sport. L'arbitre ne siffle jamais la fin de la partie. Quand l'un des puncheurs est au pouvoir, l'autre retrouve les bancs de l'opposition et la querelle continue.

La politique est d'autant moins un sport de combat qu'il n'y a jamais jet de l'éponge, qu'on n'arrête jamais le duel au premier sang et que l'action ne s'éteint que quand l'un des tueurs potentiels meurt de sa belle mort. Et immédiatement, un nouveau prétendant monte sur le ring défier le vieux mâle dominant, couturé de cicatrices et accroché au poteau de coin comme à un déambulateur.

Giscard d'Estaing a tout ce que Mitterrand n'a pas. Et inversement... Giscard a une particule, un château, des quartiers de noblesse et une haute idée de sa prédestination.

Giscard a aussi, ce qui est moins souligné, une double ascendance, de celles qui façonnent beaucoup d'élus démocratiques qui auraient tort de croire qu'ils n'héritent pas de leur mandat.

Par son père, Giscard peut se réclamer de la haute fonction publique. Par sa mère, il cotise à la politique la plus classique. Il a un grand-père ministre de la III$^e$ République qui s'est taillé un fief électoral en Auvergne. Cela donne facilités et obligations, surtout quand on réside, enfant, au 71, rue du Faubourg-Saint-Honoré et que l'Élysée loge au 55 de la même rue.

Mitterrand, lui, grandit dans la cour d'un chas de vinaigrier, ce qui au pays de Cognac est de seconde classe. Il est d'une petite-bourgeoisie sans apprêt, ni appartenance politique claire et référencée.

Giscard est un homme de chiffres et de raison, de démonstration claire en abscisses et ordonnées.

Mitterrand est un littéraire strict qui se fiche des additions, des soustractions et du carré de l'hypoténuse. Il est plus attentif aux méandres de l'âme humaine. Talentueux, il a l'adolescence rêveuse et se laisse paralyser par le trac quand il faut passer le bac. Il voudrait beaucoup, il ne sait encore comment s'y prendre.

Giscard fait les grands lycées, les grandes écoles, avec une facilité qui déconcerte quand elle n'irrite pas. Il fait aussi une guerre brillante qui est à la fois tardive et précoce. Pensez, il n'a que dix-huit ans quand il quitte les classes préparatoires du lycée Louis-le-Grand, renonçant à passer Polytechnique pour participer à la libération de Paris.

Et ensuite ? Ensuite, il compte bien parer sa jeunesse de la poudre d'or du courage. Il snobe les bancs de l'école et monte sur un char pour une cavalcade glorieuse dans l'Europe libérée.

Il y a le danger qu'il affronte en preux chevalier et en page suffisant. Le brigadier de la première armée, commandée par de Lattre de Tassigny, est fait croix de guerre. La citation fait reluire sa « grande classe de pointeur » et son « mépris complet des armes automatiques et des mortiers qui l'environnaient ».

Quand Giscard arpente les champs de bataille en jeune César imperator qui conjugue l'innocence d'un Fabrice à Austerlitz, Mitterrand passe par des chemins détournés, plus boueux, plus M. Tout-le-Monde, même si aller au bout de ces routes vicinales malaisées demande autant de force et de courage.

Il s'évade du stalag et il lui faut s'y prendre à trois fois pour y parvenir. Il porte un masque à Vichy et accepte une francisque de camouflage qui lui sera beaucoup reprochée. Il crée son réseau et brave la Gestapo. Et c'est le seul moment où les deux hommes se retrouvent un instant dans ce côté peur de rien, ni de personne.

À son retour, Giscard réussit Polytechnique, passe l'Ena et sort dans la botte de la promotion nommée Europe. Ce qui lui permet d'entrer, comme son père, à l'inspection des Finances.

Autre cousinage inattendu, Giscard et Mitterrand ont la jeunesse ministre. On leur en promet de belles. Giscard cultive son tropisme financier, Mitterrand courtise plutôt les fonctions régaliennes.

Ce qui les différencie absolument, c'est que la droite prend le pouvoir en France en 1958. Giscard est de droite quels que soient ses efforts pour tenter d'inventer un centre idyllique et tactique qui réunirait deux Français sur trois.

Mitterrand est de gauche, et il va vivre vingt-trois ans d'opposition quand Giscard voguera paisiblement, en excellent élément, dans les sphères d'influence et de pouvoir du conservatisme.

La mort de Pompidou, en 1974, précipite une collision de personnalités et d'ambition qui n'allait pas de soi. Giscard vampe la réaction fatiguée et le gaullisme secoué par 68. Il emporte la mise par sa décontraction aérienne, son délié civilisé et sa diction particulière qui cache ses manières à petit doigt en l'air sous un manchon de régionalisme.

Son jeune âge (quarante-huit ans) donne le change et colore de modernité une pensée dont on verra l'étriqué dans la seconde partie de son septennat.

En face, Mitterrand arrive un peu court sur l'obstacle. Il est le candidat unique de la gauche mais avec le PC, les amours sont déjà compliquées. Le PSU de Rocard le soutient, ce qui vaudra transfert et absorption du PSU par le PS après le scrutin. L'extrême gauche et les écologistes se rallient.

En ces années très idéologiques, le scrutin de 1974 est pourtant un choc de personnalités. La présidentielle française confirme sa vraie nature, celle d'un plébiscite où la psychologie et le caractère des hommes comptent autant que leurs projets.

Giscard veut renvoyer Mitterrand à la IV^e République, en faire l'« homme du passé ». L'un a été onze fois ministre, l'autre le fut durant onze ans. Mais au-delà de cette querelle de chiffres, les corps des candidats entrent sur le terrain. Dix ans les séparent.

Giscard ne déteste pas faire spectacle de sa sveltesse. Le voilà torse nu à la mi-temps d'un match de foot. Le voilà qui joue de l'accordéon. Le voilà aux commandes d'un hélicoptère. Il lui arrive même de faire monter sa plus jeune fille, treize ans, sur la scène d'un meeting à Poitiers. Et puis viennent l'applaudir revêtus de tee-shirts « Giscard à la barre » ces artistes d'un grand progressisme que sont Brigitte Bardot, Alain Delon, Sylvie Vartan, Louis de Funès, Stone et Charden.

Tout est fait pour renvoyer Mitterrand à sa pesanteur d'élu rural, à ses vestes en velours de berger landais, à sa taille courtaude et à sa rusticité archaïque. Ce dont le Charentais rit sous cape, trouvant ridicule et puéril l'exhibitionnisme du grand serin.

Celui-ci continue de jouer dans le même registre. Il remonte les Champs à pied après son élection. Grand de ce monde recevant le petit peuple, il offre thé, café et brioches aux éboueurs qui passent devant l'Élysée. Il s'invite à dîner chez des Français ordinaires, obligeant les citoyens à lui cuisiner un dîner presque parfait.

Conscient des attentes de la société, soucieux de faire sauter la chape de plomb de l'autorité gaulliste, Giscard prend des mesures que n'aurait pas reniées la gauche. Il accorde le droit de vote à dix-huit ans, ce qui amplifiera sans doute sa défaite en 1981. L'avortement est dépénalisé et le divorce par consentement mutuel est autorisé.

Pendant tout le septennat, Mitterrand frappe fort pour montrer que, derrière ces réformes estimables, la droite traditionnelle continue de faire le métier. Et que l'esprit de géométrie de Giscard lui fait traiter les problèmes sans esprit de finesse, ni sens de l'humanité quand les possédants sentent venir la menace du deuxième choc pétrolier ou de l'inflation qui met en danger la rente.

À la veille de l'élection de 1981, Giscard croit encore en sa bonne étoile. Il ne voit pas ce qui pourrait lui interdire de poursuivre sur un chemin semé de roses piétinées voici sept ans. Il toise de toute la hauteur de son arrogance le champion qu'on lui oppose. Il ne le craint pas. Il l'a déjà battu. Il a beau lui aussi avoir avancé en âge, il se voit toujours plus jeune, plus beau, plus intelligent.

Il est à jamais cette machine à calculer, cet hypermnésique prêt à recracher chiffres et notes, ce pédagogue à la télégénie parfaite qui retourne une assistance par le déroulé impavide de ses énoncés. Il ne comprend pas que les citoyens qu'ils traitent en bons élèves obéissants se lassent des arguments d'autorité et des démonstrations mathématiques. Il oublie qu'il arrive à certains de réaliser que les présupposés sont faux et n'ont d'autres utilités que de maintenir une domination.

Après 1981, Giscard s'éloigne en ayant envie de revenir, s'étiole alors qu'il voudrait refleurir.

En 1988, je lui rends visite dans son hôtel particulier du 16ᵉ arrondissement. Je veux m'assurer à tout le moins de sa neutralité avant la présidentielle.

Je ne suis pas trop inquiet. Depuis 1981, Mitterrand n'a pas fait beaucoup d'efforts pour saluer celui qu'il a défait et qui a mis longtemps à pouvoir le nommer « Président », comme si personne ne pouvait l'être après lui.

Mais Giscard tient Chirac comme le principal responsable de son échec. Cela ne s'oublie pas, et il y a peu de chances qu'il jette la rancune à la rivière et qu'il veuille remettre en selle le traître de son camp.


# Gorbatchev (Mikhaïl)

Avec Gorbatchev, la gauche démocratique a peut-être laissé passer une chance historique d'amender le capitalisme, de faire vivre cette économie mixte que Mitterrand réclamait de ses vœux et qu'il a commencé à mettre en place grâce au programme de nationalisations et à la constitution de champions industriels hexagonaux. Est-ce que Gorby aurait réussi à transformer l'Union soviétique en État de droit ? Serait-il parvenu à passer d'une économie administrée et collectiviste à une production autogérée par les salariés, dans une logique coopérative tenant compte des impératifs de rentabilité tout en redistribuant les bénéfices engrangés ? La tâche était immense et il n'a pu la mener à bien, ni même tenter l'aventure.

Dès sa prise de pouvoir, Gorbatchev lance l'idée d'une Maison commune européenne. C'est évidemment pour s'opposer à la guerre des Étoiles lancée par les Américains et pour proposer une perspective aux pays du pacte de Varsovie qui ne rêvent que d'une chose, prendre la poudre d'escampette, découvrir les délices de Capoue capitalistes et se placer sous le parapluie de l'OTAN.

Au départ, Mitterrand prend tout cela avec des pincettes. Il est trop occupé à bâtir la Communauté européenne et se méfie des mascarades communistes. Il passe avec l'URSS des accords de désarmement et de coopération dans le domaine des télécoms et de l'espace, mais ne se presse pas d'aller plus loin.

Petit à petit pourtant, à mesure que les peuples de l'Est s'éveillent et s'échauffent, il comprend la nécessité d'aller plus loin. La Maison commune pourrait à la fois garantir la tranquillité du continent, constituer une zone d'échanges propre à faire pièce à la domination de l'Empire américain et surtout constituer un modèle autre, une alternative au libéralisme triomphant.

Après la chute du Mur, afin de donner une perspective à des pays en déshérence qui ne rêvent que de se jeter dans les bras du grand frère américain, Mitterrand propose la constitution d'une Confédération européenne. Qui n'est pas si éloignée de la Maison commune de Gorby.

L'accélération de l'histoire empêche la mise en œuvre de cette utopie géopolitique. Les pays satellites s'asservissent à un nouveau soleil. L'Europe de l'Est se droitise pour cause de mémoire à vif. Gorby se voit débarqué.

Et nous le retrouvons, en 1993, à Solutré. Mitterrand tient à lui manifester son amitié. Gorbatchev est venu avec

Raïssa. Ils logent dans le même petit hôtel que toute la joyeuse troupe des marcheurs.

À midi, lors d'un de ces déjeuners champêtres que Mitterrand affectionne, toute la compagnie reprend en chœur des chansons à boire, des chansons de révolte et des chansons de copains. La claque ne tarde pas à réclamer une chanson à Gorby. Qui finit par s'exécuter avec talent, d'une belle voix grave. Chacun reprend en chœur « Les yeux noirs ». Que le réformateur destitué pourrait faire à la gauche européenne qui n'a pas cru suffisamment à sa bonne volonté, trop marquée par ses réflexes anticommunistes.

# Grâce présidentielle (14 juillet 1981)

Quand la gauche arrive au pouvoir après vingt-trois ans d'opposition, les prisons sont surpeuplées. Les lois « sécurité et liberté » ont rempli les cachots, sans faire baisser la délinquance. Évidemment…

Surtout, avec l'été qui vient, il y a risque d'explosion dans les maisons d'arrêt où se mélangent grands voyous et petits casseurs, comme dans les centrales où les condamnés matraqués par des peines d'une sévérité souvent sans objet ne voient aucun espoir à l'horizon.

L'arrivée de la gauche aux commandes suscite une espérance. Et accroît encore l'impatience derrière les barreaux.

Au 14 Juillet, François Mitterrand augmente la portée de la traditionnelle grâce présidentielle. Mille deux cents emprisonnés sont élargis. Ce sont surtout les auteurs de larcins ridicules ou les prévenus en attente de jugement depuis trop longtemps et qui donnent de bonnes garanties de représentation.

Une loi d'amnistie accroît les levées d'écrou. À la fin de l'année 1981, le taux d'occupation des établissements pénitentiaires diminue de 150 % à 100 %. Preuve que le sécuritarisme n'a aucun effet dissuasif, les chiffres de la délinquance restent stables. À moins que le crime n'ait pris des vacances pour fêter l'arrivée de la gauche au pouvoir…

Bien sûr, le procès en laxisme monte sans attendre. À l'époque, la gauche n'a pas peur de sa générosité. Pour avoir été garde des Sceaux, Mitterrand sait que l'incarcération est souvent l'école du crime.

Sous Mitterrand, l'humanisation de l'incarcération progresse. Les ministères de la Culture et de la Justice font pénétrer les livres et la télévision dans les prisons. Les peines de substitution font une trop discrète entrée dans la panoplie des sanctions.

## Grands travaux

François Mitterrand écrit, en 1975, dans *La Paille et le Grain* : « Dans toute ville, je me sens empereur ou architecte, ce qui revient au même. Je tranche, je décide, j'arbitre, je condamne et ressemble en cela à mes concitoyens. Chacun fait, de son goût, la règle[1]. »

Dès 1981, le prince-architecte entend faire évoluer la ville, redéfinir les lignes de force des cités, imposer de nouveaux bâtiments significatifs qui viennent parachever et exalter une action culturelle en profondeur.

Je lui propose des idées et lui établis une liste de projets. Nous définissons ensemble une stratégie que nous allons mener à bien.

À la fin du XXᵉ siècle, la France est un pays en paix qui n'a plus besoin d'ouvrages de défense. Inutile de donner la place centrale aux arsenaux ou aux forts. Vauban peut dormir sur ses deux oreilles.

La France n'est pas un pays à reconstruire. Paris est une ville à l'habitat dense, au charme célébré. L'urbanisme est structuré, l'espace est compté quand il n'est pas saturé. Un nouveau baron Haussmann serait malvenu d'éventrer des quartiers salubres pour y faire passer des grands boulevards et les troupes en armes.

Pendant les deux septennats, la réalisation d'équipements culturels et universitaires prédomine. Il y a des besoins en régions et la nécessité de réveiller Paris.

Entre 1981 et 1995, 15 grands projets voient le jour à Paris et 2 000 autres en régions. J'y ajoute la rénovation de la Grande Galerie du Muséum et du musée des Arts et Métiers.

Pour autant, il n'y a pas de style Mitterrand. La Grande Bibliothèque n'est en rien comparable avec la Pyramide du Louvre. Le ministère des Finances de Bercy est le contraire de l'arche de la Défense ou du parc de la Villette.

---

1. François Mitterrand, *La Paille et le Grain*, *op. cit.*

Et l'Institut du monde arabe n'a rien de commun avec l'Opéra Bastille.

Certains monarques du passé, parmi lesquels de célèbres autocrates, ont pu imposer leur logique et remodeler la ville en imposant une marque immédiatement identifiable. Cette absence d'unité tient au souci démocratique de Mitterrand de ne pas en faire à sa guise.

Bien sûr, il aurait aimé être l'unique décideur. Celui qui tranche dans le mou des accords *a minima* et qui taille large dans le consensus hésitant, chevrotant. Il se serait volontiers délié les mains des entraves procédurales.

Je lui fais valoir qu'il doit rompre avec l'arbitraire antérieur et accepter les règles des concours internationaux. Un jury de professionnels lui soumet un choix ordonné de cinq projets. Mitterrand se montre trop respectueux des propositions des hommes de l'art. Il retient presque toujours le projet placé en tête.

Je me retrouve pris à mon propre piège. J'aurais voulu que, une fois le concours organisé, le Président se sente libre de privilégier, parmi les derniers sélectionnés, celui qui correspond le mieux à sa sensibilité. Il faut parfois qu'une individualité finisse par imposer ses convictions sans s'encombrer des bons conseils ou des derniers avertissements.

Pour l'Opéra Bastille, par exemple, j'aurais souhaité qu'il préfère Christian de Portzamparc, classé troisième, à Carlos Ott, classé premier.

Qu'importe, les réalisations sont d'envergure, le renouvellement est glorieux, les propositions sont variées. Surtout, ces lieux-symboles sont les têtes de pont d'une politique culturelle qui repense l'apprentissage, renforce la création et multiplie les équipements de toutes dimensions sur l'ensemble des territoires de la République.

Les grands travaux ne se réalisent pas d'un claquement de doigts. Il y faut la maîtrise de la durée, cela compte. Et l'exercice d'une volonté sans faille, ce qui est l'essentiel.

La continuité de l'État veut que le nouvel élu aille au bout des projets entrepris par son prédécesseur. Tout feu, tout flamme, j'aurais bien renoncé au musée d'Orsay lancé par Giscard qui accueille les œuvres du XIXᵉ siècle et fait concurrence au Louvre. Mitterrand me fait valoir que mieux vaut améliorer le projet que de tout détruire, et nous l'enrichissons de départements nouveaux (arts décoratifs, photographie…) et transfigurons la muséographie avec Gae Aulenti.

Nous agissons de même pour la Cité des sciences et de l'industrie de la Villette. Nous sortons la Géode du bâtiment principal pour l'implanter juste à côté et lui donner une autre ampleur.

Dans le parc de la Villette alentour, les cultures se réconcilient en donnant toute sa place à la musique. Là où s'élevaient auparavant les abattoirs, Bernard Tschumi impose ses Folies rouge sang comme autant de pavillons-ponctuations. Christian de Portzamparc se saisit de la Cité de la musique. La Grande Halle naguère promise à la destruction et le Zénith viennent en renfort. L'Opéra aurait pu y élire domicile mais je préfère le chantier Bastille. Et on devine déjà, au loin, la silhouette de la Philharmonie que Jean Nouvel élaborera bien plus tard pour renforcer la tonalité musicale de ce lieu pluridisciplinaire qu'est la Villette.

Pour la Défense, nous lançons un nouveau concours. Un Danois inconnu, Johan Otto von Spreckelsen, propose une arche carrée d'une évidente clarté. C'est simple et épuré. Cela élargit au quartier d'affaires l'axe historique qui part du Louvre, passe par l'obélisque de la Concorde et l'arc de Triomphe.

Pour l'Institut du monde arabe que j'ai le bonheur de présider aujourd'hui, le jeune Jean Nouvel édifie en bord de Seine un édifice révolutionnaire.

Lors des projets que nous initions, Mitterrand détaille les maquettes avec attention, avec jubilation. Il scrute avec minutie, s'agenouille pour changer de perspective, se recule pour englober le tout. Il tient à connaître le moindre détail, à évaluer les réticences à venir et à élaborer les tactiques pour les réduire.

Je sens une forme de jubilation dans cette implication du Président qui se ferait bien parfois chef de travaux ou même ouvrier terrassier. Je le devine proche de l'exaltation, même si évidemment il n'en montre rien, fidèle à cette autocensure gestuelle, à ce calme qui veut faire croire à une insensibilité apaisée pour mieux tromper son monde.

Mitterrand connaît le terme de ses mandats. Il est dans un compte à rebours qui jamais ne s'emballe mais qui toujours le convoque. Il égrène les secondes en maître du temps qui sait que les montres ne sont jamais molles et que le pouvoir ne dure qu'un instant. Nous tenons au strict respect des dates de livraison et des enveloppes budgétaires.

Inaugurer la Pyramide du Louvre l'année du bicentenaire ou la Grande Bibliothèque en 1995, avant de quitter l'Élysée, est pour lui un plaisir ineffable. Il est comblé. Nous avons imaginé, mis en œuvre, puis livré en temps et en heure. Et ces lieux modifient l'appréciation que les citoyens portent sur leur pays. Ils rajoutent de la beauté et de la fierté. Ils font reculer les acrimonies circonstancielles et les contestations superficielles.

Dans son hit-parade personnel au risque du choix de Sophie, Mitterrand fait monter haut l'alliance Antiquité-modernité de la Pyramide et les tours ouvertes à la bonne page de la Grande Bibliothèque. Il trouve l'Opéra Bastille difficile à découvrir. Et le côté légèrement stalinien de l'esthétique du Bercy des Finances réjouit son goût du paradoxe.

Aujourd'hui, ce sont des capitaines d'industrie qui élaborent des musées où ils exposent les fleurons de leurs collections. Le politique peut-il encore être ce bâtisseur qu'il fut longtemps ? Mitterrand est-il le dernier roi de pierre et de verre ?

Je veux espérer que le volontarisme élu peut encore agir. Il faut d'abord se soucier d'urbanisme en banlieue, de la refonte de ces lieux de vie abandonnés. Dans un même mouvement, il faut élever, dans ces cités délaissées, des équipements signifiants qui apportent activité et fierté, attractivité et orgueil. C'est l'une des manières de faire tomber les murs des périphériques qui isolent les centres-ville des vitalités du dehors.

# Greenpeace

En 1985, les services secrets coulent le *Rainbow Warrior*, le vaisseau amiral de Greenpeace. L'ONG voulait se rendre à Mururoa pour s'interposer lors des essais nucléaires français. L'explosion fait un mort, le photographe retourné à bord du bateau chercher ses appareils.

Charles Hernu, ministre de la Défense, démissionne. Laurent Fabius, Premier ministre, est furieux. François Mitterrand est déstabilisé.

Que dire ? Que la France a bien fait de renoncer aux essais nucléaires. Qu'on ne s'attaque pas aux opposants ainsi. Et que la désinformation, avec ses phases d'intoxication, ses fausses pistes, ses relais journalistiques et ses coups de billard à mille bandes ne sert à rien en démocratie et ne peut s'avérer que nocive.

Disons que ce n'est pas l'épisode le plus glorieux des deux septennats.

# Grossouvre (François de)

François de Grossouvre, soixante-seize ans, se suicide à l'Élysée. Le responsable des chasses présidentielles se tue en se collant sous le menton le canon d'un .357 Magnum. Il fait cela dans son bureau, où plus personne ne vient trop visiter un conseiller tombé, non en disgrâce, mais en désuétude.

Industriel, doté d'une certaine fortune, l'homme entre en politique aux côtés de François Mitterrand dans les années 1950.

Franc-maçon, il est plutôt de droite, mais il fait sienne la cause que défend celui pour lequel il a pris fait et… cause. Il participe à la fondation de la Convention des institutions républicaines, se joint à l'édification du PS au congrès d'Épinay et apparaît dans les coulisses des multiples élections auxquelles Mitterrand concourt. On le croise souvent, habillé en gentleman-farmer quand ce n'est pas en frère cadet de Sherlock Holmes.

Connaisseur du Moyen-Orient et de l'Afrique, Grossouvre s'imagine une fonction de messager secret, de diplomate de l'ombre, de manipulateur des services. Après 1981, il rêve de se faire l'égal des *missi dominici* et tireur de ficelles dans l'ombre. Il révèle vite ses limites et ses incompétences. Et Mitterrand s'empresse de lui retirer toute accréditation de quelque sorte que ce soit. Comme souvent, il ne signifie pas directement à Grossouvre qu'il doit cesser de se recommander de lui. Incapable de rompre, il organise son isolement et sa dépossession tout en tentant de compenser en lui offrant de s'occuper des chasses présidentielles à Rambouillet, Marly, Chambord. Mais Grossouvre vit cela douloureusement, continuant à entretenir le vain espoir d'un retour de faveur, tentant de s'immiscer dans le privé du Président, mélangeant confidences oiseuses à la presse et stratégies folles pour reconquérir son dieu qu'il réinvente en diable dès que l'accès lui en est coupé. Le soir du drame, Mitterrand nous rejoint sur le tard. Un dîner en petit comité est prévu dans les appartements privés. Il y a là Françoise Héritier, l'anthropologue de renom, et le professeur Didier Sicard, professeur de médecine, un des principaux acteurs de la lutte contre le sida.

Mitterrand est blême. Il est visiblement atterré. Il nous raconte les circonstances du drame et sa rencontre avec Grossouvre au temps de la traversée du désert des débuts de la V$^e$ République.

Il nous fait part de son incompréhension et répète : « Pourquoi ? Pourquoi ? Pourquoi ? »

Il se retrouve, à soixante-dix-sept ans, à chercher à comprendre la mort d'un compagnon de soixante-seize ans qui ne savait plus comment attirer son attention. Sauf en se suicidant aux marches du palais.

## Guerre du Golfe

Début 1991, une coalition gouvernementale sous mandat de l'ONU agit en représailles contre l'Irak coupable d'avoir annexé le Koweït. Cette guerre contre un dictateur expansionniste paraît légitime. La France y prend sa part aux côtés des États-Unis et d'un grand nombre de pays occidentaux. Bush père n'est pas Bush fils. 1991 n'est pas 2003. L'Irak se retire bien vite du Koweït, même si le régime de Saddam Hussein n'est pas mis à bas. La phase de combats est brève, les pertes de la coalition sont faibles.

François Mitterrand aborde ce moment de grande tension internationale avec un calme sidérant. Il me fait penser à un sportif de haut niveau à l'instant d'une compétition majeure. Il ne fait montre de nul stress, de nulle angoisse handicapante. C'est comme si les enjeux majeurs avivaient toutes ses facultés, toute sa puissance intellectuelle.

La veille de la fin de l'ultimatum, nous dînons à l'Élysée. Conscient de la gravité de la situation et de la puissance de feu que la coalition va déclencher, il évoque les risques qui menacent les Bagdadis : « Quand on pense qu'à cette heure-ci, à Bagdad, les gens prennent le thé au bord du Tigre, et que demain, ils seront sous les bombes. »

Pendant le temps de la crise, Mitterrand agit en chef de guerre prudent et responsable. Comme souvent, les Français se rassemblent et lui savent gré de sa gestion du conflit.

Mitterrand connaît le prix du sang, mais il est respectueux du droit international et des alliances nouées. En revanche, il n'est pas un frénétique de la chose militaire comme a pu l'être Chirac dans sa jeunesse. Il regarde la gent galonnée avec une affection moqueuse. Il ne déteste pas taquiner et gentiment provoquer ses aides de camp. Il est surtout très attaché à ce que le politique garde la main sur l'état-major. D'où l'importance de connaître parfaitement le sujet pour ne pas être exagérément bluffé par les hommes de l'art.

# Hélicoptères de Marly

La première cohabitation (1986-1988) est d'abord un crève-cœur tant le gouvernement Chirac met en pièces les avancées réalisées par la gauche.

Mais les mois passent, les faveurs s'inversent et la reconquête s'engage. Une jubilation inespérée gonfle nos poitrines. Il apparaît de plus en plus certain que la bataille sera livrée et qu'elle peut être gagnée. L'esprit de revanche pare l'espérance de couleurs violentes. Les violons mélancoliques sont vite abandonnés pour les clairons guerriers et les tambours du Bronx.

Pourtant, il nous faut rester discrets. Il y a un secret qu'il ne faut pas éventer. Mitterrand va y aller, nous l'espérons, mais il se garde bien de se déclarer et de nous le dire.

Il veut rester président jusqu'au bout afin de mettre en échec Jacques Chirac. Surtout, il veut pouvoir bénéficier le plus longtemps possible de cette image de père de la nation et d'homme au-dessus de la mêlée. Cette tactique me semble excellente et je me fais fort de la lui recommander.

Ce n'est pas parce que le Président fait du surplace pour ne surtout pas perdre l'avantage du surplomb que nous restons inertes. Et lui moins que tout le monde.

Les plans de bataille s'élaborent mieux en petits comités. Les assemblées générales sont souvent des pertes de temps qui diluent les propos, noient les projets précis dans le gluant du consensus.

Mitterrand aime le tête-à-tête ou s'il le faut vraiment la réunion d'une petite escouade déterminée, d'un quatuor à cordes d'étrangleurs. Il pourrait se surprendre à chanter comme Brassens : « Le pluriel ne vaut rien à l'homme et sitôt qu'on / Est plus de quatre on est une bande de cons. »

Il y a chez Mitterrand cette conviction qu'un petit groupe déterminé, talentueux et solidaire, s'il va vite et fort, peut prendre d'assaut les châteaux forts les plus crénelés d'assurance.

Cette rêverie garde un côté adolescent et littéraire. Cela renvoie aux *Mousquetaires* et au *Monte-Cristo* de Dumas, aux *Treize* de Balzac. Cela mêle l'esprit commando et les pactes des sociétés secrètes. Mais cela peut avoir aussi une efficacité de piège à loup, tranchant au ras des chevilles les gambettes les moins fluettes des institutions les plus mafflues.

Regardez ce que Mitterrand et sa garde rapprochée ont fait de la Convention des institutions républicaines (CIR). Créé en 1964, ce petit rassemblement de quelques vagues clubs de gauche devient la matrice de la Fédération de la gauche démocrate et socialiste (FGDS), puis aboutit, à Épinay, à la mise en ordre de marche du nouveau parti socialiste.

Dans la liste des initiés qui tiennent plus des conjurés au visage masqué que des maçons en tenue blanche, on trouve à la CIR les futurs grognards du mitterrandisme : Georges Dayan, André Rousselet, Georges Fillioud, Roland Dumas, Pierre Joxe, Charles Hernu, Édith Cresson, Daniel Vaillant, Claude Estier, André Labarrère.

Je regrette de ne pas en avoir été. J'étais trop jeune, encore trop occupé par l'agrégation de droit, le théâtre et par Nancy.

Exceptionnellement, les fêtes de fin d'année 1986 ne se déroulent pas à Latche, mais à Brégançon. Pierre Mauroy se joint à nous. Manifestement, le Président veut tester nos sentiments respectifs. Nous voulons le convaincre d'être candidat. Nous nous séparons en ignorant tout de ses intentions.

À sa convenance, il voit Jospin, le chef du PS, ou Fabius, l'ex-Premier ministre.

Il veut aussi réunir un petit groupe de fidèles. Il y a là Édith Cresson, Roland Dumas, Pierre Joxe, Louis Mermaz. Pierre Bérégovoy et moi sommes les seuls à ne pas avoir appartenu à la CIR. J'insiste pour que Jean-Louis Bianco se joigne à nous, à charge pour lui de tenir le relevé de décisions.

Mitterrand ne veut surtout pas que les réunions hebdomadaires aient lieu à l'Élysée. Il sait que c'est l'endroit où même le vent est échotier. Pour fuir le palais des rumeurs invérifiables et des informations infondées, il choisit un lieu proche de Paris. Ce sera le pavillon de chasse de Marly.

Louis XIV fait construire Marly pour fuir Versailles et les courtisans, pour s'éloigner de « la foule et du beau », en recherche « de petit et de solitude », nous dit Saint-Simon.

De Gaulle y prend ses quartiers après guerre en attendant que La Boisserie soit restaurée. Giscard y donne des chasses, y passant la nuit pour être sur le pied de guerre animal dès l'aube.

Mitterrand n'a pas d'attirance particulière pour les résidences de la présidence. Il laisse La Lanterne à son Premier ministre, ne fait que de timides incursions hivernales au fort de Brégançon. Cela pourrait être Rambouillet, ce sera Marly.

Chaque lundi à midi, deux hélicoptères stationnent sur le terre-plein des Invalides. On est en plein cœur du Paris politique. Matignon est à deux rues, l'Assemblée nationale à vue et le ministère des Affaires étrangères du Quai d'Orsay pourrait faire office d'aérogare.

Nous gagnons nos aéronefs au vu et au su de tous, mais sans que personne s'en étonne ou s'en formalise. Nous ne nous voilons pas le visage derrière nos capes de spadassins, nous ne baissons pas nos chapeaux emplumés sur nos nez de Cyrano. Nous y allons à découvert, le torse bombé et l'épée au côté. Et cela passe inaperçu… De l'intérêt de faire comme si de rien n'était et de ne prendre aucune précaution.

Les rotors ronflent, les hélicoptères aux airs de scarabées bourdonnent et s'élèvent dans l'incognito. Entre ce moyen de locomotion contemporain et nos cachotteries qui semblent dater du temps de Thierry la Fronde et des compagnons de Jéhu, du bossu de Lagardère et d'Ivanhoé, cela fait un drôle d'alliage de Moyen Âge et de modernité.

À Marly, ça parle clair et net, ça discute haut et fort. On ne se perd pas en postures et en stratégies d'empêchement. Mitterrand engrange les avis, trie les folies, nettoie les choix. Il faut aller vite. On est dans un quartier général d'état-major avec les cartes déroulées à même les malles cabines renversées pour faire table basse.

Discussions, décisions. Tactique, stratégie. À peine le temps d'avaler quelques peccadilles au buffet improvisé qu'il est déjà l'heure de remonter dans nos machines volantes qui avancent en crabe pour aller porter le fer à l'Assemblée.

# Hollande (François)

Ils ont la fonction et le prénom en commun. Ils viennent tous deux de gauche pour accéder à l'Élysée. Sinon, entre François Mitterrand et François Hollande, il semble y avoir une distance certaine, une différence d'attitude, d'approche. Mais est-ce si sûr ?

Le président des années 1980 accède au pouvoir porteur des espoirs immenses d'un pays qui croit encore à l'action collective. Mitterrand se sait comptable des attentes du camp du progrès. Et d'ailleurs, il transforme, il réforme, il bouleverse le quotidien des Français. Il bénéficie d'une puissance publique vertébrée, d'une capacité à peser sur les choses, d'une société forte des acquis des Trente Glorieuses, même si la contrainte économique va bientôt le freiner.

Le président des années 2010 survient dans un paysage où les relations internationales dictent leurs lois, où le pouvoir politique a reculé, où la finance fait des siennes et exige qu'on vienne à la rescousse sans réciprocité aucune, où l'Europe est l'horizon mouvant d'une adhésion compliquée.

François Hollande tente de restaurer l'état des comptes tout en faisant avancer quelques réformes de société comme le mariage gay ou la suppression du cumul des mandats. Mais sa latitude d'action est limitée par le chômage endémique et se heurte bientôt au terrorisme islamiste qui apeure une société traumatisée et en perte de confiance.

Mitterrand est à la fois dans le lyrisme, la hauteur de vues et le hiératisme, quand Hollande est apparemment dans la décontraction légère et la relativisation souriante.

Le premier prend du champ, refroidit et tranche, s'écarte et indique la direction à suivre. Quand le second est un facilitateur enjoué, un assembleur de contradictions, un démineur de dangers, un constructeur organisé.

L'un et l'autre ont le cuir dur, la patience infinie, la résilience profonde. Mitterrand a sans doute plus le sens du tragique qui lui vient de l'habitude de côtoyer la mort et de la défier. Mais ne mésestimons pas la constance de François Hollande, son tranquille optimisme, sa capacité à endurer sans jamais se plaindre, ni marquer de désarroi ou de découragement. Rien ne semble affecter son humeur et son humour, sa réflexion, ni son intelligence qui est grande.

Hollande se souvient que Mitterrand aussi fut en butte aux ricanements, au mépris.

Devant moi, il ose un parallèle assez éclairant : « On oublie trop vite que François Mitterrand fut contesté dans son propre camp, moqué, fragilisé. Il est sorti de cette mauvaise passe en gérant le temps, en tenant bon. »

C'est comme si Mitterrand était pour Hollande un professeur de mauvais temps. Ce qui ne signifie surtout pas courber l'échine ou abdication, mais juste patience et longueur de temps.

En 1981, François Hollande entre comme conseiller technique en charge des questions économiques à l'Élysée. Il a vingt-sept ans. François Mitterrand en a soixante-cinq. Ils ne nouent pas de liens particuliers. Hollande est trop récent dans la carrière pour accéder à des fonctions ministérielles.

D'autant que le jeune homme se tient en lisière de la Mitterrandie. Il n'est ni fabiusien, ni jospinien, pas même rocardien. Hollande joue à part, à côté. Il lance avec les Transcourants un mouvement de soutien à quelqu'un qui n'en est pas très avide, Jacques Delors.

Mitterrand veille avec plus d'attention sur les débuts politiques de Ségolène Royal, la mère des enfants de François Hollande et conseiller technique à l'Élysée. Elle est toujours à l'Élysée quand Hollande est passé au cabinet de Max Gallo puis à celui de Roland Dumas. Mitterrand qui ne déteste pas les ambitions féminines lui conseille de se présenter dans les Deux-Sèvres et la fera nommer ministre dans le gouvernement Bérégovoy. François Hollande, lui, se fait aussi élire en Corrèze à la même époque, en 1988, sans que cela fasse lever un cil au président réélu.

Ils ne se sont pas combattus, ne se sont pas séduits, n'ont pas noué de liens filiaux. Ce qui permet à Hollande, le temps venu, de regarder Mitterrand à bonne hauteur, sans adulation ni acrimonie.

Hollande cite aisément Mitterrand dans ses discours. Il l'évoque, le situe, met en perspective son action par rapport à celle de son devancier. Il reprend certaines de ses initiatives comme la panthéonisation ou la main dans la main avec le président allemand à Oradour-sur-Glane.

Hollande traite François Mitterrand avec une tranquillité affectueuse. Il ne se sent pas écrasé par la figure historique. Le temps a suffisamment passé pour qu'il puisse être admiratif, attaché, reconnaissant, parfois même secrètement fasciné, sans qu'on lui en fasse un crédit excessif ou un reproche injustifié.

Hollande est un observateur hors pair doté d'une mémoire infaillible. Il connaît la composition de tous mes cabinets ministériels mieux que moi. Il se souvient d'énormément de choses, saynètes anodines ou débats de fond.

J'ai le sentiment qu'il a beaucoup regardé agir Mitterrand. Pas forcément pour s'en inspirer servilement ou pour dupliquer des façons de faire ou d'être. Mais pour comprendre les rouages délicats d'une fonction, pour identifier la complexité abrupte d'une mission.

Sous des dehors bonhommes, il y a chez Hollande une dureté au mal étonnante. Il paraît inentamable, ce qui n'était pas le cas de Mitterrand, même si celui-ci savait n'en rien montrer.

Si Hollande est cuirassé pour ce qui est de protéger son pouvoir, il a de l'empathie pour les gens. Il est humaniste et humain à la fois. Les procès en insensibilité qui lui sont faits sont ridicules. Mitterrand avait cette même attention à l'autre sans laquelle il ne peut y avoir de grands politiques.

Enfin, disons que Hollande est peut-être plus attentif à suivre l'opinion, à donner au public ce que les sondages demandent, quand Mitterrand n'aimait rien tant que prendre la majorité silencieuse à rebrousse-poil, histoire d'aller au bout d'une conviction. Avec le temps, François Hollande résiste aux tempêtes, gagne en densité, s'affirme comme homme d'État et conquiert le respect de la communauté internationale. Nul doute qu'à l'arrivée – ou à son nouveau départ –, face à ses compétiteurs, son sens de l'humain, son courage intellectuel et sa stature ne fassent la différence.

En nommant Premier ministre Manuel Valls, François Hollande célèbre la vitalité, le tempérament, l'ardeur, l'authenticité. Loin des tricheurs d'usage, il parie sur la jeunesse et l'audace.

# Homosexualité (Dépénalisation de l')

Le combat pour la reconnaissance des droits des homosexuels connaît un élan nouveau à partir de Mai 68. Le FHAR (Front homosexuel d'action révolutionnaire), animé par Guy Hocquenghem, en est le moteur. La gauche institutionnelle reste sur la réserve. Les initiatives se multiplient et se heurtent au conservatisme. Un lieu, aujourd'hui entré dans la légende, devint à partir de 1978 un creuset de rencontres, de fêtes, de débats : le Palace. Son inventeur, Fabrice Emaer, prince de la nuit, lui donne éclat et rayonnement intellectuel et mène une lutte obstinée contre les discriminations sexuelles. Dans ce temple de la culture underground, on croise tour à tour le rappeur Afrika Bambaataa, Farida Khelfa, Grace Jones, les stylistes Thierry Mugler, Kenzo, Jean-Charles de Castelbajac,

Karl Lagerfeld, parfois aussi Prince, Jean-Paul Goude et même Andy Warhol, Yves Saint Laurent ou Pierre Bergé, Alain Pacadis et Roland Barthes. Fabrice Emaer confie à Andrée Putman et à Gérard Garouste la décoration d'un lieu unique qui lui est adjoint : le Privilège. Là se nouent des échanges sur l'évolution politique et les perspectives présidentielles. Deux écrivains très proches, adhérents du PS, Jean-Paul Aron et Yves Navarre, s'emploient à obtenir le soutien des uns et des autres à la candidature de François Mitterrand en raison de ses positions déterminées sur l'homosexualité. Quelques semaines avant le scrutin, Fabrice Emaer s'engage clairement et, depuis la scène du Palace, appelle à voter Mitterrand.

François Mitterrand est d'une parfaite tolérance envers les mœurs d'autrui. Il accorde à chacun la liberté qu'il réclame pour lui-même. Il tient à la distinction entre vie privée et vie publique. Il déteste rendre des comptes dans les domaines personnels. Il ne demande à personne de justifier de ses préférences sexuelles.

Il déclare : « Il n'y a pas de raison de juger le choix de chacun qui doit être respecté. Aucune discrimination ne doit être faite selon la nature des mœurs. J'en ai pris la responsabilité. »

La France retire enfin l'homosexualité de la liste des maladies mentales. Et les outrages publics à la pudeur ne sont plus aggravés pour les gays.

Le 4 août 1982, l'homosexualité quitte le code pénal. L'Assemblée revient sur un texte hérité du maréchal Pétain. Cette loi permettait de punir d'« un emprisonnement de six mois à trois ans et d'une amende de 60 francs à 20 000 francs toute personne qui aura commis un acte impudique ou contre nature avec un individu mineur du même sexe ». Une disposition qui n'existe pas pour les relations hétérosexuelles avec des mineurs, dotés de la majorité sexuelle, fixée à quinze ans.

À la tribune, Robert Badinter insiste : « L'Assemblée sait quel type de société, toujours marquée par l'arbitraire, l'intolérance, le fanatisme ou le racisme a constamment pratiqué la chasse à l'homosexualité. Cette discrimination et cette répression sont incompatibles avec les principes d'un grand pays de liberté comme le nôtre. Il n'est que temps de prendre conscience de tout ce que la France doit aux homosexuels comme à tous ses autres citoyens dans tant de domaines. »

La marche reste longue qui mènera au Pacs, puis au mariage pour tous. Avec toujours les mêmes opposants à l'égalité des droits : les conservatismes, les religions, les familialismes, tous ceux qui imaginent qu'il y a une nature et qu'on y contrevient quand un homme aime un homme, ou une femme, une femme.

# Hôtel Au Vieux Morvan (Chambre 15)

La chambre 15 se situe au premier étage, côté jardin. Les deux fenêtres donnent sur les monts du Morvan. Le calme est garanti. L'endroit n'a rien de somptueux. Dix mètres carrés, un cabinet de toilette qui deviendra douche, une tapisserie à fleurs jaunes, un édredon, un téléphone noir accroché au mur.

Maire, député et conseiller général, François Mitterrand fait de l'hôtel Au Vieux Morvan son unique résidence dans la région.

Il ne s'installe pas en ville ou dans la proche campagne, n'achète pas de résidence à Château-Chinon. Il n'est propriétaire que d'un étang, où il accueille un couple de hérons et se désole de voir ses truites dérobées par les braconniers.

Il se sent bien dans cet hôtel où il prend ses aises entre les demi-pensions et les VRP en nuitée spéciale, et où ses administrés savent où le trouver quand il n'est pas en réunion publique. Les repas se prennent dans la salle à manger de l'hôtel. Parfois, quand la discussion réclame de la discrétion, on dresse un paravent pour les convives. À l'apéritif, Mitterrand se rend en cuisine pour partager un verre de blanc et un bout de pâté avec Jean et Ginette Chevrier, les propriétaires et tenanciers devenus des amis.

À table, celui qu'on appelle déjà Président apprécie les abats, les écrevisses à la nage, l'agneau et les tartes maison.

Les jours d'élection, quand la presse vient de Paris, M. le maire de Château-Chinon s'arrange pour que la promenade digestive conduise la compagnie sur le lieu de ses récentes réalisations.

Parfois, Mitterrand croise les tablées de footballeurs d'Auxerre en stage à Château-Chinon et qui ont élu domicile au Vieux Morvan. Guy Roux, l'entraîneur, apprécie l'oxygénation améliorée à 600 mètres d'altitude. Il se réjouit surtout que la sous-préfecture offre peu de distractions nocturnes.

De 1959 à 1986, tant que les Chevrier seront sur place, Mitterrand aura son rond de serviette et la clé de la chambre 15.

# Huîtres

François Mitterrand raffole des huîtres. Il en mange sans faim, sans limitation et… sans bruit, quand bien des goulus ne peuvent masquer une déglutition sonore en fin d'aspiration.

Mitterrand est tout à fait capable de prendre un couteau approprié, d'attaquer la valve en écailler initié et de la faire bâiller. Sinon, il pioche à l'aveugle dans le plateau royal de fruits de mer que proposent les brasseries des boulevards. Ensuite, il hume l'iode qui s'en dégage, farfouille avec la petite fourchette adéquate sous la chair aux teintes diaprées pour couper le pied, puis lape en toute délectation.

Il les mange nature, ne met ni citron, ni vinaigre, ni échalotes. Il a juste, sur une petite assiette, un peu de pain beurré qu'il ne touche presque jamais.

Je partage avec le président charentais cette dilection pour ces mollusques à la coquille nacrée. Dévorer deux douzaines d'huîtres ne nous fait pas peur. C'est à qui laissera l'autre sur le flanc. Si l'époque permettait encore de se débarrasser des coquilles en les jetant par-dessus l'épaule, des Himalaya se seraient élevés derrière nous quand nous étions en action.

Mitterrand aime les huîtres de pleine mer, grasses et laiteuses. Il a un faible pour les huîtres de Zélande, cette province maritime du sud des Pays-Bas, faite d'îles et de digues protectrices.

À la veille d'une conférence environnementale à La Haye, nous décidons d'aller nous taper la cloche en Zélande. C'est histoire de faire une ventrée d'huîtres directement du producteur au consommateur, de travailler sur le motif, comme disent les peintres.

Paul Guimard, écrivain et conseiller à l'Élysée, excellent convive et surtout bon camarade, nous accompagne. Nous nous organisons mal ou l'époque ne s'y prête pas, je ne sais plus. En tout cas, nous faisons chou blanc. Nous restons le bec dans l'eau. Pas une seule huître de Zélande à l'horizon.

Par souci de compensation quand la reine Beatrix vient en visite officielle et qu'on me fait demander ce qui ferait plaisir au Président, ma réponse est toute trouvée. Lors de la réception qui suit le spectacle de danse, il y a de belles et spacieuses huîtres de Zélande, accompagnées de maatjes. Ces jeunes harengs de lait se mangent crus, écorchés en place publique. On enlève juste l'arête centrale, on arrache la peau et c'est délicieux.

À la Marée, un restaurant du 8e arrondissement, je nous organise une dégustation à l'horizontale, comme on le dit des dégustations de vin de la même année mais d'origines différentes. Il ne s'agit pas de s'allonger sur des lits de repos comme pour une orgie romaine. Mais de panacher le plateau, en goûtant à toutes les variétés. Il y a des zélande, des colchester, des normande, des marennes-oléron, des quiberon, de toutes tailles, plates ou creuses. Bien vite, la chaleur des agapes et la vigueur des discussions aidant, nous ne savons plus bien identifier les différences.

Mitterrand n'a pas la monomanie huîtrière. Il peut aussi piller les plateaux de crustacés et faire une ventrée de tourteaux, araignées, langoustines, crevettes, bulots ou bigorneaux. Et même de violets qu'il peut ouvrir devant nous, dans un avion, au retour d'un meeting en bord de Méditerranée.

Ce goût présidentiel connu donne lieu à des comparaisons à la pertinence variée qui font le plaisir des gazettes. Mitterrand ne s'ouvre qu'à regret. Il peut se murer dans le silence, dormir sur son secret et se fermer comme une huître si on le brusque inutilement, si on le sollicite trop abruptement.

Muré derrière sa carapace, il résiste aux assauts menés aux pics à glace quand seuls les connaisseurs de ses faiblesses pourraient actionner le sésame. Mais sans jamais accéder à la perle rare...

I

# Institut du monde arabe

L'idée de la création de l'Institut du monde arabe (IMA) revient à Valéry Giscard d'Estaing. Au lendemain de la première crise pétrolière, VGE, fraîchement élu en 1974, envisage cet organisme comme un pont entre les cultures. Il s'agit de faire dialoguer les mondes afin de relativiser les griefs du passé, d'apaiser les tensions du moment et de permettre des collaborations créatrices.

Giscard choisit une architecture classique et envisage d'édifier le bâtiment dans le 15e arrondissement de Paris.

En 1981, dès le début du septennat, je dresse pour François Mitterrand l'état des lieux des projets déjà engagés et j'établis la liste des grands travaux à imaginer et à lancer.

Pour l'Institut du monde arabe, les esquisses néo-arabisantes ne nous enthousiasment pas. Cela fait un peu décor de théâtre d'opérette.

Mitterrand me conseille de changer de lieu pour pouvoir changer d'architecte. Nous réussissons à trouver un site idéal en bord de Seine. Aujourd'hui, l'IMA a vue sur Notre-Dame, s'adosse à l'université de Jussieu et se situe à quelques encablures de la Bibliothèque François-Mitterrand. Il est au cœur de ce nouveau Quartier latin qui est en train de s'étendre vers l'est, le long de la rive gauche du fleuve.

Très vite, à l'automne 1981, un concours est lancé auprès de jeunes talents. Jean Nouvel et Architecture Studio sont choisis et incrustent de moucharabiehs photosensibles les murs de l'IMA. Le chantier avance à grands pas. Et l'inauguration peut avoir lieu en 1987.

Sur la proposition de François Hollande, et avec le soutien actif du Premier ministre, je préside aujourd'hui cet institut. Je le veux initiateur et ambassadeur, artiste et diplomate, pédagogue et ambitieux, accueillant et créatif, heureux et festif. À l'IMA, nous savons combien la culture aide au rapprochement entre les peuples et nous sommes là pour y contribuer. Je veux croire que François Mitterrand aimerait cette action que nous menons pour pacifier et exalter un univers où le feu sacré prend parfois avec une vivacité exagérée.

# Intellectuels

Au repos, quand la marée de l'actualité battant sans cesse les flancs de la politique se retire, François Mitterrand préfère la lecture des romans à celle des essais. Dans sa chaise longue, sous les pins des Landes, il goûte plus l'évocation de souvenirs charnels et affectifs que l'argumentaire toujours recommencé et parfois répétitif des ferrailleurs du débat. Par inclination, il est plus littéraire que théoricien.

Autant il aime côtoyer les écrivains, autant il évalue précisément l'importance du combat culturel qu'il ne refuse jamais, au contraire. Il apprécie à leur juste valeur les figures intellectuelles qui déploient leur virulence et leur aura dans la seconde moitié du xxᵉ siècle.

Il sait combien la France est le pays des idées, des polémiques et des algarades en place publique. Il s'y fait sa place en bretteur pugnace. Il sait sabrer mais aussi expliquer, trancher, dialoguer, étriller mais aussi argumenter.

Pour l'emporter en 1981, Mitterrand est terriblement conscient que le PS doit reconquérir une aura chez les penseurs. Il faut contester l'hégémonie culturelle que se disputent, d'un côté, les communistes à l'impérialisme fatigué par un règne sans partage dans les années 1950 et, de l'autre, les gauchistes qui dissipent à tout-va leurs désirs contrastés et contradictoires depuis 1968.

À partir de 1979, je m'active pour mettre le candidat en contact avec des personnalités du monde de la culture et des sciences. J'organise des rencontres, des déjeuners, des colloques.

Mitterrand écoute avec attention, découvre de nouvelles têtes ou retrouve des connaissances perdues de vue. Il intervient avec pertinence dans le cours de la conversation ou à la tribune. Surtout, il hume l'air du temps intelligent et se promène nez au vent dans les fabriques où s'usinent les idées de demain.

Il se tisse petit à petit un réseau informel. On se connaît mieux, même si on n'adhère pas toutes affaires cessantes.

On s'estime, même si on n'est pas dans l'inconditionnalité. On se comprend, même s'il ne s'agit pas de faire allégeance.

Avant 1981, le premier secrétaire, grand connaisseur de films transalpins, intervient à Hyères sur le cinéma européen. Dans la salle, Marco Ferreri, Francesco Rosi, Dino Risi, Laura Betti, Volker Schlöndorff, Margarethe von Trotta, beaucoup d'autres que j'ai invités.

À Valençay, je réunis des scientifiques et de nombreux prix Nobel sous l'égide de François Gros, directeur de l'Institut Pasteur.

Lors d'un symposium international, à l'Unesco, au printemps 1981, Mitterrand trace les grandes lignes de notre programme culturel. Il y a là Léopold Sédar Senghor, Willy Brandt, Melina Mercouri, Luigi Comencini, Peter Brook, Ricardo Bofill, Wolf Biermann, Elie Wiesel, Yannis Xenakis, Gabriel García Márquez et Giorgio Strehler. Ce dernier fascine d'ailleurs Mitterrand lors d'une répétition d'une pièce de Goldoni que Strehler anime avec sa fougue et son brio habituels.

Avant et après l'élection de 1981, je convie à mon domicile écrivains, intellectuels et artistes. François Mitterrand nous rejoint, intimidé et intimidant à la fois. Conteur habile, il réussit petit à petit à briser la glace. La décontraction gagne et les échanges s'intensifient. C'est à la fin d'un de ces agréables déjeuners que Roland Barthes sera renversé par la camionnette d'un blanchisseur, point de départ d'un récent roman de Laurent Binet.

À l'Élysée, pendant le Conseil des ministres, le Président me fait parfois passer un billet manuscrit signé de ses initiales, du genre de celui-ci : « Êtes-vous libre pour déjeuner ? Il y aura Kundera, F. Sagan, E. Badinter. »

Ces moments de convivialité sont plus importants qu'on ne le pense. Ils permettent à Mitterrand de rester en phase avec le monde de l'intelligence, de prendre le pouls des esprits forts du moment. Et ils permettent aussi aux invités de découvrir un homme agile d'esprit, moqueur, rieur et toujours séducteur.

Il y aura des querelles nombreuses et fréquentes avec les intellectuels. Le coup d'État polonais, la guerre de Bosnie et l'affaire Bousquet en seront les temps paroxystiques. Je verrai parfois Mitterrand pester contre l'outrecuidance de ces beaux parleurs qui ne mettent jamais les mains dans le cambouis du moteur du monde. Il pestera contre leur incapacité à comprendre les contraintes de l'exercice du pouvoir, contre leurs rêveries idylliques sans rime ni raison, quand le politique a en charge le réel, celui des vies humaines et de l'avenir d'un peuple.

Mais chaque fois que Mitterrand s'assiéra en face d'un opposant de bonne foi, celui-ci sera sensible à la démonstration et convaincu par le charme déployé sans jamais faire mine d'y toucher.

## Israël (discours de la Knesset)

Mitterrand est un homme façonné par la Seconde Guerre mondiale. Il a lutté contre le nazisme, a assisté à la libération des camps de la mort. Il vit, comme une évidente réparation, la naissance d'Israël.

Dans les gouvernements de la IVe République auxquels il appartient, il lui revient en tant que porte-parole de commenter le périple de l'*Exodus* et de proposer le secours de la France aux migrants sionistes.

Il rencontre régulièrement Golda Meir et Moshe Dayan. Dès 1955, il noue des relations amicales avec le travailliste Shimon Peres mais aussi avec Menahem Begin, le leader de droite. Et quand il prend les rênes du PS, il se fait d'autant plus pro-israélien que c'est une manière de se démarquer de la politique arabe menée par de Gaulle et Giscard, à laquelle il faut ajouter le soutien à la cause palestinienne du PCF.

Dans les années 1970, Israël fascine la gauche démocratique. La vie en kibboutz intrigue et intéresse. L'égalité homme-femme, jusqu'au sein de l'armée, enthousiasme. Le pays est neuf, moderne et ensoleillé, et il semble représenter l'avenir du monde.

La porosité est telle que les jeunes recrues du Parti socialiste entrées en politique au sein du congrès d'Épinay sont dénommées par Mitterrand les « sabras », à l'égal des enfants juifs nés sur la terre d'Israël.

Mais François Mitterrand n'est pas ignorant de la destinée des Palestiniens, victimes de la Nakba. Dès 1972, il découvre les camps de réfugiés de Gaza. En 1974, il rencontre Yasser Arafat au Caire, et leurs itinéraires ne vont cesser de s'entrecroiser pendant des décennies.

En 1982, Mitterrand accomplit une visite officielle en Israël. C'est le premier voyage d'État d'un président français. Son intervention à la Knesset est très attendue. Il lui revient de dire quelle sera la politique de la France au Proche-Orient et si la gauche la fera évoluer. Je l'accompagne à Tel-Aviv. Mécontent du projet de discours que nous lui avons fourni, il déchire tout et passe la nuit à le réécrire à l'encre bleue.

Le lendemain, son propos est limpide. Israël a droit à l'existence et à la sécurité. Les Palestiniens doivent pouvoir décider de leur sort. Eux aussi ont droit à un territoire, et bientôt à un État. Mitterrand dit à Israël : « Vous ne pouvez pas ne pas reconnaître l'OLP. » Et il dit à l'OLP : « Vous ne pouvez pas ne pas reconnaître Israël. »

Tout au long de ses mandats, Mitterrand ne déviera pas de cette droite ligne. En l'espèce, il se révèle précurseur. Cette position équilibrée est désormais celle de tous les hommes et de tous les pays de bonne volonté.

Il y a une certaine grandeur à dire les choses où les poltrons de la diplomatie préféreraient s'en tenir aux civilités sans conséquences.

C'est devant le Parlement israélien qu'il évoque les droits des Palestiniens ou que c'est à Moscou qu'il parle de Sakharov. Et cela sans braquer ses interlocuteurs, sans rompre le dialogue.

Entre Israël et la Palestine, on ne peut choisir. Il faut que la paix finisse par être avec eux deux.

# Jarnac des débuts

Cette commune charentaise se situe entre Angoulême et Cognac. Elle compte environ 4 000 habitants. Elle en comptait à peu près le même nombre au cœur de la Grande Guerre.

François Mitterrand naît 22, rue Abel-Guy, à Jarnac. Il est 4 heures du matin, le 26 octobre 1916. Cinquième enfant de Joseph et d'Yvonne, il aura encore deux petits frères et une sœur. Les familles nombreuses sont alors la norme. La sage-femme qui réside en face est venue prêter main-forte dans la soirée. Le médecin de famille arrive sur le coup de minuit faciliter la délivrance. Chef de gare, le père est absent, retenu par son travail à Montluçon. Bientôt, sur l'insistance de sa femme, il reprendra la direction de la vinaigrerie familiale.

La massive bâtisse blanche abrite les jeux des huit enfants et de leurs deux cousins germains. Vie privée et vie professionnelle se mélangent. Dans l'arrière-cour, les entrepôts accueillent la distillerie et les fûts de vinaigre. Il y a là un petit lavoir au mur duquel les enfants s'adossent pour mesurer leurs tailles respectives. Chaque année, ils marquent la hauteur atteinte de leurs initiales avec les mêmes lettrages noircis qui servent à tatouer les fûts de vinaigre.

Venant rendre visite à une de ses sœurs qui a repris la maison d'enfance, le Président y retrouve des souvenirs olfactifs : « L'odeur de poussière, d'humidité, de salpêtre, de bois, de plâtre est la même et les parfums du jardin également. »

Répondant à Elie Wiesel, le futur président détaille ses débuts : « Mon enfance, qui fut heureuse, a illuminé ma vie. Mes parents étaient attentifs et libres. Ils ne pesaient pas sur moi. Ils ne faisaient pas preuve à mon égard d'une autorité aveugle. Mais ils m'inculquèrent une discipline de vie. Je n'étais pas perdu dans une caravane bruyante. Je pouvais, car j'en avais le goût, conquérir mes moments de solitude. Jamais, je n'ai été froissé, ni brutalisé dans cette première saison de ma vie. Mon enfance fut épargnée par la guerre[1]. »

Le jeune garçon demeure à Jarnac, petite cité entourée de vignes et traversée par la Charente, jusqu'à son entrée au collège Saint-Paul à Angoulême, dès ses dix ans. Il

---

1. François Mitterrand et Elie Wiesel, *Mémoire à deux voix, op. cit.*

ne reviendra à Jarnac que de loin en loin, pour visiter sa famille. Il est plus attaché à la maison de Touvent, la maison des vacances, qu'à la vinaigrerie de Jarnac.

## Jarnac de la fin

Mitterrand pense à se faire enterrer au sommet du mont Beuvray à Bibracte. Mais une campagne de presse complique sa réflexion et défait sa décision. Il aurait pu aussi rallier Cluny, en Bourgogne, sur les terres de sa femme, Danielle. Mais il préfère choisir Jarnac. Cela le rattache aux siens et lui permet de ne pas trancher entre ses deux familles.

À Jarnac, Danielle prend par l'épaule Mazarine, conjuguant leurs peines, refusant préséance et exclusive. Il n'y a plus de première et de seconde famille, de famille officielle et de famille cachée. Il y a des hommes et des femmes dans la peine. Et un pays qui sait gré à son ancien président d'envoyer ce genre de signaux aux divorcés et aux recomposés, appelés à passer outre les griefs.

Le jour de l'enterrement, je préfère abandonner Notre-Dame où se rassemblent soixante chefs d'État et de gouvernement. Comme m'y invite la famille, je rejoins Jarnac, histoire de rester auprès de lui le plus longtemps possible. La cérémonie à l'église est simple et solennelle. Le sermon est une méditation sur la vie, la mort, le pouvoir, l'amitié. Je ne suis pas croyant, l'éternité m'indiffère, mais les rituels ont leurs mérites.

Pour supporter le moment en aimable compagnie, je fais signe à Gérard Depardieu que j'ai invité à se joindre à nous. On se met côte à côte. Ce bon vivant haut en couleur sait être tout à fait touchant et extrêmement drôle. Le recueillement et les souvenirs peuvent aller de pair avec la gauloiserie quand elle est dite avec le cœur.

Au moment de l'élévation, quand l'officiant émiette l'hostie et boit un peu de vin de messe, Gérard qui a souvent soif me souffle à l'oreille : « Le salopard, il aurait quand même pu nous en servir une fiole. » Un fou rire nous gagne que nous tenons sous cape.

Je veux croire que François Mitterrand en aurait ri à sa façon, ébaubie et carnassière, inextinguible et à belles dents, comme quand Roger Hanin racontait les immuables mêmes blagues.

Ensuite, le cortège se forme. Michel Charasse nous rejoint qui, en laïc radical, a refusé d'entrer dans l'église. Il est resté sur le parvis à promener Baltique, le labrador du Président.

À Jarnac, le cimetière est un endroit malaisé et ren-cogné. L'enfant du pays repose dans le caveau Lorrain, celui de la famille maternelle. L'édifice est tout en hauteur. Une simple plaque indique : « François Mitterrand, 1916-1996 ».

# Jaurès (Jean)

À la fin des années 1970, au temps où il n'est encore que premier secrétaire du PS, François Mitterrand aime à mettre à l'épreuve son entourage.

Avec cette façon bien à lui de jouer les maîtres d'école taquins, malicieux et d'une bienveillance modérée devant les manquements des ignorants qui l'accompagnent, il demande à ceux qui lui font cortège : « Dites-moi, s'il vous plaît, qui était président de la République quand Jaurès était premier secrétaire de la SFIO, le parti socialiste de l'époque ? »

Les points d'interrogation flétrissent les bouches en cul-de-poule des aspirants tombés sur un bec. Et Mitterrand de poursuivre son chemin en majesté, fier d'avoir mis la comparaison à son avantage.

Je n'ai pas le souvenir que ce questionnement ait survécu à l'élection de 1981. Jaurès n'a jamais exercé le pouvoir, Mitterrand va tenir quatorze ans.

Les époques sont différentes mais les parentés sont fortes entre les deux hommes. Et Mitterrand tient à en souligner les proximités. L'homme à la rose au poing aime se projeter en Jaurès, celui qui avait « les poings pleins d'idées », ainsi que le définissait Jules Renard, écrivain de la Nièvre chère à Mitterrand.

Jaurès vient d'une petite-bourgeoisie campagnarde. Le père possède quelques terres, la mère est issue d'une famille de petits industriels du textile. Mitterrand est fils de chef de gare devenu vinaigrier.

Surtout, tous deux sont des campagnards aimant les grands ciels bleus qui colorent d'un jaune absolu les champs de blé. Tous deux sont des terriens que fascinent les paysages modelés par la main de l'homme. Jaurès est un brillant sujet, reçu premier en philosophie à l'École normale supérieure.

Avocat de talent et littéraire reconnu, Mitterrand a fait ses études dans les stalags et dans la clandestinité résistante. Mais je parierais volontiers qu'il a vécu comme une revanche académique que Mazarine entre à Normale sup et soit agrégée de philosophie.

Jaurès n'est pas un socialiste d'origine. Il est d'abord élu député républicain du Tarn et soutient Jules Ferry. Mitterrand lui aussi a, jeune adulte, la curiosité variée pour des idées qui ne sont pas forcément d'un progressisme féroce. Puis sous la IV$^e$ République, le jeune ministre évolue vers le centre gauche, aux côtés des radicaux. Mitterrand se moque de ce procès qui lui est fait par certains. Les mêmes ont souvent commencé à l'extrême gauche pour finir en riches droitiers désabusés, se rassurant sur leur médiocre évolution d'un facile : « Il faut bien que jeunesse se passe. » Mitterrand préfère, à raison, avoir accompli le chemin inverse et trouver une nouvelle jeunesse à Épinay, en 1971, à cinquante-cinq ans.

Jaurès a le sens de la synthèse et sait prendre en compte le réel. En 1905, il fait alliance avec le maximaliste Jules Guesde afin que la SFIO s'épanouisse. Mitterrand, lui, a plutôt affaire à une aile droite, celle de la deuxième gauche. Celle-ci lui fait la vie dure à Metz ou ensuite à Rennes. Mais il sait nouer les alliances nécessaires qui peuvent être de circonstance.

Il laisse un PS prospère qui reviendra au pouvoir quatre ans après l'échec de 1993, deux ans après son départ de l'Élysée.

Jaurès est républicain et socialiste, humaniste et pacifiste, patriote et internationaliste, réformiste et révolutionnaire. Il défend les mineurs de Carmaux et tient à la dignité de l'homme dans son travail. Il veut l'éducation des masses, le respect des Droits de l'homme et des droits de la presse. Il bataille pour la séparation des Églises et de l'État en 1905. Il est dreyfusard, à l'inverse de certains ouvriéristes qui ne voient pas pourquoi il faudrait se soucier d'un militaire bourgeois et juif. Et il est pour l'abolition de la peine de mort, ce qui est loin d'être évident à l'époque.

Mitterrand fait voter l'abolition de la peine capitale contre l'avis de l'opinion publique. Comme Jaurès, il ne craint pas de défier la pensée majoritaire, s'il croit en la justesse de son combat. Mitterrand satisfait la France du travail en donnant du temps, de l'argent et des droits aux salariés. Il émancipe le salarié comme le citoyen, libère les ondes, permet aux différentes sexualités de s'épanouir.

Jaurès est un homme de paix qui refuse le chauvinisme. Il paie de sa vie son pacifisme. Il est assassiné rue du Croissant, à Paris, un soir d'été où il finit de dîner dans un café au bas de l'immeuble du journal *L'Humanité*, où chaque jour il signe un éditorial pour exhorter les nations et les empires à éviter la guerre.

Mitterrand est marqué par son expérience du conflit. Il voit l'Europe comme un rempart contre les tentations belliqueuses des peuples. L'ancien prisonnier tient au couple franco-allemand conçu comme le moteur et le garant de cette évolution apaisée.

Il faut reconnaître que la construction européenne voulue par Mitterrand a évité une nouvelle mise à feu et à sang d'envergure au continent ravagé au XXe siècle par deux guerres mondiales.

Jaurès, lui, meurt le 31 juillet 1914, à l'aube du premier conflit qu'il aurait tant voulu empêcher. Et dans lequel son fils de dix-huit ans, engagé volontaire, va périr.

## Jeunes créateurs

1981 est un chamboule-tout qui déclenche la relève des générations. L'arrivée de la gauche au pouvoir donne sa chance à une jeunesse qui n'a peur de rien. Le renouvellement est vaste. En politique, bien sûr, la nouvelle donne est fleurie comme les barbes des députés frais émoulus. La fonction publique va suivre. Petit à petit, les directions d'administration centrale rajeunissent leurs cadres. Et dans le domaine culturel, le basculement est vertigineux. Dans les théâtres, les centres chorégraphiques et dans les musées, l'appel d'air est fort et emporte beaucoup de vieilleries d'esprit.

La commande publique répond au même souci de changement. En architecture, on voit apparaître Jean Nouvel, Dominique Perrault ou Christian de Portzamparc. Lesquels sont toujours là trente-cinq ans après, preuve qu'ils avaient et ont toujours du talent – mais qu'il faudrait peut-être faire monter quelques jeunes Turcs pour penser un habitat du XXIe siècle et bousculer ceux qui se sont installés en mandarins.

Le design est sans doute le domaine où le basculement est le plus visible, le plus rapide. Mitterrand n'est pas spécialement attaché au mobilier. Ce nomade toujours par monts et par vaux aime se rencogner dans des endroits apaisés pour lire tranquillement dans son fauteuil. Rue de Bièvre, la salle à manger est due à un Danois en vogue dans les années 1970, Poul Kjærholm. À Latche, il se repose dans une chaise longue signée Charles Eames.

Mais quand il entre à l'Élysée, Mitterrand veut que la décoration et le design français soient à l'honneur et que confiance soit faite aux débutants en pariant sur leur génie à venir. Je m'y emploie avec Christian Dupavillon. À l'Élysée, interviennent ainsi, dès les années 1980, Philippe Starck, Gérard Garouste ou Jean-Michel Wilmotte. Dans ce domaine, ils sont les têtes de pont des avant-gardes qu'avec

Mitterrand nous n'avons cessé de pousser, de conforter et de célébrer afin de prouver au monde que la France avait des ressources et un talent toujours renaissant.

# Jospin (Lionel)

J'ai assisté à beaucoup d'algarades, à des duels verbaux au sabre d'abordage, et à des assauts violents et sans pitié. Celui-ci est resté dans ma mémoire.

On est en mai 1991. Le premier Conseil des ministres du gouvernement Cresson vient d'avoir lieu. Lionel Jospin est reconduit à l'Éducation nationale. Dans un couloir, François Mitterrand et lui sont face à face.

Jospin veut imposer Claude Allègre à ses côtés, comme secrétaire d'État aux Universités. Mitterrand ne veut pas que le futur dégraisseur de mammouths se comporte en éléphant dans le magasin de porcelaine.

Le choc est frontal. Jospin toise son interlocuteur de toute sa hauteur, imposant un physique de boxeur plus que de basketteur où la bouclette blanchie a depuis longtemps cessé d'être celle du troubadour fleuri.

Il donne du « François Mitterrand » à celui que chacun nomme « monsieur le Président ». Mitterrand ne cille pas, ne bronche pas. Il se fait de plus en plus glacial, rétracté, à mesure que l'échange se poursuit.

Il se joue dans cet instant frémissant bien autre chose que la nomination d'un secrétaire d'État. Une querelle se vide, des reproches se croisent. Séparation de mauvais gré.

Jospin s'estime mal traité, incompris, négligé. Mitterrand supporte mal ces récriminations qui lui semblent confiner à l'ingratitude. Surtout, il vit l'après-congrès de Rennes comme une trahison continuée.

La psychologie ambiante veut que Mitterrand ait choisi entre ses deux fils. Il aurait cajolé Fabius, le prometteur, le précoce, le surdoué, et aurait repoussé Jospin, le rigide, le bosseur, le structuré. Négligé, celui-ci aurait levé le poignard au congrès de Rennes et donné un coup de canif irréversible dans le contrat qui organise le pouvoir et ses vassalités.

Cette analyse n'est pas fausse. Mais il faut sortir du papa-maman. Il s'agit de conquêtes de pouvoir, de stratégies d'alliances, de rapports au temps qui passe. La politique est parfois d'une terrible simplicité. Fabius et Jospin ont les mêmes ambitions, le même talent. Mitterrand en est à son second mandat, la maladie gagne, les allégeances refluent. Jospin ne voit pas pourquoi il devrait plier devant Fabius. L'arbitre n'est plus légitimé comme tel par les deux camps.

J'imagine que Mitterrand a vécu cet affrontement comme un signe précurseur de son affaiblissement, un marqueur de sa future éviction de la direction des choses.

Ce conflit entre Jospin et Fabius est d'autant plus dommageable qu'il ne recouvre pas de réelles oppositions idéologiques. Les évolutions des uns et des autres le prouvent. Autant Rocard a toujours campé à la droite du PS, autant Jospin et Fabius entrecroisent et déportent leurs positions autour d'une centralité PS bien ordonnée. Mais il en va ainsi des rivalités humaines, qu'elles ne peuvent pas toujours se résoudre sans conflit et que les aînés sont un jour dépassés, si ce n'est bafoués par les cadets.

Entre Mitterrand et Jospin, la proximité est pourtant beaucoup plus aboutie que la fin de l'histoire ne le laisse supposer.

Dans les années 1970, Jospin s'occupe du tiers-monde au PS. Ce diplomate de formation est passionné de relations internationales. Il est déjà méticuleux, sérieux, organisé, et surtout d'une forte structuration politique. Mitterrand, qu'on croit émoustillé par le brio des marginaux ou l'atypisme des ébouriffants, sait qu'il a besoin de s'entourer aussi de gens au cortex carré, d'esprit de géométrie. Et il a l'art de mélanger les apports des uns et des autres.

En 1981, c'est à Jospin qu'il confie la maison PS, cette bâtisse spacieuse et inconfortable par nature, créative et parcourue de courants d'idées diverses et d'ambitions.

Mitterrand lui cède ce parti qu'il a fait grandir jusqu'à l'âge adulte. Il sait qu'il ne reviendra pas rue de Solférino car on ne revient pas en arrière quand on brigue la magistrature suprême pour la troisième et dernière fois. Le premier secrétaire brûle ses vaisseaux, et c'est émouvant de le voir abandonner à jamais cette belle frégate qu'il a conçue, qu'il a débridée et qu'il savait mener comme nul autre. Passer le relais à Jospin témoigne d'une confiance dont celui-ci va se montrer digne jusqu'en 1988, date de son entrée au gouvernement.

Je m'entends parfaitement avec Jospin, homme de culture qui lit beaucoup, va à l'Opéra et au théâtre. Il relaie mes messages auprès de Mitterrand. C'est toujours une bonne chose de coordonner ses assauts. Avec Jospin nous nous rejoignons dans la lutte contre la Cinq de Berlusconi ou contre la privatisation de TF1. Par contre, il est très soucieux de la prééminence du PS et regarde d'un mauvais œil la création de clubs de soutien un peu décalés comme Allons Z'idées. Il est dans son rôle quand il souhaite que tout revienne au PS.

En 1988, Jospin vit mal de ne pas être nommé Premier ministre. Il estime que c'est au chef du parti vainqueur des législatives de conduire le pays. D'ailleurs, Mitterrand aurait peut-être dû le préférer à Rocard. Avec Jospin, ils parlent la même langue, sont accoutumés à œuvrer en commun, partagent les mêmes idées.

Jospin est, sans doute, blessé de ne pouvoir prouver ses capacités qui sont grandes et qu'il démontrera en 1997 quand la dissolution lui ouvrira les portes de Matignon.

Le congrès de Rennes mine durablement sa relation avec Mitterrand. Sans parler du « droit d'inventaire » lancé comme un défi, sinon comme un reniement, par lui en 1995 et qui torpille durablement leurs relations déjà abîmées.

# Judéité

Il n'y a sans doute pas eu de président français plus phi-losémite que François Mitterrand.

Paradoxalement, cela tient d'abord à une éducation religieuse très catholique. La famille Mitterrand est pieuse. Sa mère lit la Bible tous les jours. Et elle est très attachée à faire connaître, à l'enfant de chœur, l'Ancien Testament autant que le Nouveau.

C'est lors d'un voyage en Espagne à la rencontre de Paul Déroulède, poète nationaliste et revanchard, que cette mère si croyante découvre les ravages de l'antisémitisme. Dans l'entourage du député de Charente banni pour ten-tative de coup d'État prospèrent des antidreyfusards et des chrétiens intégristes. Inquiète de cette haine vindicative, elle en revient rétive à toute discrimination religieuse.

Féru d'histoire sacrée, Mitterrand connaît sur le bout des doigts les grands mythes et les figures centrales de la Bible. Il n'est pas le dernier à tester les connaissances de son entourage en la matière. L'exercice se révèle parfois un échec cuisant pour les écervelés qu'il passe à la ques-tion. Ce qui m'arrive. Pris en flagrant délit d'ignorance, les élèves se tourmentent modérément de ces échecs répétés. C'est le maître qui sent la désespérance le gagner devant ce savoir des fondamentaux qui reflue.

L'homme politique tient une exacte balance entre les craintes d'Israël et les revendications des Palestiniens. Mais l'homme privé, lui, aime à débattre avec ses inter-locuteurs juifs de leurs origines diverses et de leurs proximités électives, de leurs formations divergentes et de leurs convictions approchantes.

Il aime converser avec Elie Wiesel, enfant déporté et écrivain reconnu. Il est en phase avec Shimon Peres, leader travailliste devenu ami proche. Un jour, Peres lui demande pourquoi il effectue tant de voyages. Et Mitterrand de répondre : « Ça doit être mon sang juif. »

Il y a chez Mitterrand une curiosité forte envers les croyances juives, un besoin de comprendre les motivations du peuple hébreu, son rapport à la loi, au passé, à la souffrance.

Dans l'opposition comme au pouvoir, Mitterrand est entouré de nombreux conseillers de culture juive, pas spécialement croyants. Il faut bien comprendre que, dans les années 1970-1980, la question de l'identité est une vieillerie mise au rencart. À jamais, croit-on ! On ne demande pas aux gens d'où ils viennent. On leur demande vers où ils veulent aller. Ce qui est quand même autrement épanouissant que de toujours se rencogner sur une identité que chacun ferait mieux d'oublier. Alors oui, Robert Badinter, Laurent Fabius, Jacques Attali sont de culture juive. Georges Dayan l'est également, ami de jeunesse et soutien de toujours, trop tôt disparu avant l'accession au pouvoir de son copain d'avant guerre. Et moi aussi, je suis d'ascendance juive par mon père, même si je ne crois, ni ne pratique.

Mais souvenons-nous qu'il s'agit de politique, de choix de société, de conquête du pouvoir. Mitterrand s'entoure de gens convaincus, courageux, fidèles. Ils sont juifs ? Très bien. Ils ne le sont pas ? Aucune importance.

Ce n'était pas la question. Ça le devient parfois aujourd'hui, et il ne faudrait pas que chacun soit renvoyé sempiternellement à ses origines. Pas plus qu'il importe de savoir si l'on est arabe, musulman, noir, antillais, chinois ou bouddhiste.

En 1992, la commémoration de la rafle du Vél'd'Hiv' complique les choses entre Mitterrand et la partie la plus remontée de la communauté juive. Comme de Gaulle, Mitterrand s'est toujours refusé à considérer que Vichy, c'était la France. Oui, Vichy a collaboré. Mais la France était à Londres et surtout dans les maquis, dans les soupentes des imprimeries où l'on ronéotait les tracts, dans les arrière-salles de bistrot où se réunissaient ceux qui ont sauvé l'honneur de la patrie. Alors Mitterrand refuse de s'excuser pour les fautes de la police de Vichy, pour les fautes de Pétain, Laval et Bousquet.

Bravache, Mitterrand vient quand même assister en silence à la cérémonie du 16 juillet 1992. Quelques activistes mémoriels le sifflent et le conspuent. Badinter prend la parole et élève la voix. Il lance à ces terriblement exigeants : « Vous m'avez fait honte ! Vous m'avez fait honte en pensant à ce qui s'est fait là, vous m'avez fait honte ! Taisez-vous ! »

Comprenant que les temps changent et que l'extermination des Juifs se remet au centre d'un conflit qui fut longtemps vu comme l'opposition du nazisme et des démocraties, Mitterrand prend les initiatives nécessaires à la lutte contre le racisme et l'antisémitisme.

Mais il faudra attendre Chirac, président trop jeune pour avoir combattu en 39-45, pour que la France présente ses excuses.

# Kermitterrand (Bébêtes, Guignols)

Pendant les deux septennats de François Mitterrand, la parole se libère et les canaux se multiplient pour permettre une pluralité des expressions à la télévision, à la radio. Le temps du gaullisme répressif et monopolistique est fini. L'heure du giscardisme faussement libérateur et secrètement contrôleur s'achève.

Mitterrand met un point d'honneur à laisser la presse le critiquer violemment et le moquer durement. Il s'applique à ne pas poursuivre pour injure, à ne pas attaquer en diffamation, à ne pas aller en justice pour atteinte à la vie privée. Il est conscient que tout pouvoir suscite ses contre-pouvoirs. Il sait parfaitement que tout « roi », aussi démocratiquement élu soit-il, a besoin de bouffons pour le ramener sur terre.

Il est tout à fait convaincu qu'il est de la responsabilité de la gauche de permettre aux moqueurs et aux humoristes d'aller au bout de leur logique. Et tant pis si leurs charges peuvent se révéler outrancières, injustes, venimeuses, féroces, pour ne pas dire dégradantes. C'est la rançon de la gloire et la petite monnaie de la liberté consentie.

Mitterrand a de l'humour. Il sait être grinçant, cruel, cinglant. Quand c'est lui qui est pris pour cible, il encaisse en boxeur qui sait rendre les coups. Il a le cuir solide, l'esprit averti et une capacité certaine à relativiser. Il a appris à parer la charge, à supporter l'agressivité. Il finit par apprécier le trait. Il lui arrive même d'en rire. Surtout si cela le sert dans son combat politique. Les batailles d'image passant par de bien curieux détours.

De 1982 à 1995, c'est-à-dire pendant presque toute la durée de la présidence de Mitterrand, le « Bébête show » déguise les politiques en marionnettes et les réunit chaque soir sur TF1, autour d'un zinc de bistrot. Chirac est un aigle nerveux et hystérique. Barre est un bon gros ours à la voix flûtée. Rocard est un corbeau annonciateur de malheurs, surnommé Rocroa. Marchais, le pauvre, revit en Piggy la cochonne. Mitterrand, lui, est Kermit, une grenouille verte, aux lèvres pincées et aux gestes cérémonieux. Les chansonniers qui, politiquement, ne le portent pas spécialement dans leur cœur en font un personnage impérieux.

Entre 1986 et 1988, en période de cohabitation, cette caricature évolue et gagne en sympathie. La grenouille devient mégalomane, exige qu'on la nomme « Dieu », « sire », « Votre Majesté ». Rebaptisée Kermitterrand, elle domine de toute sa compétence évidente et de toute sa hauteur affirmée ce pauvre Black Jack qui vraiment n'est pas un aigle et bat des ailes sans rime ni raison.

Tandis que le Président et le Premier ministre s'affrontent à fleurets de moins en moins mouchetés sur la scène publique, ces caricatures envoient des messages très intéressants à destination des électeurs hésitants. En résumé, Mitterrand affirme son empire, tandis que Chirac dilapide son énergie. Merci, bébêtes !

En 1988, avant le dimanche du deuxième tour de la présidentielle, la droite fait libérer trois otages au Liban. Déguisé en morse à accent anisé, Charles Pasqua, ministre de l'Intérieur, fait valoir aux ravisseurs qu'ils peuvent bien lui prêter les otages. « Je vous les rends après le week-end », ajoute sa marionnette.

La charge est dévastatrice et l'impact réel. Ce qui met en joie Mitterrand qui se délecte de ce spectacle quand il lui arrive de le découvrir à la télé. Taquin, il n'hésite pas à moquer ceux de ses proches transformés eux aussi en marionnettes. Il me lance : « Jack, vous êtes vraiment très bien en chèvre. Si, si, je vous assure, vous êtes le plus réussi. »

Il me faut digérer ma honte bêlante. Ce qui ne m'empêche pas de lui retourner que lui aussi est très réussi en grenouille, avec tout ce vert qui lui sied à merveille.

Dans les années 1990, « Les Guignols » imposent une logique autre. À l'inverse du Bébête show, ils ne passent plus par le prisme animal qui permet une mise à distance, une cocasserie de fabliaux. Les personnages prennent forme humaine, sont plus ressemblants. Et les charges sont plus lourdes, plus sombres, plus précises. Le Président devient un grabataire aigre et taciturne qui déteste la terre entière et la voue aux gémonies, comme si l'approche de la mort rendait méchant.

Devant ces exagérations sans compassion, Mitterrand cesse de regarder, s'en désintéresse. Maître en ironie, l'homme a aussi une forte capacité à tenir pour négligeable ce qui est outrancier.

# Kohl (Helmut)

L'homme est grand et fort. Helmut Kohl, le chancelier allemand, mesure 1,93 mètre et il a une démarche d'ours débonnaire. Il est cordial et facile d'approche. Il paraît tranquille et accommodant. Mais il y a de la constance et de l'obstination chez ce chrétien-démocrate né à Ludwigshafen.

Si Mitterrand a réussi à aller au bout de ses deux septennats, Kohl fait mieux en gardant le pouvoir pendant seize ans, de 1982 à 1998. Surtout, il réussit la prouesse d'accomplir la réunification allemande et de conserver les manettes à la suite de cette séquence difficile qui aurait pu torpiller bien des gouvernements.

*A priori*, Kohl et Mitterrand n'ont pas grand-chose en commun. L'un est CDU, l'autre appartient au PS. L'un aime les choses simples et les relations sans complication. L'autre est un intellectuel des plaisirs, un amoureux des livres et un observateur ironique de la nature humaine. Le plus jeune n'a connu la guerre qu'à la toute fin et y a perdu un frère aîné. Le plus ancien fut fait prisonnier, s'évada d'Allemagne, puis passa dans la clandestinité et sortit de la Résistance avec les honneurs.

Ils se ressemblent peu et pourtant leur duo va faire avancer l'Europe comme jamais. Ils font adopter le traité de Maastricht et élargissent l'Europe à la mesure du continent après la chute du Mur. Et je dois personnellement à Helmut Kohl son soutien décisif à la création de la chaîne franco-allemande (future Arte) et à notre combat pour le prix unique du livre devant la Cour de Luxembourg.

L'étonnant, c'est que les différences entre Kohl et Mitterrand sont autant de chances. Leurs relations sont chaleureuses, faites de simplicité et de camaraderie. Le soutien est mutuel. Ils viennent à la rescousse l'un de l'autre si nécessaire. Il y aura bien quelques tiraillements sur le rythme de la réunification allemande ou sur la guerre en ex-Yougoslavie. Mais rien qui remette en cause durablement cette alliance féconde.

Il fallait voir, sous les voûtes de Notre-Dame, en janvier 1996, Kohl essuyer ses lunettes après avoir pleuré à chaudes larmes la disparition de son allié et ami pour comprendre le lien étonnant qui les unissait.

# L

## Lang (Jack)

Je vous vois déjà sourire de cette entrée outrecuidante. Quoi ? Jack Lang ose insérer une entrée « Jack Lang » dans un dictionnaire amoureux consacré à Mitterrand ? Mais qu'est-ce que c'est que ce narcissisme au carré ? Il est devenu fou ?

Eh bien, oui, j'aime aussi Mitterrand parce qu'il m'a permis de mener à bien, contre vents et marée, une mutation culturelle qui sans lui n'aurait jamais vu le jour. Et qui sans moi n'aurait pas eu la même tonalité, la même couleur.

Voilà, c'est dit, sans modestie aucune. Mieux vaut affirmer ce que l'on croit, au lieu de se cacher derrière son petit doigt.

Je suis fier que grâce à François Mitterrand nous ayons changé la façon dont une France compassée abordait les affaires culturelles.

Je suis fier du 1 % du budget de l'État consacré à la Culture. N'allait pas de soi cette priorité donnée à ce qui était vu comme inessentiel. Et remarquons comment Mitterrand a tenu ses engagements.

Je suis fier de la loi sur le prix unique du livre qui a permis de protéger l'édition et les auteurs, sans parler des librairies qui rehaussent le niveau des quartiers qui, sans elles, deviennent des lieux uniquement marchands et perdent une partie de leur âme, de leur intelligence. Je suis heureux que subsistent quelques-uns de ces endroits secrets et apaisants où Mitterrand aimait tant aller feuilleter les dernières nouveautés.

Je suis fier d'avoir initié la fête de la Musique qui a permis à la France de Mitterrand, qui n'avait pas l'oreille beaucoup plus musicale que celle de son président, d'inventer un nouvel événement civique par lequel chacun devient acteur – et non plus consommateur passif – de la célébration de toutes les musiques du monde. Je suis heureux que, selon le mot d'Edgar Morin, « presque toute la planète communie le 21 juin ».

Je suis fier d'avoir facilité les apprentissages et la création culturelle, le spectacle vivant et la diffusion la plus vaste possible des œuvres, tout en garantissant les droits des auteurs.

Je suis fier d'avoir réussi à apaiser la guerre scolaire entre les Écoles privée et publique, d'avoir réussi à en finir avec un combat archaïque et inutile à l'heure de l'individualisation des approches, et ce après presque un siècle de bisbilles et de coups bas entre laïques et religieux.

Je suis fier d'avoir créé des classes européennes qui ont permis de mettre en place l'élitisme pour tous à l'école comme nous avons rendu accessible une culture haut de gamme à chacun.

Je suis fier d'avoir réhabilité des arts méprisés, d'avoir célébré des talents sous-évalués, d'avoir étendu le champ d'action du culturel.

Je suis fier que la culture jouée, chantée, dansée, lue, peinte ou dessinée ait soulevé le pays d'émotion, le portant plus haut que lui-même, plus haut qu'il n'imaginait pouvoir monter.

Je suis fier du droit d'asile accordé aux créateurs de l'Est et du Sud, de la nationalité française épinglée dès le 10 mai 1981 au revers du talent et de l'humanité de Julio Cortázar et de Milan Kundera, et de tant d'autres étrangers ensuite, Mitterrand prouvant ainsi qu'il tenait à ce que la France reste une terre d'accueil pour les réprouvés et les amis de la liberté.

Je suis fier du Grand Louvre que nous aimions tant François Mitterrand et moi, de la Grande Bibliothèque à livres ouverts qui porte désormais son nom et aussi des Zéniths qui accueillent des spectacles partout en France.

Je suis fier des colonnes de Buren qui rafraîchissent l'atmosphère compassée du Palais-Royal, projet que Mitterrand a soutenu, même s'il n'était pas convaincu par la beauté de l'œuvre. C'était ça, Mitterrand : la confiance faite à ceux avec qui il travaillait, la liberté accordée aux créateurs quel que fût son avis personnel.

Je suis fier de nos batailles au coude à coude pour défendre l'exception culturelle française et bâtir une Europe de la culture contre Hollywood et contre Washington, contre Bruxelles parfois et surtout contre les conglomérats débiles, contre tous ces fournisseurs de programmes télé indignes ou de soupes musicales en boîte.

Je suis fier de notre résistance à la pudibonderie toujours renaissante des fondamentalistes religieux. Je suis heureux d'avoir soutenu la liberté d'expression de Martin Scorsese qui a filmé *La Dernière Tentation du Christ*. Je suis redevable à François Mitterrand de m'avoir défendu contre les peurs qui agitaient jusqu'au gouvernement de Pierre Bérégovoy afin que la France puisse honorer au salon du Livre comme il le méritait Salman Rushdie sous le coup d'une fatwa de mort prononcée par l'imbécillité religieuse.

Je suis fier d'avoir été le ministre de la Culture puis de l'Éducation de François Mitterrand.

# Latche

Ce lieu-dit est situé dans les Landes, dans la commune de Soustons.

Le nom viendrait de lac, *lacus* en latin, ou de ruisselet, *latxa* en basque.

En tout cas, chez les Mitterrand, Latche se prononce Latch', sans le *e* final, et inutile de penser à dévier, le propriétaire est très à cheval sur la prononciation.

Latche se trouve tout près d'Hossegor et de ses villas du début du siècle. Mitterrand y avait ses habitudes d'été dans les années 1950. Latche est aussi situé à un jet de pierre d'Anglet, de ses plages immenses qui donnent sur l'Atlantique et de ses hautes vagues qui ravissent les surfeurs.

Mais Latche n'est ni une station balnéaire, ni un domaine maritime. À Latche, il y a surtout des bois, des pins, de la résine.

En 1965, Mitterrand achète une maison de gemmeurs du XVIIIe siècle à un baron du coin. C'est une maison landaise typique, flanquée d'une bergerie. Petit à petit, en terrien agrégeant parcelle après parcelle, Mitterrand agrandit son domaine qui finira par compter 45 hectares de pins et de bruyères.

Le paysan qui sommeille en lui réapparaît. Il n'a de cesse de planter des arbres. D'autorité, il entraîne ses visiteurs pour des promenades bucoliques où il fait valoir son érudition sylvestre. Tandis que l'on chemine sur les aiguilles de pin qui amortissent le bruit des pas, je me contente d'approuver chacune de ses considérations forestières. Urbain peu en prise avec la nature, je ne connais rien aux bois. Je ne me sens pas légitime en la matière. Ni extrêmement concerné... Le plus émouvant est de le voir caresser de ses mains courtes et fortes les troncs rugueux et craquelés avec un amour du végétal et une sensualité étonnante.

Le bâtiment principal se compose d'une grande pièce à vivre qui ouvre sur une terrasse où se déploient les transats en toile pour des discussions à l'ombre des parasols. À l'étage, les chambres sont petites et les lits resserrés. François Mitterrand a installé son bureau, sa bibliothèque et un lit d'appoint dans la bergerie. Avec le temps, deux chalets permettront de recevoir les amis et de ranger les livres en surnombre.

Au matin, François Mitterrand a un bel appétit. Il se tranche de larges tartines qu'il couvre de beurre, puis de miel ou de confiture. Il trempe le tout dans du thé ou du café au lait, comme à la campagne.

Pour visiter les amis et sillonner les environs, il conduit à la diable une Méhari. Cette voiture de baroudeur permet de cahoter sur les chemins forestiers et de foncer dans la nuit noire au retour des soirées lointaines. Pas spécialement as du volant, Mitterrand ne craint pas grand-chose et ne s'encombre ni de ceinture de sécurité, ni des subtilités du code de la route.

Latche est consubstantiel à l'image d'un Mitterrand bien planté, enraciné, averti des choses de la nature. Ce Charentais de naissance a fait carrière à Paris, comme toutes les élites françaises y sont contraintes. C'est dans la Nièvre qu'il a fait souche politique.

Mais Latche le rhabille en berger landais plus qu'en gentleman-farmer, en garde forestier à la D. H. Lawrence plus qu'en grand propriétaire survolant son domaine. Latche lui met de la résine sur les doigts et des aiguilles de pin dans l'encolure.

À Latche, les ânes qu'on entend braire font taire les trompettes de la renommée.

# Libertés, égalités, fraternités

À ses administrés du Morvan, François Mitterrand explique ainsi ses ambitions présidentielles qui l'éloignent de la Nièvre. Il leur dit : « Je veux prendre le pouvoir pour vous le rendre. »

1. Mitterrand est un grand libérateur de la société française. 1981 permet à la législation de rattraper son retard sur les comportements et les attentes du pays.

Giscard a déjà fait du chemin, il faut le reconnaître. Il a baissé l'âge de la majorité à dix-huit ans, instauré le divorce par consentement mutuel et légalisé l'avortement. Mitterrand va beaucoup plus loin, beaucoup plus fort. Il abolit la peine de mort, dépénalise l'homosexualité, supprime les juridictions d'exception comme la Cour de sûreté de l'État, désengorge les prisons, développe la liberté d'expression dans l'audiovisuel et dans la presse et, réforme majeure, il engage la décentralisation qui permet aux maires et aux conseillers généraux de ne plus être sous tutelle des préfets.

2. Mitterrand est un « égalisateur » convaincu de la société française. Il va aller moins loin qu'il ne le souhaitait en matière économique. Mais il s'attaque aux discriminations entre hommes et femmes, entre jeunes et vieux, entre chômeurs et salariés, entre Français de diverses origines.

Les premiers mois après 1981 sont somptueux en matière d'avancées. Les droits des salariés augmentent. Le Smic grimpe, le départ à la retraite se fait à 60 ans, les 39 heures sont payées 40 et les salariés obtiennent une cinquième semaine de congés payés. L'impôt sur les grandes fortunes est créé. Les nationalisations permettent de définir une stratégie industrielle.

Les difficultés économiques et les réticences du patronat et de la finance compliquent la tâche. Après 1988, le RMI et la CSG contribuent à promouvoir cette égalité dont se méfie le libéralisme.

3. Mitterrand est aussi un « fraternisateur » important de la société française. La culture pour tous joue un grand rôle en ce domaine. Cela part de l'idée que la musique, le théâtre, la littérature, la danse ou la peinture favorisent la vie en société, développent les imaginaires et rapprochent les citoyens.

D'abord, il faut entreprendre un travail de fond : favoriser l'enseignement, faciliter la créativité de tous comme la création des meilleurs et mettre à disposition des équipements adaptés. Enfin, il faut que des événements fédérateurs et des bâtiments symboliques magnifient ces pratiques.

La fête de la Musique est sans doute la nouveauté la plus représentative de cette démarche démocratique. Un jour par an, la musique descend dans la rue. Les amateurs se mêlent aux professionnels. C'est à la fois une animation festive, un partage des connaissances et une transmission entre générations, entre connaisseurs et béotiens. Cela permet de fraterniser en apprenant, en s'amusant, en se réappropriant la ville.

À partir de cet événement matrice, nous concevons d'autres initiatives invitant les citoyens à se faire eux-mêmes acteurs du changement : La rage de lire, la fête du patrimoine, La ruée vers l'art, le bicentenaire de la Révolution française, Photo Folio…

Après Mitterrand, la France est plus libre, un peu moins inégalitaire et s'est inventé de nouvelles formes de fraternité.

# Livres

En France, les hommes politiques se doivent d'avoir des lettres. Longtemps, les présidents de la République ont dû en remontrer aux meilleurs en ce domaine. Aujourd'hui, il leur faut plutôt rester en veille sur les réseaux sociaux et maîtriser les 140 signes de Twitter pour réagir sur tout et rien, sans attendre grand-chose en retour qu'une présence permanente et insignifiante, émotionnelle et creuse.

Les deux chefs de l'État qui ont marqué l'histoire de la fin du dernier siècle avec le plus de force sont sans doute aussi les deux écrivains les plus reconnus.

Charles de Gaulle est entré dans la Pléiade et a fait une incursion dans les programmes de français des lycées. Mitterrand pourrait prétendre à la même reconnaissance. Au-delà de ses essais politiques, c'est un chroniqueur pertinent et moqueur, incisif et précis, gambadeur et féroce. Il réunit ses billets d'humeur et ses croquis au fusain dans des recueils nommés *La Paille et le Grain*[1] et *L'Abeille et l'Architecte*[2]. Il y évoque les combats du moment et les promenades en forêt, les amis croisés et les pensées qui volettent au gré de l'air du temps, les voyages au bout du monde et les foires aux bestiaux dans son cher Morvan. Il s'indigne sans pathos, s'évitant la pleurnicherie, toujours soucieux de retenue. Mais il porte le fer en bretteur rêche à la plume impavide, en Lagardère étoilant le front bas de ses adversaires de sa botte de Nevers.

L'écrivain chez Mitterrand se méfie de l'emphase, du lyrisme, du ronflement des grandes orgues de l'émotion

---

1. François Mitterrand, *La Paille et le Grain*, *op. cit.*
2. *Id.*, *L'Abeille et l'Architecte*, Flammarion, 1978.

quand le tribun y a recours, et avec quel talent, même s'il sait baisser d'un ton, lapider d'un adjectif, retrouver le ton de la conversation. À la télévision, face à Bernard Pivot, lors d'une émission d'« Apostrophes », il se moque de lui-même. Il dit : « Écrire de façon éloquente ou oratoire a le don de m'exaspérer. Si bien que je m'exaspère moi-même. » À l'écrit, il aime le mot juste, mais se méfie des termes maniérés, rares et précieux. Il rature, il élague, il raccourcit. Il a sans doute fraudé avec son envie d'être romancier. La politique l'a saisi au collet pour ne plus le lâcher.

À Elie Wiesel qui lui demande si, adolescent, il voulait être écrivain, il répond : « Si jamais j'avais eu une ambition, elle aurait été celle-là. Mais je me voyais plutôt dans la peau d'un tribun de la Convention. J'écrivais les discours à leur place. »

Il ne tient pas de journal des événements. Il griffonne des notes, des idées, compile les mémos qu'il range soigneusement.

Il est conscient que le choix de la chronique où il excelle est une manière de rester un passant de la littérature, un visiteur de l'écrit. C'est une dérobade agréable qui le dispense d'une nécessité qu'il n'a pas voulu faire sienne. À Pivot, il avoue : « La chronique présente sur le plan littéraire l'énorme danger de s'en tenir à un seul fait, à une seule idée, sans aucun prolongement. Il y a donc dans ce type de livres, dans ce recueil de chroniques une facilité redoutable. »

Mitterrand est un lecteur régulier, permanent. Je l'ai toujours vu un livre à la main. Dans un train ou un avion, un livre est un excellent paravent derrière lequel se cacher et une bonne façon de refroidir les solliciteurs. Quand on parcourt la presse à grand bruit de pages froissées, les visiteurs pensent que votre souci d'actualité témoigne que vous restez présent au monde, ouvert à l'autre. Quand on se plonge dans un ouvrage relié ou même dans un livre de poche, on intimide et on repousse. Perdu entre les pages, on conquiert cette tranquillité nécessaire au retour sur soi.

Mitterrand est l'ami d'écrivains, ce qui ne veut pas dire qu'il porte forcément leurs œuvres aux nues. Il apprécie le charme de Françoise Sagan, l'extravagance de Marguerite Duras, la malice d'Albert Cohen ou l'atmosphère bucolique de l'ancien presbytère où vit Michel Tournier.

Mitterrand connaît aussi parfaitement François Mauriac. À son arrivée à Paris, sur recommandation de sa mère aux relations très catholiques, il fait sa visite au grand écrivain. Malgré leurs désaccords politiques, ils nouent une relation longue et féconde autour d'un déjeuner hebdomadaire. Mauriac prend la défense de Mitterrand lors de l'affaire de l'Observatoire quand il n'y a plus grand monde à monter la garde.

À l'Élysée, le Président s'entoure de conseillers à la culture qui sont tous écrivains. Paul Guimard, Erik Orsenna, Régis Debray ou Laure Adler savent observer, savent rédiger, savent relativiser. Ils ont souvent l'humour nécessaire pour tenir à distance narquoise la furie de l'actualité.

Au cours de ses promenades et flâneries littéraires, François Mitterrand s'accorde souvent une pause avec Pierre Bergé, un autre passionné des livres, un bibliophile averti. C'est un esthète délicat et rêveur. Tout comme François Mitterrand, Pierre Bergé est lui aussi un véritable prince de la Renaissance, un Laurent de Médicis amoureux des arts et des artistes. Ensemble, ils discutent et dissertent avec passion. Ce sont deux hommes de culture, férus de beauté et de l'ivresse des mots.

On a longtemps réduit les goûts littéraires de Mitterrand à Jacques Chardonne, voisin charentais, modèle de jeunesse un peu jauni, ou à Lamartine, poète négligé et homme politique méconnu. Il faut y ajouter des classiques comme Zola, Stendhal, Flaubert, Chateaubriand, Tolstoï, Dostoïevski. Ou des figures du siècle dernier comme Proust, Bernanos, Claudel, Gide, Drieu la Rochelle, Jules Renard.

Mitterrand est très français de culture et de références, mais c'est un lecteur ouvert sur le monde. Nous échangeons avis et critiques. Il connaît parfaitement les Italiens Alberto Moravia que j'invite à Paris à nos multiples symposiums et Leonardo Sciascia. Je lui fais découvrir de nouveaux venus, il me donne son sentiment. Lui est peu enclin à jouer les prescripteurs de lecture. Il estime qu'il s'agit d'un libre choix qui souffre peu la recommandation, aussi bienveillante soit-elle.

Le Brésilien Jorge Amado, le Turc Yachar Kemal, le Mexicain Carlos Fuentes et bien sûr le Colombien Gabriel García Márquez sont devenus des amis et des soutiens de la gauche française. Je m'y suis employé dans la mesure de mes moyens. Je tiens à ce que les uns et les autres bénéficient du droit d'asile si nécessaire et soient célébrés comme ils le méritent lors de festivals, de colloques ou de remises de médailles.

Amateur de flâneries en librairies, Mitterrand soutient avec force la loi sur le prix unique du livre. Grâce à cette disposition, les Français peuvent encore croiser des connaisseurs avenants dans leur librairie de quartier, au lieu d'aller se perdre dans l'anonymat consumériste des grandes surfaces.

# M

# Maastricht

En septembre 1992, la France est appelée à ratifier le traité de Maastricht qui crée une citoyenneté européenne et une monnaie unique, établit la liberté de circulation et d'établissement dans les pays de l'Union.

À la Sorbonne, le débat télévisé sur la question est un moment intense du second septennat.

Face à Philippe Séguin qui représente les bataillons hétéroclites des nonistes qui mélangent les types de refus, Mitterrand défend sa vision de l'Europe.

Éprouvé par la maladie, se retirant quelques minutes pour retrouver des forces, le Président prend de la hauteur devant un Séguin respectueux dans son opposition et prévenant devant la faiblesse physique de son contradicteur.

Sans une seule note, Mitterrand fait valoir clairement ce qui a toujours été son objectif : réussir une Europe de la paix. Et ce d'autant plus à l'heure où, aux frontières de l'Union, les Balkans s'embrasent et mettent le feu à leurs nationalismes.

Il veut « une France forte dans une Europe capable de résister aux agressions extérieures ». Et il insiste : « L'Europe cristallise beaucoup de peurs : peur du changement, peur de la modernisation, peur de l'ouverture au monde et aux autres. C'est un paradoxe. On projette sur l'Europe des menaces imaginaires alors qu'elle nous protège de risques bien réels. »

Le traité de Maastricht découle directement de la chute du mur de Berlin et de la possible déstabilisation du continent. Mitterrand et Kohl veulent arrimer l'Allemagne à l'Europe. Ils vont y parvenir parfaitement. Par contre, Maastricht est le début d'une intégration économique sans union politique.

Le couple franco-allemand met en chantier la monnaie unique, fonde la BCE et garantit la libre circulation des citoyens au sein de l'espace européen.

La France ne réussit pas à imposer l'harmonisation fiscale qui va permettre les divers dumpings encore en cours. Mais la Grande Nation peine aussi à se défaire de ses prérogatives régaliennes.

Autant Kohl veut aller vers plus de fédéralisme, un budget renforcé et une délégation de souveraineté, autant Mitterrand est prudent, conscient des réticences montantes de sa population qui fait de moins en moins confiance à Bruxelles.

Comme beaucoup d'Européens convaincus, Mitterrand pense l'inverse de De Gaulle. Il s'est fait à l'idée que ce n'est pas à l'intendance de suivre, mais à l'économie de tracer le chemin. Depuis le pacte charbon-acier, cela marche ainsi. Pourquoi presser le pas, tant que la bonne cause avance et que les fondamentaux sont respectés.

Mitterrand reste marqué par la guerre et tient à ancrer la paix de part et d'autre du Rhin. C'est sa conviction profonde et son ardente obligation. Mitterrand tient à faire valider ce traité par le suffrage universel. Sur l'organisation d'un référendum, nous sommes en désaccord. Le traité est complexe et difficilement assimilable dans son entier, même pour le spécialiste de droit constitutionnel que je suis. Et puis, j'ai toujours été perplexe devant les procédures plébiscitaires. Je sais la capacité de notre peuple frondeur, revêche et contestataire à répondre à côté de la question qui lui est posée.

Au début de la campagne à laquelle je participe comme porte-parole avec Élisabeth Guigou, les sondages sont bons. Mais, malgré la vaillante campagne menée par le chef de l'État et un fabuleux comité de soutien constitué par ma femme Monique, le « oui » ne l'emporte que de peu, à 51,04 %.

La défiance envers le fait européen est en germe. Elle va se développer et prospérer jusqu'au « non » au traité constitutionnel de 2005. Ce nouveau référendum, perdu cette fois par ses initiateurs, abîme durablement le lien de confiance entre les citoyens et l'Europe.

Qu'aurait fait aujourd'hui Mitterrand pour restaurer la confiance dans cette superbe utopie qu'il a contribué à rendre réelle ? Je veux croire qu'il aurait su faire avancer le fédéralisme, acceptant des délégations de pouvoir afin de ne pas tout perdre dans l'isolationnisme de nations rapetissées par la mondialisation.

J'espère qu'il aurait su instaurer un gouvernement économique communautaire faisant pendant au pouvoir de la BCE. Et qu'il aurait poussé la politique des grands projets européens, afin de faire naître de nouveaux Airbus dans le secteur du numérique ou des biotechnologies.

Surtout, je suis certain qu'il aurait relancé les relations éducatives et culturelles, multipliant les bourses Erasmus pour les étudiants, les jumelages de villes, les coproductions audiovisuelles et artistiques. Je suis sûr aussi que sous son impulsion l'Europe se serait grandie en accueillant fraternellement les réfugiés chassés par les guerres impérialistes de l'Occident et par les dictatures.

## Mai 68

François Mitterrand passe à côté de Mai 68, et dans les grandes largeurs. L'incompréhension est totale entre un politique classique, croyant à la démocratie représentative, et un mouvement jaillissant et spontané, une révolte culturelle et sociétale.

Non seulement Mitterrand ne « fait » pas 68, mais celui-ci n'est pas loin de le laisser hagard et détruit.

Avant Mai, le brillant candidat de la gauche à la présidentielle de 1965 est en phase de construction d'une opposition crédible au gaullisme régnant et au communisme qui, derrière ses discours maximalistes, joue parfaitement l'opposant de Sa Majesté.

Mitterrand regarde les étudiants chevelus comme des fils à papa qui font leur crise d'adolescence et s'agenouillent devant des théories révolutionnaires qu'ils psalmodient comme de nouveaux cantiques. Il les détaille sans aménité : « Mai 68, c'était la révolte de jeunes bourgeois catholiques contre l'hypocrisie de leurs parents. » Et il ajoute : « Jouer 1848 un demi-siècle après Lénine n'était pas une preuve sublime de maturité. »

Eux le caricaturent en homme du passé, à la montre arrêtée sur des pratiques archaïques. Ils le méprisent et le dépeignent en politicard fini, incapable de comprendre la critique de la société de consommation et les aspirations métaphysiques qui les animent.

Quand le pays s'embrase et que de Gaulle fuit à Baden-Baden, Mitterrand commet une erreur d'analyse. Il ambitionne d'occuper le pouvoir vacant. Il offre ses services à un mouvement qu'il ne comprend pas et qui déteste ce qu'il représente. L'analyse est fausse et l'erreur fatale. Les étudiants le voient comme un opportuniste, la classe politique tous bords confondus le tient pour un putschiste au petit pied. Mendès France, qui lui aussi se glisse en silence sur l'avant-scène, ne subit pas l'opprobre réservé à Mitterrand et à son empressement.

Ce dernier va mettre un moment à s'en remettre. Il laisse passer la présidentielle de 1969, courbe l'échine sous l'orage de la réprobation. Sans bruit, opiniâtre comme toujours quand la réalité lui résiste, il creuse les fondations du PS et en maçonne les premières pierres en 1971, au congrès d'Épinay.

Ses relations avec la nébuleuse gauchiste sont profondément perturbées. Il se fait huer sur le plateau du Larzac, injurier par les Maos, bousculer par le Professeur Choron, l'un des fondateurs de *Charlie Hebdo* et d'*Hara Kiri*. À l'époque, Mitterrand se voit comme « l'un des hommes les plus détestés de France ». Il n'a sans doute pas tort. C'est d'autant plus dommageable que la rupture est la plus vive avec ceux dont il devrait être le plus proche.

Mitterrand est pour la justice sociale et pour la liberté des idées et des mœurs. Il n'invoque pas le Grand Soir, mais à sa manière paysanne, entêtée, il va faire plus pour la modernisation égalitaire et libertaire du pays que beaucoup de ses contempteurs.

Sous couvert de célébrer la créativité de la société civile, ceux-ci ne tarderont pas à se faire les zélotes de la libre entreprise et les détracteurs de la fonction publique et du colbertisme, quand Mitterrand, lui, tentera de défendre les vertus de l'économie mixte.

La méfiance de Mitterrand envers Rocard date peut-être de 68. Rancunier, le futur héros de la gauche se défie de tout ce qui lui rappelle le PSU, la CFDT, cette deuxième gauche qui naît dans les brumes lacrymogènes de Mai et qui n'aurait jamais imaginé solliciter son parrainage.

Après Mai, la ligne est durablement coupée entre la jeune garde et Mitterrand. D'autant que celui-ci sait tremper sa plume dans le fiel. Le chroniqueur a la dent d'autant plus dure envers ses cadets que ceux-ci lui ont ri au nez. Il décrit leurs ridicules comme le serpent instille son venin. Il verse du vinaigre sur leurs vanités pour faire apparaître un manque de constance et un futur d'abdications. Il écrit : « Il me suffisait de les écouter parler pour distinguer d'où ils venaient et ce qu'ils incarnaient. Finalement, c'était de la graine de notaire. Je les imaginais à quarante-cinq ans avec des bésicles. » Il insiste : « Les meneurs ont éculé le formulaire marxiste, freudien et structuraliste dont ils n'ont extrait qu'un charabia pâteux. »

Il semble un moment confesser une forme de complicité avec le peuple manifestant : « Quel abîme entre la merveilleuse floraison murale et le galimatias des meetings. Ici des perroquets ennuyeux, là des poètes-philosophes avec au bout des doigts des crayons de couleur à la sagesse ailée. » Mais tout de suite, l'homme de cinquante-deux ans bat en arrière, joue les censeurs et fait vraiment son âge : « Distinguer dans l'apothéose du sexe, l'exaltation du débraillé et la perversion du vandalisme, le besoin d'une ascèse relève d'une extrapolation abusive. » Cela avant le coup de pied de l'âne : « 68 n'est pas une révolution. C'est une singerie de révolution. Il ne s'est rien passé. » Et enfin : « Rêve plus évolution ne font pas la révolution. »

En 68, j'ai vingt-neuf ans et je trouve que le mouvement de Mai est d'une beauté renversante. J'en perçois la diversité, la complexité, la profusion. 68 est une insurrection des modes de vie, plus qu'une tentative de prise de pouvoir. Le monde du théâtre et de l'université où j'évolue est particulièrement bousculé et s'ouvre au grand dehors, à des formes d'expression qui le sortent de l'académisme.

Je regrette que, pour de mauvaises raisons et pour cause de hasards malheureux, Mitterrand et Mai se soient manqués à ce point.

Pour autant, mai 1981 sera une manière d'accorder à la société française des libertés réclamées par Mai 68. Grâce à Mitterrand qui a détesté Mai, le 10 mai 1981 donnera raison et satisfaction à 68.

# Maggie (Thatcher)

Les relations entre Margaret Thatcher et François Mitterrand sont ambivalentes. Politiquement, ils n'ont rien en commun.

La dame de fer est une libérale conservatrice. À Londres, elle privatise les entreprises nationales et les services publics, baisse les impôts directs, maîtrise l'inflation et combat les syndicats.

À Paris, Mitterrand nationalise banque et industrie, adopte une politique de relance, octroie les 39 heures et la cinquième semaine de congés payés aux salariés, et fait voter les lois Auroux sur les droits des travailleurs.

À Londres, Maggie la Britannique va au bout de l'intransigeance face aux nationalistes nord-irlandais ou aux mineurs en grève. Elle se distingue par un atlantisme véhément, un anticommunisme tapageur et une fibre européenne assez douteuse.

À Paris, François le Français se soucie de rééquilibrer les rapports Nord-Sud, regarde avec circonspection la guerre des Étoiles lancée par Ronald Reagan, prend langue avec Mikhaïl Gorbatchev, ressoude le couple franco-allemand pour faire avancer l'Europe.

Pour autant, les deux dirigeants se côtoient de sommets européens en G7. Vétérans de ces rencontres, ils vont apprendre à se connaître, si ce n'est à s'apprécier.

Malgré méfiance et affrontements, malgré éloignement idéologique et jeu du chat et de la souris entre l'homme et la femme, Mitterrand et Thatcher réalisent le tunnel sous la Manche, histoire d'ancrer l'île au continent, si ce n'est à l'Union européenne.

De même, la France soutient l'Angleterre lors de la guerre des Malouines, manière de rendre hommage à la grande alliée de la Seconde Guerre mondiale plutôt qu'au bellicisme de Thatcher.

Lors de la commémoration du bicentenaire en juillet 1989, Mme Thatcher se révèle égale à elle-même. Dans un entretien au *Monde*, elle fait valoir qu'en matière de Droits de l'homme et de démocratie, c'est l'Angleterre qui a innové. Elle soutient que, en 1789, la France n'a fait que suivre. Elle n'a pas complètement tort. Puis, elle met en cause la Terreur de 1793 qu'elle décrit comme consubstantielle à l'esprit des guillotineurs de 1789 et annonciatrice des exactions bolcheviques. Elle continue à creuser le même sillon en s'opposant à l'élargissement du G7 aux pays du Sud souhaité par Mitterrand.

Sur le parvis du Trocadéro, pendant la cérémonie des Droits de l'homme, elle se fait siffler. Elle est l'invitée de la France et il nous faut veiller à ce que cela ne se reproduise pas. Nous modifions son programme afin de lui éviter les bains de foule. Le jour du défilé militaire du 14 Juillet, le soleil darde ses rayons sur sa nuque à peau claire. Et je me dévoue pour lui faire l'ombre nécessaire à la préservation de sa blondeur. Ce qui n'aura aucun impact sur sa détermination à ne rien céder à ces damnés Français.

Un an et demi plus tard, une occasion nous est offerte d'admirer sa maîtrise. Lors du dîner de gala à Versailles qui clôt, le 19 novembre 1990, la Conférence pour la sécurité en Europe, elle apprend que les députés conservateurs s'apprêtent à lui retirer leur confiance. Rien ne paraît sur son visage.

# Mandela (Nelson)

Au début des années 1980, Mitterrand connaît mal la situation en Afrique du Sud. Cela ne fait pas partie de son univers. Il connaît les pays francophones de l'Afrique subsaharienne pour en avoir eu la charge sous la IVᵉ République. Il est moins au fait de ce qui se passe en dessous de l'équateur. Comme nous tous, il est antiapartheid par réflexe, pour une question d'humanité blessée. Mais il est loin de percevoir la réalité de ce pays étonnant.

Je lui fais valoir l'intérêt du boycott. Surtout, je lui fais rencontrer les écrivains Breyten Breytenbach et Nadine Gordimer. Il croise Johnny Clegg, le Zoulou blanc qui se produit dans les concerts organisés par SOS Racisme.

Lors d'un symposium sur les Droits de l'homme que j'organise à Paris à la demande de Laurent Fabius, Desmond Tutu, l'évêque du Cap, adjure le président français de faire plus, de faire mieux. Il lui demande de rappeler l'ambassadeur de France à Pretoria, de pousser les entreprises françaises à sanctionner le régime d'apartheid. Ce qui sera fait sous le gouvernement Fabius.

1990. On est en juin et, pourtant, il pleut formidablement sur les espoirs enfin aboutis et sur deux hommes qui me tiennent particulièrement à cœur.

La France rend hommage à la nouvelle Afrique du Sud qui sort enfin des brumes du racisme. François Mitterrand reçoit Nelson Mandela, tout juste sorti de vingt-sept ans de prison. À leurs côtés se tiennent leurs épouses, Danielle qui a tant fait pour que personne n'oublie l'embastillé, Winnie qui a mené les combats à sa façon, parfois contestable, mais toujours offensive.

Le leader antiapartheid a conquis au long de l'enfermement une douceur et une mansuétude qui n'altèrent pas la force de ses convictions. Au contraire… Poing levé au bout d'un bras qui flotte comme apaisé, léger sourire aux lèvres, il salue le peuple de Paris assemblé. L'homme de la patrie arc-en-ciel remercie la patrie tricolore pour son soutien. Et il n'a jamais été autant à sa place que dans ce crépuscule mouillé, debout face à la tour Eiffel, célébré sur le Parvis des Libertés et des Droits de l'homme comme nous avons rebaptisé le Trocadéro. Cent violonistes, dirigés par Didier Lockwood et tout de blanc vêtus, interprètent l'hymne révolutionnaire de l'Afrique du Sud.

1994. Mandela vient d'être élu. Mitterrand est le premier chef d'État étranger à le visiter. Auparavant, en 1993, Mandela a reçu le prix Nobel de la paix qu'il partage, magnifique symbole, avec Frederik De Klerk, son opposant afrikaner du Parti national. Mandela commente : « Pour faire la paix, c'est avec son ennemi qu'on doit parler, puis travailler. Et cet ennemi finira par devenir votre partenaire. » Mitterrand salue cet honneur redoublé : « On ne soulignera jamais assez cet instant magique durant lequel l'intérêt supérieur de la nation et, ici, de l'humanité dépasse les clivages les plus profonds et rompt avec une sorte de malédiction. Une révolution s'est enclenchée avec la rencontre de ces deux hommes. Aucun prix Nobel de la paix n'a été si mérité. »

« Madiba » s'engage dans un processus délicat d'apaisement des tensions et des haines. Il fait ce que n'a pas fait la France à la Libération. Au lieu de se livrer à une épuration indigne ou de repeindre le passé en rose, il initie une démarche intitulée « Vérité et réconciliation ». S'il y a aveu et versement d'indemnités, les actes délictueux liés à la ségrégation sont amnistiés.

La visite en Afrique du Sud se termine par une promenade au soleil couchant dans les rues de Soweto, le fameux township. Mitterrand et Mandela marchent tranquillement côte à côte, entre les baraques de planches et les bidonvilles. Ils saluent la compagnie alentour, serrent la main des gamins qui leur font cortège. Il y a là un Blanc et un Noir qui devisent paisiblement comme si c'était la chose la plus naturelle du monde. Et c'est la chose la plus naturelle du monde. Il traîne dans l'air des relents de poussière, une âcre odeur de charbon, de la fumée monte des braseros.

C'est un moment parfait que je chéris entre tous. D'autant que cette fois, il ne pleut pas.

# Marigot

On est en 1949. Secrétaire d'État à la présidence du Conseil dans le gouvernement d'Henri Queuille, Mitterrand découvre l'Afrique noire.

Il a trente-trois ans et prend le temps qu'il faut pour comprendre un monde tout à fait autre. C'est lors d'un long voyage au Congo qu'il se fait photographier... dans un marigot.

Regardons-le s'y ébattre. Cela renseigne sur sa capacité à se mettre dans le bain et à mouiller sa saharienne. Le tirage a la netteté en noir et blanc des grands films de la Metro ou de la Fox. On se croirait dans un mélo hollywoodien Dans la mare fétide, pataugent quatre personnages en quête de crocodile et en attente de scénariste. On est au Congo et il ne manque que Tintin et Milou. Le plus décontracté des quatre se tient en arrière-plan. Il a remonté haut sur les cuisses son pantalon de toile blanche pour ne pas le mouiller. Il a la main sur la hanche comme si tout ça n'était pas très sérieux, ce qui est exact. Il fait cette petite moue d'incompréhension des gens responsables qu'on met dans des situations malencontreuses, un peu risibles, un peu comiques, un peu grotesques. Il est de ceux qui se tiennent toujours légèrement à l'écart et qui ne gobent jamais tout à fait les fariboles qu'on leur raconte.

À ses côtés, se tient une dame effrontée, mains dans les poches de son jodhpur blanc, chemisier sombre. Elle regarde droit devant elle en direction d'une autre femme, brune, bouclée, qui a l'air tout aussi enjouée. Cette dernière porte une tenue qui pourrait être une combinaison de mécano et qui est trempée jusqu'aux cuisses. Riant de la bonne farce à laquelle elle participe, elle aussi a les mains dans les poches qu'elle fait ressortir comme si elle tenait des pistolets sous le tissu.

Le plus concerné de la troupe porte le casque colonial et tient un fusil à la main. Acteur concentré sur sa partition, il est celui qui joue le mieux le jeu sans trop savoir lequel. Pour corser le tout, notre Rudolph Valentino du Congo ose un petit sourire conquérant plus que coquin.

Si l'on fait défiler le générique par ordre d'apparition à l'écran, on distingue un futur président de la République française, la femme du haut-commissaire de la République pour l'Afrique-Équatoriale, l'épouse du futur président et le maire d'Orléans.

Deux ans après cette éclaboussade africaine, la farce tournera au drame pour ce dernier. Il sera descendu de cinq balles le lendemain de sa nomination comme secrétaire d'État à l'Enseignement technique, à la Jeunesse et aux Sports. C'est sa femme qui l'abattra, jalouse d'une liaison passée, inquiète de la capacité du surcroît de séduction supplémentaire que son nouveau poste pourrait lui apporter et tenant la promesse qu'elle lui avait faite de le tuer s'il acceptait cette nomination.

Quant aux relations de Mitterrand avec l'Afrique noire, elles n'auront rien d'une comédie dramatique, ni d'une pochade pour peuplades européennes.

Il ne connaît pas l'Afrique subsaharienne. Il va sur place et accomplit deux voyages déterminants. L'un le mène de Brazzaville à Pointe-Noire au Congo, et c'est là que la photo dont il vient d'être question est prise. L'autre le voit traverser le continent de part en part, depuis la côte ouest jusqu'en Jordanie, avec retour par Le Caire.

Il raconte : « J'avais accompli en 1949 un long périple dans les territoires d'Afrique noire. J'en étais revenu brûlant du désir d'agir en ce domaine nouveau pour moi. J'avais vu l'Afrique en mouvement mais incertaine, hésitante, souffrante. »

Il découvre surtout un système d'exploitation des « indigènes » par des entrepreneurs et des commerçants aux privilèges indignes, protégés par des administrateurs et une justice partiale.

Au Parlement, il se rapproche des jeunes Turcs du Rassemblement démocratique africain (RDA), regroupement de députés du continent noir. Beaucoup d'entre eux deviendront les chefs des États africains nouvellement indépendants. Et Mitterrand, lui, sera bientôt ministre de l'Outre-Mer, poste qu'il appréciera particulièrement.

En Afrique noire, Mitterrand gagne ses galons de bradeur d'empire. Ce dont il faut le féliciter.

Et c'est aussi en Afrique noire qu'il chrome un antigaullisme de combat qui est surtout un refus de la droite réactionnaire et colonialiste.

Dans *Le Coup d'État permanent*, il écrit : « Nulle part mieux qu'en Afrique, le comportement des compagnons du général de Gaulle, ultras parmi les ultras, ne révéla davantage leur véritable identité politique. Ils y semèrent la haine, entretinrent le désordre, fomentèrent la guerre civile.

« À Madagascar, au Tchad, au Moyen-Congo, au Soudan, en Côte-d'Ivoire, par leur sottise et leur outrecuidance, ils provoquèrent l'émeute avant de réchauffer, par goût de vengeance, la répression.

« Les lois qui tendaient à établir plus de progrès, plus de justice, furent votées en dépit de leur opposition. Avec acharnement, ils défendirent les privilèges des minorités insolentes, des compagnies abusives, des capitaux spéculateurs. »

À la toute fin de sa vie, dans ses *Mémoires interrompus*[1], il refusait d'en changer un mot.

---

1. François Mitterrand, *Mémoires interrompus. Entretiens avec Georges-Marc Benamou, op. cit.*

# Mauroy (Pierre)

Dès 1981, François Mitterrand et Pierre Mauroy réforment tambour battant. L'action menée par les trois gouvernements Mauroy porte haut l'étendard de la gauche. Abolition de la peine de mort, 39 heures, cinquième semaine de congés payés, retraite à 60 ans, lois Auroux, nationalisations, impôt sur les grandes fortunes, décentralisation, suppression de la Cour de sûreté de l'État, dépénalisation de l'homosexualité, remboursement de l'IVG, loi sur le prix unique du livre, doublement du budget de la Culture. Je suis fier d'avoir appartenu à ces gouvernements et d'avoir ainsi contribué à faire évoluer durablement ce pays vers plus d'égalité et de liberté.

Il n'y a sans doute pas plus dissemblables humainement que Mauroy et Mitterrand. Et pourtant, une relation profonde, aussi affective que politique, se noue entre eux et survivra aux vicissitudes de l'exercice du pouvoir.

Mauroy a une trajectoire de militant de gauche de toujours, quand le jeune Mitterrand est venu de la droite. Fils d'instituteur, Mauroy est d'un Nord social et catholique, loin des Charentes petites-bourgeoises de Mitterrand. Aîné de sept enfants, Mauroy est trop jeune pour avoir connu la guerre, ce qui en fera toujours le cadet historique et symbolique de Mitterrand.

Mauroy adhère à la SFIO dès ses dix-sept ans. Il enseigne quelque temps comme professeur d'histoire et géographie en collège technique, mais il devient vite représentant syndical à la Fédération de l'éducation nationale (FEN). Il est aussi le fondateur de la Fédération Léo-Lagrange, qui veille à l'accès des jeunes aux loisirs et à la culture.

Autant Mitterrand est un maraudeur qui fait le siège du PS et l'emporte à la hussarde, avant d'en faire un parti à sa mesure et à sa main, autant Mauroy est un enfant de la balle qui fait assaut de continuité et tente toujours de préserver la vieille maison, même quand elle se métamorphose.

Mauroy multiplie les postes de responsabilités sans en négliger aucun, tant qu'on reste au cœur de l'identité socialiste française. Pour commencer, il est secrétaire des Jeunesses Socialistes. À l'heure du terrible congrès de Rennes, il sera premier secrétaire du PS au grand dam de Mitterrand qui aurait voulu y installer Fabius. Il sera enfin président de l'Internationale socialiste, où il fera rentrer les ex-pays de l'Est, et président de la Fondation Jean-Jaurès, un organisme d'études et de recherches.

Entre Mitterrand et Mauroy, c'est une alliance des contraires qui convient au tempérament de chacun. Mitterrand est un chef, rapide et tranchant, séducteur et ravageur. Mauroy est un second, accommodant et secourable, consolateur et rassembleur.

Au début, Mitterrand est un irrégulier à panache, amateur de coups de main et de prises d'assaut. Mauroy, lui, sait organiser, tenir ensemble, sécuriser ceux que Mitterrand peut bousculer.

Mauroy admire Mitterrand, sa capacité à emporter l'adhésion, sa ténacité devant l'adversité et surtout sa vision de l'avenir. Dès qu'il le rencontre, il évalue son envergure à sa juste mesure. Il se souvient : « En 1965, Mitterrand m'est apparu un peu comme le Grand Meaulnes. C'est celui qui nous donnait le sentiment de pouvoir ouvrir des chemins impraticables par d'autres. »

Comme le héros d'Alain-Fournier, Mitterrand fascine par une intelligence des situations différentes, par une aura mystérieuse qui ne cesse de nimber son sillage.

De là à dire que Mauroy n'est qu'un suiviste obéissant, il y a un monde. Sous ses dehors bonhommes, Mauroy est un redoutable tacticien.

À Épinay, en 1971, c'est Mauroy et Defferre qui font tomber le PS naissant dans l'escarcelle de Mitterrand en lui apportant les votes de la fédération du Nord et ceux de celle des Bouches-du-Rhône.

En 1979, avant le congrès de Metz, c'est encore Mauroy qui déstabilise Mitterrand et le ravale au rang des archaïques pour se rallier à la nouveauté Rocard qui a la faveur des sondages et des médias. Pugnace, Mitterrand résiste et s'en sort en nouant des alliances autres. Très vite, Mauroy s'en veut de ce manquement à l'amitié. Un jour où je déjeune chez lui, il me demande de faire passer un message à Mitterrand. Il veut transmettre ses regrets et souhaite renouer.

La nomination de Mauroy à Matignon me surprend un peu. Je n'en suis pas rendu comme Roger Hanin à dénoncer le « gouvernement des traîtres » quand je vois les opposants de Metz si bien servis.

Je comprends cette volonté de Mitterrand de réunir l'ensemble de la famille socialiste, de jeter la rancune à la rivière. Et puis Mauroy a de l'abattage. Il a l'énergie et la force du taureau. Il sait prendre la situation par les cornes. Ensuite, il a parfois l'enthousiasme débordant. Mauroy invite tant de chargés de mission et de conseillers techniques aux réunions interministérielles que celles-ci tournent parfois au meeting de campagne ou à l'assemblée générale étudiante.

Et puis, il faut se méfier du grandiose de ses promesses. À la sortie de son bureau, on croit avoir obtenu 30 postes. Le lendemain matin, il en reste 15. Tout cela n'est que la rançon de son lyrisme généreux qui parfois l'emporte où il ne pensait pas aller.

En 1983, lors du difficile débat sur la sortie du Système monétaire européen (SME), Mauroy refuse rencognement et défiance.

Au moment de la crise de l'école privée, en 1984, Mitterrand finit par se séparer de Mauroy, sans pouvoir cacher son émotion. En 1993, alors que son mandat s'achève et que sa santé chancelle, Mitterrand tient à rendre visite à Mauroy pour évoquer l'action accomplie. Ils se retrouvent pendant l'été à Hardelot où Mauroy passe ses vacances. Alors que l'hélicoptère va décoller de l'aéroport du Touquet, Mitterrand contemple les nuages et, en guise d'adieu et d'hommage, dit à Mauroy : « Continuez à mettre du bleu au ciel ! »

# Mazarine

Mazarine est la fille de François Mitterrand et d'Anne Pingeot. Elle naît en 1974, quelques mois après l'élection présidentielle perdue face à Giscard.

Excellente élève, elle intègre Normale supérieure et obtient l'agrégation de philosophie et fait l'orgueil de son père. Elle entreprend une thèse sur Descartes et enseigne, désormais, à Paris. Elle intervient également dans des émissions à la télévision en tant que chroniqueuse culturelle.

Surtout, elle se lance en littérature et publie des romans. Dans certains ouvrages, elle évoque ce destin particulier, celui d'une petite fille qui vit dans l'ombre d'un homme politique de premier plan. Elle revient aussi sur une adolescence délicate, privilégiée et difficile à la fois, vécue auprès du chef de l'État. Pour des raisons de sécurité, Mazarine et sa mère logent dans des appartements officiels quai Branly, et des moyens de police sont déployés pour éviter un enlèvement.

En 1994, *Paris Match* publie les photos de Mazarine et de son père, surpris en pleine conversation à la sortie du restaurant Le Divellec, sur l'esplanade des Invalides à Paris. La surprise est forte au sein de la population qui n'en savait rien. Mais les Français s'offusquent peu de cette révélation. Ils s'attendrissent plutôt de voir le duo réuni.

Bien qu'on lui force un peu la main, le Président ne semble pas réticent à l'idée de présenter sa fille au pays. L'occasion lui est fournie de donner enfin une existence officielle, une reconnaissance publique à celle qu'il a tenue secrète si longtemps. Père aimant et fasciné par l'exceptionnel talent de sa fille, il s'autorise une mise en scène affectueuse alors que le second septennat s'achève et que la mort guette.

Je sais que c'est difficile à croire, mais je ne connais pas l'existence de Mazarine avant qu'elle apparaisse en une de *Paris Match*. En 1994, je n'en sais pas beaucoup plus que l'ensemble des Français.

Je me souviens vaguement, lors d'un retour de meeting, d'un groupe de jeunes filles présentes dans un avion, parmi lesquelles devait se trouver Mazarine. J'ai dû aussi la croiser à Avignon où elle est sans doute venue avec son père assister au festival. Mais l'impression est vague et n'a en rien la force d'une évidence. Je ne me dis pas quand je l'aperçois, façon commissaire Bourrel, en me frappant le front : « Bon Dieu, mais c'est bien sûr, voici la fille du Président !!! »

Mitterrand cloisonne ses univers. Cela ne me perturbe pas. Je ne suis pas curieux de la vie privée des autres, même de celle de mes proches, de mes amis. Je n'exige pas de tout savoir de la vie privée de ceux avec qui je travaille, que je respecte et que j'admire. François Mitterrand est tout aussi discret.

Avec le Président, nous vivons un compagnonnage qui se nourrit d'idées, d'actions, de réalisations. Nous partageons réussites et échecs, espoirs et déceptions. Nous sommes là pour faire évoluer la société française, pour la subvertir, la bousculer, la faire avancer, grandir.

Il y a des moments partagés, des oppositions tranchées, des exaltations communes. Et aussi des rires croisés, des repas partagés, des émotions éprouvées. Et des nouvelles de mes filles demandées régulièrement par le Président qui s'amuse beaucoup de les voir grandir. Mais chacun de nous reste libre de ses affections personnelles, de ses compositions familiales.

Aujourd'hui, l'allongement de la durée de la vie et l'individualisation des itinéraires font que les gens ont plusieurs vies amoureuses. Ils se séparent, divorcent, se remarient. Mitterrand n'est pas ainsi. Il est d'une fidélité qui va au-delà des intermittences du cœur et des inclinations amoureuses du moment.

S'il n'abandonne pas ceux auxquels il a tenu beaucoup et auxquels il tient encore, il ne veut pas non plus aliéner sa liberté. C'est cette dialectique compliquée qui explique sans doute cette double vie.

La France de l'an 2000 semble avoir fait sien cet arrangement innovant et ancien à la fois. Elle regarde avec un étonnement aussi amusé que compréhensif cette façon de faire et d'être. Au cimetière de Jarnac, la main de Danielle sur l'épaule de Mazarine vaut revendication d'un mode de vie nouveau, apaisé et conciliant, soucieux de la liberté de chacun, dépassant les stricts liens du sang.

Je croise de temps en temps Mazarine. Lors du dîner anniversaire du 8 janvier, donné chaque année en mémoire de son père, nous nous retrouvons avec plaisir à la Cagouille, le restaurant de poissons.

Mazarine n'est pas juste une « fille de » qui se réduirait à ses origines. Chaque fois que je la rencontre, je suis sous le charme de l'intelligence et de l'indépendance de cette jeune femme qui existe par elle-même, qui a un talent, une culture, une trajectoire bien à elle.

La ressemblance père-fille est encore une fois confondante, un peu comme avec Gilbert, l'un des fils. Et c'est à la fois un plaisir et un étonnement de retrouver les mêmes traits, les mêmes expressions, mais cette fois féminisés, plus délicats et comme miniaturisés.

Anne Pingeot, sa mère, est d'abord à mes yeux une exceptionnelle conservatrice générale du musée d'Orsay. Elle m'impressionne par son érudition, son intelligence, son infinie modestie. Longtemps, je reste ignorant des liens qui l'unissent au Président. Comme tous les Français, je les découvre au moment de la mort de François Mitterrand. Je suis frappé alors par sa dignité, sa grâce, sa retenue, sa simplicité. J'imagine ce que fut sa vie antérieure : ses sacrifices, sa loyauté, son amour absolu. Dans ses *Mémoires*[1], André Rousselet la compare tour à tour à « une héroïne du théâtre grec » ou à une « sainte laïque ».

# Mendès France (Pierre)

François Mitterrand, le tout nouveau président, s'avance vers le pupitre et prononce le discours d'investiture. Il est en complet veston et non en jaquette, comme l'étaient

---

1. André Rousselet, *À mi-parcours. Mémoires, op. cit.*

de Gaulle et Pompidou. Et il a évité de se ceinturer de bleu-blanc-rouge.

Lunettes ajustées, il lit un bref discours, travaillé et retravaillé à l'encre bleue et à la virgule près. Et il propose au pays de « réaliser la nouvelle alliance du socialisme et de la liberté » et de l'offrir « au monde de demain ».

Ensuite, François Mitterrand vient saluer l'assistance disposée en parallélépipède. Il y a là la nature humaine dans son ensemble et sa diversité. Il y a les enthousiastes et ceux qui aiment se mettre en avant, les fidèles et les opportunistes, les convaincus et les convertis de la dernière heure. Chacun tient à congratuler le Président à sa manière et à lui dire trois mots.

Au cœur de cette liesse qui s'empresse, je remarque que Pierre Mendès France se tient en retrait. Je le prends par le bras et l'entraîne vers le premier rang. Je lui fais valoir que là est sa place. Au lieu d'une brève poignée de main, Mitterrand le pudique, le distant, le retenu, donne l'*abrazo* à Mendès. Il y a des larmes chez Mendès, du trouble chez Mitterrand qui n'en est pas coutumier.

Mitterrand dit à Mendès que, mis à part famille et amis, sa présence est celle « qui le touche le plus ». Il le salue comme « l'initiateur de ce grand mouvement ». Un peu plus tard, en aparté, il dira : « Mendès a subi les pires attaques, affronté les pires injustices. Il a été une part de notre honneur, de notre histoire. Le temps s'en souviendra. »

Ce geste public de Mitterrand réconcilie deux familles de gauche qui se sont beaucoup disputées et qui se querelleront encore, mais qui forment le sel de la terre et qui ont besoin l'une de l'autre, de leurs affrontements et de leurs proximités pour réussir à faire évoluer le pays.

Entre Mendès et Mitterrand, il y a eu rivalités et incompréhensions.

En 1954, Mitterrand est ministre de l'Intérieur dans le gouvernement Mendès. Mais « l'affaire des fuites » introduit une méfiance réciproque. Mitterrand est accusé d'avoir trahi le secret-défense. Au courant, Mendès tarde à le prévenir. Mitterrand est innocent. Tout est faux. Mais ces incompréhensions réciproques pour une affaire de rien brouillent les deux hommes. Mitterrand ne parvient pas à pardonner à Mendès d'avoir pu douter un instant de sa bonne foi.

La contestation commune du système de la V$^e$ République et de l'imperium de De Gaulle aurait pu les rapprocher. Malgré leurs réserves communes envers l'élection présidentielle. Mitterrand est le premier à passer le pont en 1965. Mendès aura moins de succès en 1969, en tandem avec Gaston Defferre.

Les turbulences de Mai 68 voient les deux hommes peiner à entrer en résonance avec le mouvement étudiant.

Dans les années 1970, malade, Mendès s'éloigne de la politique française et se consacre au Proche-Orient.

Leur accolade à l'Élysée est un moment intense qui me va droit au cœur. Les deux hommes qui ont déterminé mon entrée en politique se retrouvent enfin. Dès mes dix-sept ans, je défends les idées de Mendès. Il a engagé la France sur la voie de la décolonisation. Il représente une façon autre de gouverner. Il tient un discours de vérité. Il a le besoin d'être compris et pas seulement obéi. Il est l'idéal politique de ma génération. À vingt ans, étudiant à Sciences-Po et en licence de droit, j'envoie une lettre de soutien à François Mitterrand, suite à l'affaire de l'Observatoire. On l'accuse d'être l'organisateur de l'attentat dont il vient d'être victime. Je lui manifeste ma confiance en sa parole. Et il me fait savoir que ce geste spontané d'un étudiant inconnu lui va droit au cœur en un moment où il se sent seul et désigné à la vindicte générale. En ce printemps 1981, l'accolade de ces deux hommes m'exalte au possible en ce qu'elle réunit deux façons d'être et deux façons de faire, en ce qu'elle transcende des oppositions qu'il faut savoir dépasser.

Le 18 octobre 1982, Pierre Mendès France meurt. Sa veuve refuse les funérailles nationales que je lui propose. Un hommage simple et émouvant lui est rendu dans la cour d'honneur de l'Assemblée nationale.

Le vibrant violoncelle de Frédéric Lodéon résonne ainsi que la voix de Pierre Mendès France, forte et puissante : on entend son fameux discours à la jeunesse qu'il invite à se battre. François Mitterrand adresse un salut bouleversant à cet « éveilleur de consciences » :

> Il est dans l'histoire des moments privilégiés où l'intégrité a un nom, la rigueur un visage, la conscience une voix et dans la vie d'un homme un instant – sa mort – où chacun, ami ou adversaire, perçoit l'écho d'un même

message, et voilà que soudain – oui, pour l'instant – tous
se rejoignent [...]. Lui qui fut si longtemps combattu,
calomnié, injurié [...], enseignait que, pour dominer les
outrages de la fortune et parvenir à la « sérénité du cou-
vreur sur le toit » où se situait Léon Blum, il fallait beaucoup de robustesse d'âme. [...] Pierre Mendès France
nous laisse une foi, une méthode, un exemple. Sa foi, la
République, sa méthode, la vérité, son exemple, l'inlas-
sable combat pour la paix et le progrès.

Jean Daniel a été l'inspirateur principal de ce beau
texte, épaulé par Guy Carcassonne, Olivier Duhamel et
moi-même. François Mitterrand lui donne une couleur
et une vigueur particulières.

## Mitterrand (onomastique)

Le patronyme « Mitterrand » n'est pas si commun. Il
s'est implanté voilà longtemps au centre de l'Hexagone.
Tout cela se situe à toucher la circonscription de Château-
Chinon arpenté en tous sens par le conseiller général et
député, né en Charente mais élu dans la Nièvre.

« Mitterrand » vient du latin *mitigare* qui veut dire
mélanger. Celui qui porte ce nom peut être vu comme un
négociant en graines sachant user de la balance, comme
un peseur de pour et de contre ayant le sens de la justice,
de l'équilibre. Par glissement progressif, on peut aussi en
faire un porteur de mitre, boulanger à toque enfarinée ou
évêque chapeauté de haut.

Politiquement, cette dénomination peut être interprétée de façon assez simpliste. « François » ferait bien sûr écho à la France, celle de François I$^{er}$ plus que celle de saint François d'Assise. Et « Mitterrand », ce serait le cœur des terres et le cœur de cible, le centre vital et la centralité du pouvoir, le point d'équilibre du pays et le zéro des cartes. Si ce n'est la matrice d'où tout procède…

Mitterrand, lui-même, n'a jamais exploité ce gisement de références, regardant cela comme un amusement de lettrés, un jeu de correspondances sans enjeu.

En 1981, il est encore trop dans une logique d'affrontement gauche-droite pour le revendiquer, même si le visuel villageois de l'affiche de « La force tranquille » peut laisser supposer qu'il y a déjà un désir de centralité sans centralisme.

En 1988, il s'agit d'unir tous les Français, ceux du centre comme ceux des bordures, ceux de droite comme ceux de gauche. Et là, l'étymologie aurait pu être sollicitée.

Cette prise aux mots n'émeut pas particulièrement le candidat-président qui préfère regarder cela de loin, si ce n'est de haut. Comme beaucoup de ses compatriotes. Mitterrand le raconte ainsi, amusé et détaché : « Ceux de mes ancêtres dont je porte le nom étaient bourgeois de Bourges. Notre généalogie, peut-être complaisante, prétend les suivre à la trace jusque dans les brouillards du Moyen Âge. Il n'y a de Mitterrand que du Berri. Ce nom de famille est lui-même du terroir. Il signifie pour certains des miens qui préfèrent la poésie à la philologie "milieu des terres" et un champ qui se trouve, en effet, au centre géographique de la France, près de Bruère-Allichamps, s'appelle le champ des Mitterrand. »

# « Mi 'tran »

Les différentes prononciations du patronyme témoignent souvent du rapport entretenu avec l'homme qui porte ce nom, Mitterrand. Les convaincus détachent bien toutes les syllabes et font durer le plaisir d'allonger le prononcé et d'adoucir l'énoncé. Les rétifs compactent les phonèmes comme s'ils voulaient voir l'ampleur du bonhomme se réduire à peau de chagrin.

Georges Marchais, secrétaire général du PCF, est le plus clair dans l'envie de jivariser l'allié-ennemi. Il prononce « Mi 'tran » et c'est comme une façon de le mitrailler verbalement.

D'autres font des césures ou des rapprochés arbitraires qui sonnent comme des reproches sortis de l'*Almanach Vermot*. « Mythe errant » veut démontrer que le héros n'a rien d'olympien et qu'il n'est qu'un clochard perdu loin des divinités agrées. « Mite errant(e) » entend l'assimiler à ces petites bêtes silencieuses et dévoreuses qui ne laissent plus rien debout dans les armoires des propriétés menacées par le socialo-communisme.

Quant aux diminutifs, ils n'ont jamais pris durablement. Si « Mitterrand » a pu être quelques instants réduit en un « Mimitte » peu signifiant et un rien félin, le « Mimi » bien gentil n'a jamais pris. Le personnage se laisse mal infantiliser. Par contre, Sarkozy est devenu un « Sarko » de tous les jours.

# Monopole du cœur
## (Vous n'avez pas le...)

10 mai 1974. La France entre dans l'ère de la télévision reine. La politique désormais se fait hertzienne. Giscard est le jeune champion de cet exercice. Quand Mitterrand peine à se faire aussi convaincant dans le carré magique qu'il l'est à l'écrit, à la tribune ou derrière un micro. Cela viendra, il y faudra du temps, comme souvent avec lui.

En 1974, c'est le premier débat télévisé de l'entre-deux-tours de la présidentielle. Giscard veut ringardiser Mitterrand, jeter « l'homme du passé » aux poubelles de l'histoire. Celui-ci joue une partition plus classique, gauche contre droite, classe contre classe.

Il attaque : « Depuis longtemps, il aurait fallu utiliser cette richesse créée par tous, afin que le plus grand nombre vive. C'est presque une question d'intelligence, c'est aussi une affaire de cœur. »

Et de continuer : « Il n'est pas acceptable qu'il y ait une petite catégorie de privilégiés qui sont servis par toutes vos lois, en particulier par vos lois fiscales, qui se tirent de tout, qui reçoivent des jetons de présence, des tantièmes, des bénéfices dans les conseils d'administration, des sommes énormes et scandaleuses tandis que des millions de gens vivent difficilement. » On n'est pas loin de la tirade sur « l'argent qui corrompt ».

Giscard encaisse, déglutit, reprend *moderato*. Et puis, comme si l'indignation montait, il lâche : « D'abord, je vais vous dire quelque chose : je trouve toujours choquant et blessant de s'arroger le monopole du cœur. Vous n'avez pas, monsieur Mitterrand, le monopole du cœur, vous ne l'avez pas. »

La charge est habile. D'autant qu'elle est sans doute sincère. Giscard a le cœur sur la main gantée des dames patronnesses qui donnent à la quête pour les pauvres de la paroisse.

Il fait dans le caritatif, cette charité d'aujourd'hui. Il cotise aux bonnes œuvres à bon cœur avec déduction fiscale quand le Mitterrand 1974 préfère le partage obligé des richesses, le rétablissement de la justice sociale et la création de l'impôt sur la fortune.

Le chantage à l'émotion est l'une des armes télévisuelles majeures. Il faut toujours prendre un air plaintif, blessé, offusqué. Quand Mitterrand est bien meilleur dans la raillerie, la virulence, le sarcasme. À la télé, il ne faut jamais passer pour le méchant, toujours jouer les victimes qu'on a mal comprises, qu'on devrait prendre en pitié, dont il faut essuyer les larmes.

Et le triple bonus tilte quand c'est un polytechnicien rationnel, un crâne d'œuf réputé colin froid sans mayonnaise qui fait valoir qu'on s'est montré trop injuste avec ses largesses d'âme.

Mitterrand encaisse. Perd l'élection. Mais n'oublie pas. Pendant la campagne de 1981, il ressort, cruel, vengeur à celui qu'il affronte à nouveau : « Il est difficile d'être un aussi bon candidat et un aussi mauvais président. Giscard a une spécialité, c'est d'avoir du cœur, beaucoup de cœur deux mois tous les sept ans. »

# Morland

La clandestinité va de pair avec les faux papiers et les pseudonymes. Dès 1943, François Mitterrand devient Morland.

La mode est à s'inspirer des noms de stations de métro parisiennes. Va pour Sully-Morland. D'autant que dans Morland, il y a le « m » du début et le « and » de fin de Mitterrand. Qui décrit lui-même la légère prise de risques d'être reconnu comme « un peu d'enfantillage, quoi ! ».

Mais si Morland a passé les années, témoignant de la réalité glorieuse de la Résistance du futur président, Mitterrand utilise à l'époque bien d'autres postiches. Ces noms viennent souvent de l'état civil de Dieppe, détruit par un bombardement. Notre chef de réseau des prisonniers de guerre répond fréquemment à celui de Lucien Basly.

Question déguisement, il porte pour la première fois une moustache bien noire. Ce sera la seule fois qu'il laissera la pilosité gagner. Cela lui donne l'allure d'un danseur de tango et il ne s'apprécie guerre en *Latin lover*.

Les règles de cloisonnement sont strictes. Au sein d'un réseau, personne ne doit connaître le pseudonyme inscrit sur les faux papiers. On s'interpelle avec un deuxième pseudo.

Un jour, ils sont cinq ou six à dîner au Dôme de Montparnasse. Ils s'aperçoivent qu'un groupe d'Allemands plus futé que les autres demande aux convives de détailler les noms de leurs voisins inscrits sur les papiers.

Ils sont sur le point de se faire démasquer, quand Jean Munier sort de sa poche un *ausweis* qui fait cesser toute investigation et vaut sésame. Suite à un bombardement, Munier avait creusé et sorti de terre la femme d'un aide de camp de Hitler. Qui avait envoyé à Munier un ordre de libération, signé du chancelier lui-même.

# Mur de Berlin (Chute du)

On a longtemps fait à Mitterrand une mauvaise querelle concernant la réunification allemande. Le président français aurait eu une vision circonspecte, si ce n'est craintive, des conséquences de la chute du mur de Berlin. Il n'aurait pas perçu l'ampleur de l'événement et aurait renâclé devant la reconstitution de ce grand ensemble économique et géographique risquant de compromettre l'avenir de l'Europe et de faire pencher vers l'est le fléau de la balance si difficilement équilibrée.

En 1989, le souvenir de la guerre s'éloigne. Un demi-siècle a passé. Mitterrand sait bien que l'Allemagne a vocation à ne faire qu'un pays. On n'est plus à l'époque où de Gaulle s'inquiétait de la restauration de l'ancienne puissance. Les temps changent et Mitterrand y prend sa part, construisant l'Europe pour éviter que ne se ravivent les vieilles haines. Le président français est bien conscient que RFA et RDA ne feront bientôt qu'un seul pays. Les populations séparées, les familles tenues éloignées de part et d'autre du Mur poussent à la roue et vont bientôt pacifiquement déborder leurs gouvernants.

Analyse *a posteriori* de Mitterrand : « Le Mur est tombé tout seul. Il n'y a pas eu de révolution véritable, il n'y a pas eu d'émeute, pas de coup d'État. L'histoire avançait, et le Mur est tombé. »

En 1989, si Mitterrand semble se tenir en retrait, c'est que c'est une affaire allemande où il ne lui revient pas de hisser le drapeau ou de donner des conseils aux premiers concernés. Il n'aurait pas aimé que les Allemands se permettent de s'immiscer dans les affaires françaises.

Il applique la même retenue à leur égard. Mais, tout en veillant au respect des frontières en Pologne, il apporte son soutien au processus engagé. Il se rend à Leipzig pour dialoguer avec les étudiants contestataires ou saluer Kurt Masur, le chef d'orchestre, qui anime les marches du lundi autour de l'église Saint-Nicolas.

Et le soir où la porte de Brandebourg s'ouvre pleinement, le 21 décembre 1989, Mitterrand est à Berlin et sort d'un dîner que je lui organise avec des intellectuels est-allemands comme Christa Wolf et Heiner Müller.

François Mauriac disait : « J'aime tant l'Allemagne que je préfère qu'il y en ait deux. » Mitterrand, lui, s'inscrit en faux contre l'avis du romancier de Malagar.

En 1989, c'est Kohl et non Mitterrand qui imagine une réunification en plusieurs étapes qui sera vite balayée par la volonté populaire de construire immédiatement une Allemagne unie.

# N

# Nationalisations

Au début des années 1980, la gauche française est convaincue que l'État peut jouer un rôle libérateur, que prendre les commandes de la banque et de l'industrie doit permettre de partager la richesse et de redonner du pouvoir sur sa vie à l'ouvrier, au salarié, au travailleur.

À travers le monde, dans les débats d'idées, le libéralisme économique retrouve des couleurs. Il conquiert la prééminence chez les Anglo-Saxons suite à sa mise en œuvre aux États-Unis par Ronald Reagan et en Grande-Bretagne par Margaret Thatcher.

La France est à contretemps, à contresens. La gauche a confiance dans le rôle émancipateur de l'État. Elle veut réarmer l'appareil industriel abîmé et favoriser la croissance. Depuis 1945, la gauche démocratique est dans une compétition de tous les instants avec le parti communiste qui multiplie les compagnons de route parmi les intellectuels. Les prises de distance et le respect des différences vont de pair avec les tentatives de rapprochements et l'afflux de surenchères.

Si le PS reste toujours vent debout contre le stalinisme de Moscou, attendant sans grand espoir un dégel du glacis qui ne viendra réellement qu'avec Gorbatchev, il y a de l'enthousiasme pour l'expérience autogestionnaire en Yougoslavie. Tito a pour lui d'avoir été un résistant pendant la Seconde Guerre mondiale et d'être réfractaire à Moscou, ce qui lui donne des lettres de noblesse.

L'attrait pour Cuba est plus romanesque qu'autre chose. Et les tentatives d'Alger ne peuvent être étudiées sans que le souvenir de la décolonisation brouille le regard.

Surtout, le PS des années 1970-1980 est très français. De gauche comme de droite, la France reste très colbertiste. Le programme du Conseil national de la Résistance (CNR) en 1945 a mêlé un souci du social et une volonté d'égalité. Économiquement, pour le CNR, les nationalisations sont vues comme une solution pour faciliter la reconstruction du pays. Ce ne sont pas seulement des sanctions contre les entreprises qui ont collaboré.

Dans les années 1960, de Gaulle croit en l'initiative publique en matière de stratégie industrielle. Pompidou le suit dans cette voie et même Giscard se garde bien d'une rupture éclatante. C'est pourquoi le programme de la gauche de 1981 s'inscrit dans une tradition connue.

François Mitterrand est tout à fait conscient que la question des nationalisations est cruciale. C'est là que l'attend le pouvoir économique très majoritairement marqué à droite. Les « possédants », ainsi que les nomme François Mitterrand, craignent son action et s'inquiètent qu'il soit excessivement fidèle à ses engagements. Les hauts fonctionnaires aussi sont perplexes. Ils n'ont pas encore commencé à « pantoufler » en nombre mais s'angoissent de l'instauration d'un système de dépouilles à l'américaine qui verrait les postes de direction d'administration centrale valser à chaque alternance électorale.

À l'époque, nous pensons sincèrement que nationaliser le crédit et piloter les grandes entreprises nous permettront de favoriser des stratégies keynésiennes de relance, de débloquer les investissements et aussi de partager le pouvoir avec les salariés. Nous pensons que l'État peut être libérateur et que le dirigisme économique peut rendre le pouvoir au peuple.

Déjà, je suis furieux que nos adversaires préemptent la notion de liberté. Ce vol sémantique est habile, mais cachera en 1986 la reprise en main des télés ou la vente aux amis des bijoux de la République.

Mitterrand décide de nationaliser à 100 %. Rocard, Delors ou même Badinter, ancien avocat d'affaires, s'y opposent. Leurs arguments paraissent raisonnables : pourquoi 100 %, alors que 51 % suffisent à prendre le contrôle ?

Mais Mitterrand veut aller vite, craint les recours judiciaires et tient surtout à faire dans le symbolique. Et puis, cela ne coûte pas forcément si cher qu'on ne le prétend. Surtout, certaines entreprises sont fragiles et menacent d'être rachetées par des actionnaires étrangers. D'autres manquent de vision stratégique.

Mitterrand passe en force et se donne les moyens de sa politique. Malgré des débats homériques à l'Assemblée, l'État prend les commandes du verre Saint-Gobain, de la chimie Rhône-Poulenc, de l'aluminium Péchiney, de l'électroménager et des téléviseurs Thomson-Brandt, de l'électricité CGE et de la sidérurgie Usinor et Sacilor. Cela vient renforcer un pôle public conséquent qui compte déjà le gaz GDF, l'électricité EDF, l'aéronautique SNIAS, la compagnie d'aviation Air France, les chemins de fer SNCF, les Charbonnages de France et les transports RATP.

Côté banques, tombent dans l'escarcelle la BNP, le Crédit Lyonnais, la Société Générale, le Crédit du Nord, le Crédit commercial de France et les deux compagnies financières Paribas et Suez.

Le fabricant d'armes Matra conserve l'indépendance de son groupe de presse. Et les avions militaires Dassault échappent comme par miracle au rachat, même si le droit de vote double donne les manettes mais non la propriété à l'État. Un regret : que l'eau, bien commun par excellence, ne devienne pas propriété publique.

Était-ce une erreur que de nationaliser ? Il est possible que nous ayons sous-estimé la contrainte extérieure et que notre relance se soit faite à contre-cycle. Mais, par cette décision, Mitterrand s'inscrit dans la droite ligne du Front populaire et du Conseil national de la Résistance. Surtout, comme Louis XI, Louis XIV, Napoléon et de Gaulle avant lui, il parie sur le génie français, sur cette capacité de créer de la richesse et de l'égalité à la fois, sur le talent des grands commis de l'État à incarner l'intérêt général.

Ces nationalisations ne survivront pas à l'alternance 1986. Et Mitterrand s'en tiendra au ni-ni, ni nationalisations, ni privatisations en 1988. Alors qu'il aurait sans doute dû parier sur le et-et, vendre ce qui était de bon rapport et créer de nouvelles entités stratégiques avec l'argent récolté.

# Nièvre (Château-Chinon)

La légende veut que Mitterrand se soit décidé à rallier la Nièvre un peu au jugé après avoir subi une cuisante défaite en région parisienne, du côté de Boulogne-Billancourt. Henri Queuille, radical-socialiste, cherche de jeunes conquérants fringants pour raviver le sang de ses troupes.

Mitterrand fait valoir qu'il ne connaît personne dans ce département. À quoi le petit père Queuille lui rétorque que, comme ça au moins, il n'a pas eu le temps de s'y faire d'ennemis.

Il se présente sous l'étiquette « Action et unité républicaine ». Il affronte des représentants du PCF et de la SFIO. Pour l'emporter, il mène une campagne assez à droite. Contre toute probabilité, il est élu dans la troisième circonscription de la Nièvre.

On est en 1946 et ce parachutage de hasard va déboucher sur une histoire d'amour entre un homme et un territoire. Mitterrand ne quittera la Nièvre que pour entrer à l'Élysée en 1981. La fidélité sera réciproque, sans nuages aucun, sans versatilité aucune, malgré les aléas nationaux.

Le Charentais a bien quelques ancêtres qui ont vécu entre Bourges et Nevers et un patronyme qui vient de la région. Mais sinon, il ne connaît rien à ce territoire rural où l'on est dur au mal, taiseux, constant dans l'effort et dans l'affection, et où l'on ne roule pas sur l'or.

Il s'implante à l'est du département, dans une région vallonnée, au pied du Morvan. Après la députation, il conquiert le canton de Montsauche qui comprend le lac des Settons.

Une dizaine d'années plus tard, il hésite entre Clamecy et Château-Chinon. Il se décide à briguer la mairie de cette dernière, suite à une promenade dans les rues de la sous-préfecture. Il y aurait remarqué un lampadaire brisé et se serait promis de remettre en lumière cette bourgade de 2 500 habitants.

Toutes les semaines, Mitterrand prend le Paris-Clermont à la gare d'Austerlitz et s'arrête à Nevers. L'attendent des militants qui deviendront des amis ou l'inverse. Il y a là le charcutier, la pharmacienne ou le propriétaire de l'hôtel Au Vieux Morvan. Ils le récupèrent à la gare et le rapatrient sur ses terres d'élection, à une soixantaine de kilomètres de là.

Ensuite commence le métier politique qui n'est agréable que si l'on a la passion de l'action et le souci des gens. Il tient sa permanence, inaugure des comices agricoles, reçoit les associations, remet des coupes et des médailles lors des manifestations sportives, anime la séance du conseil municipal ou, plus tard, celle du conseil général, reçoit ses administrés, réfléchit à des projets de développement, vérifie les travaux engagés, débat avec les membres de la section locale du PS, fait les marchés et la tournée des bistrots pour sentir l'air du temps et revenir à Paris, à l'Assemblée, avec la juste perception de la France réelle.

Mitterrand connaît par le menu ses Morvandiaux. Il est un peu comme un médecin de famille ou un localier de la presse régionale, il sait tout de chacun mais n'en dit rien. Et eux font de même avec lui.

Il faut le voir les soirs d'élection, tenant le registre des votes, capable de prédire au bulletin près le résultat de chaque bureau. Il est arrondissementier comme d'autres sont artisans d'art. Il anticipe le moindre soubresaut de confiance, le plus petit tremblement d'adhésion. Il est le cantonnier du canton, le météorologue du microclimat. Il sait l'état des méfiances bitumées, le volume de pluviométrie citoyenne et ce qui a versé dans le fossé depuis les derniers scrutins, sans parler des crapauds-buffles qui pourraient en surgir.

Mitterrand est d'un temps d'avant les tweets et les selfies, d'avant l'info en continu et la pipolisation. Il est d'un temps où la politique se fait sous les préaux et dans les arrière-boutiques, dans les foires aux bestiaux et dans les salles de bal, à la kermesse de l'école et dans les assemblées générales du club bouliste. Il est d'un temps où l'on va lentement, où l'on parle posément, où l'on opine du chef quand on a compris de quoi il s'agit et où l'on sait se taire quand on n'a rien d'intéressant à dire. Il est d'une époque où les politiques ne sont pas dans le nombrilisme, ni dans l'exhibitionnisme, même s'il est conscient de sa valeur et qu'il tient à ce qu'on respecte son mandat, ses électeurs, sa personne.

Ne croyez pas pour autant que la Nièvre de l'après-guerre soit un Éden apaisé. Les poings partent vite entre

colleurs d'affiches et les campagnes électorales sont parfois homériques.

Pierre Joxe, qui sera un ministre de l'Intérieur d'envergure, raconte comment il débarque en soutien lors
d'une campagne en 1956. Dans la salle où Mitterrand doit
prendre la parole, les gros bras poujadistes balancent des
bancs sur la tête des supporteurs du député sortant qui
répondent de la même manière, inutile de se gêner quand
c'est vous qu'on agresse. Inconnu au bataillon, le jeune
Joxe veut prêter main-forte mais se fait étriper par les
deux bords.

Quand il entre à l'Élysée, Mitterrand n'oublie pas la
Nièvre et les Nivernais à qui il continue d'envoyer des
cartes postales des quatre coins du monde où l'entraînent
ses voyages officiels. À Paris, il a un conseiller chargé de
suivre les affaires du département, et certains dossiers
sont traités avec une attention particulière.

De là à dire que le Morvan va devenir le Yamoussoukro
français, comme la ville de Félix Houphouët-Boigny est
devenue la capitale de la Côte-d'Ivoire, il y a de la marge.

Les apports du premier des Français à sa Nièvre d'adoption ne sont pas mirifiques. Château-Chinon n'a pas
remplacé la Ville lumière et les millions n'ont pas recouvert d'une pluie d'or les monts du Morvan.

Une fontaine imaginée par Niki de Saint Phalle et
Jean Tinguely trône sur une place de Château-Chinon en
discret clin d'œil à celle de Beaubourg à Paris. Et à Magny-
Cours, un circuit automobile a accueilli quelque temps un
grand prix de Formule 1 avant que les constructeurs et
les sponsors aillent faire vroum-vroum au Proche-Orient
et en Asie.

La ligne ferroviaire Paris-Clermont attendra 1990 avant d'être électrifiée. Et l'autoroute A 77 ne reliera Nevers que huit ans après la mort de Mitterrand. L'usine Dim que Mitterrand avait fait venir à Château-Chinon attendra 2006 pour fermer.

Il y a plus rapide comme désenclavement et plus pharaonique comme favoritisme.

# Ni-ni

Dans sa « Lettre à tous les Français », rédigée à l'occasion de la campagne présidentielle de 1988, François Mitterrand s'engage à un *statu quo*. Il promet qu'il n'y aura plus ni nationalisations, ni privatisations lors du septennat à venir. Ce ni-ni s'explique par la querelle déclenchée depuis 1981 au sein du pays. Mitterrand souhaite apaiser, réunir, clore des conflits qui ont beaucoup duré et mettre fin à une instabilité qui nuit à la vie économique.

En 1981, la gauche nationalise avec force, avec ardeur. Le système bancaire passe sous contrôle de l'État. Les entreprises nationales constituent une force de frappe importante et leur rénovation est accélérée par cette nouvelle tutelle. En 1986, la droite victorieuse des législatives se lance dans une campagne de privatisations à marche forcée. Les amis et affidés du RPR, et dans une moindre mesure du Parti républicain, se taillent la part du lion. Surtout, les réseaux d'affaires qui s'estiment spoliés par les nationalisations prennent leur revanche.

Le système des « noyaux durs », filet de participations croisées, est conçu pour protéger les intérêts français des prédateurs étrangers. Mais cela permet surtout à quelques grands patrons de nouer des alliances incestueuses et de se serrer les coudes, au risque de revenir au temps des copains et des coquins que dénonçait Michel Poniatowski, homme de droite s'il en est, mais ennemi juré du gaullisme d'affaires.

En 1988, Mitterrand ne veut plus alimenter les débats violents et les suspicions permanentes. Il estime que la topographie de l'industrie française est satisfaisante et qu'il est inutile de relancer les dés.

Ce ni-ni est une erreur. Et va aboutir à un immobilisme nocif. Il aurait fallu lui substituer un et-et, privatisations et nationalisations.

L'État n'a pas vocation à gérer sur la durée certaines entreprises qui évoluent dans un secteur non déterminant pour l'indépendance ou la sûreté du pays. Des privatisations sont donc possibles, comme le fera Lionel Jospin entre 1997 et 2002.

Par contre, l'État doit être visionnaire et stratège. Il lui faut investir dans les secteurs d'avenir, faire preuve de volontarisme pour s'imposer dans des registres novateurs et anticiper sur les intérêts du pays en le positionnant dans des domaines technologiques délicats ou intéressants, où le temps long est requis.

Ce ni-ni se comprend politiquement. En 1988, Mitterrand veut se présenter comme un rassembleur dégagé des contingences, des bisbilles et des querelles qui ont miné les deux années de cohabitation.

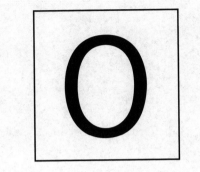

# Observatoire (Affaire de l')

Nuit du 15 au 16 octobre 1959. L'homme sort de chez Lipp où il a dîné avec un ami. Il monte dans sa 403 bleu marine, immatriculée 9 ET 75. Il passe devant le théâtre de l'Odéon qui vient de fermer ses portes. Puis, en roulant doucement, il longe les grilles du Luxembourg.

Arrivé devant les jardins de l'Observatoire, il se gare tranquillement. Il sort de son véhicule, regarde alentour s'il n'y a personne et si les tireurs sont bien à leur poste. Vérification faite, il s'accroupit derrière les bosquets, tandis que ses complices vident le chargeur de leur mitraillette Sten sur la 403. Quand la pétarade cesse, le commanditaire du faux attentat salue de loin ses faux exécuteurs qui s'éloignent à pas chaloupés. Il attend quelques minutes, crie « au secours », avant de regagner son domicile qui se trouve à quelques mètres.

Il est ravi de bientôt passer pour un héros aux yeux d'une population paniquée par la montée de violence des « événements » en Algérie et par la multiplication des attentats sur le sol hexagonal.

Ce que vous venez de lire est FAUX, c'est la première version mille fois remaniée de l'initiateur de l'attentat de l'Observatoire. Cette version des choses va atteindre durablement Mitterrand dans son honneur et le laisser allongé pour le compte sur le pavé de la République, le vidant de sa réputation, à défaut de perdre tout son sang.

Reprenons une version plus proche de la vérité. Le sénateur de la Nièvre dîne chez Lipp avec son ami Georges Dayan. Il monte dans sa Peugeot, rallie son appartement de la rue Guynemer.

Alors qu'il manœuvre pour se garer, il réalise qu'on lui tire dessus. Il n'est pas dans un mauvais polar. Les balles sont réelles. Il ouvre la portière à la volée et part se réfugier derrière les haies du jardin de l'Observatoire.

Cet attentat cause une grande émotion dans un pays en proie aux drames de la décolonisation. Pour Mitterrand, le temps est venu de renoncer à l'Algérie française. On suspecte l'OAS d'avoir monté ce guet-apens contre une personnalité politique ennemie.

Une semaine après surgit Robert Pesquet. Il donne un entretien à *Rivarol*, magazine crapoteux et proche de la droite la plus enténébrée. Il affirme que Mitterrand l'a chargé d'organiser un faux attentat pour passer pour une victime et faire monter sa cote de sympathie.

Pesquet est un ancien résistant et un ex-député gaulliste. Il a surtout de fortes accointances avec les officines de l'ombre et les polices parallèles. Mitterrand le connaît un peu. Ils se sont rencontrés au Parlement. Il l'a croisé récemment. Pesquet venait lui faire part de menaces d'attentat que Mitterrand n'a pas prises au sérieux.

Les versions de Pesquet vont varier avec le temps. Il commence par affirmer qu'il aurait proposé l'idée à Mitterrand et que celui-ci aurait été enthousiaste. En 1995, il prétendra que Michel Debré, le Premier ministre gaulliste, serait à l'origine de la machination. Ministre de l'Intérieur sous la IV$^e$, Mitterrand aurait eu en sa possession des preuves de l'implication de Debré dans un attentat contre le général Salan, à Alger, en 1957. Selon Pesquet, Debré aurait voulu intimider Mitterrand afin d'obtenir son silence. Enfin, en 2005, Pesquet dira qu'il agissait à la demande de l'extrême droite pro-Algérie française pour discréditer Mitterrand. Ce qui paraît le plus plausible.

Retour en 1959. Pesquet est d'une crédibilité modérée. On le suspecte d'être mythomane et affabulateur. Mais le mal est fait. L'Assemblée nationale débat de la levée de l'immunité parlementaire de Mitterrand. Lors du débat, Michel Debré mène la charge. À la tribune, Mitterrand, qui a épargné Debré lors de sa mise en cause dans l'attentat, lance : « Mesdames, messieurs, il y a certaines choses qu'on n'a pas le droit de faire. Jouer ou laisser jouer avec l'honneur d'un adversaire politique et tenter de disqualifier l'opposition en la mêlant abusivement à des faits criminels. »

Immunité levée, Mitterrand sera condamné pour outrage à magistrat et pour avoir caché ses rencontres avec Pesquet. Le régime gaulliste se fait un plaisir de laisser ouverte la procédure judiciaire le plus longtemps possible pour embarrasser son opposant. De son côté, celui-ci va jusqu'en cassation pour faire reconnaître son bon droit. Sans succès.

En 1959, après cette affaire à rebondissements, Mitterrand se retrouve esseulé, décrédibilisé, attaqué de toutes parts. Les chiens couchants hurlent au loup. Les bons apôtres s'en lavent les mains. Les faux amis se font discrets.

J'ai vingt ans. Je suis étudiant en droit et à l'Institut d'études politiques à Paris. Mendès est mon héros.

Mais, instinctivement, je sens qu'on s'acharne à tort sur Mitterrand. Sans le connaître, je devine son désarroi. Je lui envoie un mot de soutien. Il me fait savoir qu'il en a été touché. C'est mon tout premier échange avec lui.

# Ortolans

Ventre affamé n'a pas l'oreille légaliste, au contraire. Faire bombance braconnière est un plaisir interdit dont il est difficile de se passer. Avouons même que se délecter de produits en voie de disparition fait saliver. Qui après nous pourra encore en manger ?

Ce genre d'égoïsme culinaire, très antiécologiquement correct, est détestable et délectable à la fois. D'une seule bouchée, nous voici Gargantuas goujats. Et Mitterrand ne boude pas ces plaisirs-là, ripailleurs et transgressifs, frondeurs et jouisseurs.

Gober des ortolans est mal vu de la ligue protectrice des oiseaux, mais dans le Sud-Ouest, il est difficile de s'en dispenser. Ce serait manquer à la tradition, chose essentielle s'il en est en matière de gastronomie.

Au réveillon du premier de l'an, à Latche, il y a parfois des ortolans au menu. On est au cœur de la Gascogne. Il convient de sacrifier ces pauvres petits passereaux, migrants capturés alors qu'ils rejoignent pour l'hiver les terres chaudes du Proche-Orient et de l'Afrique, après un été en Europe. Ces volatiles pépieurs sont piégés par des matelotes et des appelants. Puis, on les engraisse pendant trois semaines avant de les estourbir à l'armagnac.

Henri Emmanuelli est à la manœuvre. Le président du conseil général des Landes a ses réseaux, ses fournisseurs. Il adore braver la sensiblerie parisienne qui s'offusque des mœurs dévoreuses des ensauvagés planqués dans leurs palombières. À la cuisine, on prépare les petits oiseaux chanteurs qu'on nomme aussi bruants.

Ensuite, autour de la table, les nez plongent dans les cassolettes. On ne se met pas à couvert d'une blanche serviette pour mieux exalter les saveurs. Cela fait un peu trop couleur locale et terroir immémorial pour la société savante et l'assemblée de civilités qui se réunissent dans la résidence secondaire du Président.

Malgré tout, les fumets se concentrent, mêlant air de la forêt et ardeur du gibier. Il faut ensuite saisir à mains nues l'oisillon tiède qui pèse tout juste 25 grammes. Et tout manger, bec et viscères, ramures et ramages sans plumage. Il faut tout ingurgiter. Longtemps, François Mitterrand a pratiqué ce rite ancestral qui ne l'empêchait en rien d'avoir la fibre écologiste, s'il n'avait pas la pudibonderie environnementale. Dans un ouvrage très imaginé, Georges-Marc Benamou raconte que, lors du dernier réveillon, Mitterrand se repaît d'une cargaison d'huîtres et de reliefs d'ortolans, rat des villes et rat des champs à la fois.

J'aurais aimé qu'il en fût ainsi. Mais ce jour-là, Mitterrand n'est pas en état de faire honneur aux mets habituels. Il se tient à l'écart de la table commune. Il soutient comme il peut la conversation avec les uns et les autres qui viennent à ses côtés. Comme chaque année, nous regardons les vœux ensemble. Il a le commentaire assez conciliant sur la performance de Chirac qui fait ses débuts dans l'exercice. Il se reprend quand il faut égratigner les personnalités du PS. Il me parle de Carlos Menem que je viens de rencontrer et de ses rouflaquettes qu'il trouve ridicules. Il m'interroge encore sur la vie sentimentale de mes deux filles Caroline et Valérie qu'il aime beaucoup.

Il me parle de son mal, me dit que c'est comme s'il avait « la Gestapo en lui ». Il me fait savoir qu'il a résolu « la question philosophique ». Je ne relève pas, tout à mon envie de ne pas regarder la réalité de son état en face.

Il est exténué. Et se retire avant minuit. Il n'a presque rien mangé.

## Ouvéa

5 mai 1988. L'assaut est donné sur l'île d'Ouvéa. 23 gendarmes retenus par des indépendantistes kanaks sont libérés ; 19 ravisseurs et 2 militaires sont tués. Ce drame

survient entre les deux tours de la présidentielle 1988 et aggrave la fin d'une cohabitation mouvementée.

Depuis son entrée en fonctions, François Mitterrand est conscient des difficultés de la Nouvelle-Calédonie, territoire français le plus éloigné de la métropole.

Pour apaiser le conflit entre Kanaks et Caldoches, il tente depuis 1981 de favoriser le dialogue entre les deux communautés, de réparer les injustices agricoles, de favoriser un meilleur partage des richesses, de proposer des formules d'indépendance-association, le tout sans spolier les Caldoches de leurs droits.

La situation est complexe et explosive. Edgar Pisani s'efforce d'avancer doucement vers une mise en place de régions autonomes qui donnerait une part de pouvoir plus importante aux Kanaks.

Les législatives de 1986 compliquent la donne. Le RPR rétablit la fonction de haut-commissaire et envoie la troupe. Il n'est plus question de partition. La régression est radicale. Un référendum d'autodétermination boycotté par les Kanaks envenime encore la situation. Les affrontements entre communautés se multiplient.

À Ouvéa, en 1988, les indépendantistes passent à l'action au cœur de la présidentielle. La résolution de la prise d'otages impose son urgence. Le pouvoir en place doit prendre ses responsabilités même si l'on a un exécutif à deux têtes.

Mitterrand prône la négociation, souhaite la poursuite de la médiation de l'archevêque de Nouméa. Il temporise, demande des précisions qui lui parviennent difficilement. Soucieux du sort des gendarmes, il finit par autoriser une intervention dans des circonstances bien précisées. L'assaut est reporté, puis accompli quelques jours plus tard sans nouvel aval de l'Élysée. Il y a 2 morts chez les soldats, 19 chez les ravisseurs. L'enquête qui suivra signalera qu'ont été commis « des actes contraires à l'honneur militaire ».

Mitterrand est révulsé de l'opération initiée par Chirac. Il voit bien la façon dont la droite se sert de ce conflit pour exalter le nationalisme petit Blanc et aviver le rejet des Mélanésiens, et plus largement des gens de couleur.

Une vaine polémique surgie récemment veut faire croire que Mitterrand a voulu jouer sur les deux tableaux. Faire croire à son soutien à la négociation pour complaire aux Kanaks. Et autoriser l'assaut pour satisfaire les Caldoches et les gendarmes.

À l'époque, Mitterrand affronte plusieurs difficultés.

1. Il a beau être le chef de l'État, c'est le Premier ministre qui est l'élu en charge, qui a la légitimité démocratique, qui a les services aux ordres. Le Président peut juste mettre en garde, faire savoir son désaccord, ruer dans les brancards. C'est peu.

2. Depuis l'Élysée, il ne peut évaluer précisément la situation en Nouvelle-Calédonie. Il n'a pas d'hommes à lui sur le terrain, dépend de sources à la fiabilité modérée, n'a pas les manettes. Son chef d'état-major particulier peine lui aussi à faire remonter les informations. Preuve que le pouvoir est difficile à partager par temps de crise et que la cohabitation est une mauvaise manière faite à la démocratie.

3. La galaxie Chirac abat ses derniers atouts pour tenter d'éviter l'échec annoncé au second tour de la présidentielle. Les otages du Liban, les journalistes et diplomates Marcel Carton, Marcel Fontaine et Jean-Paul Kauffmann surgissent miraculeusement sur le tarmac de Villacoublay alors que deux ans avant, lors du scrutin de 1986, ils

avaient, comme par extraordinaire, réintégré les geôles du Hezbollah. Et cela se superpose à l'assaut calédonien.

Juin 1988. Mitterrand va donner la meilleure preuve qui soit de sa volonté de faire la paix entre les communautés. Grâce aux efforts demandés au gouvernement Rocard, les accords Matignon-Oudinot sont signés à l'été 1988 entre Jacques Lafleur pour le RCPR et Jean-Marie Tjibaou pour le FLNKS. Un référendum national entérine l'accord à 80 %.

Même l'assassinat de Tjibaou par un indépendantiste dévoyé ne changera rien à l'évolution des choses. Preuve qu'après « le désordre et le sang » que dénonçait Mitterrand peut venir le temps de la concorde.

Depuis lors, la Nouvelle-Calédonie est en paix. Mitterrand, lui au moins, y a sa part.

P

# Panthéon (21 mai 1981)

Il fait sombre et humide dans la crypte du Panthéon où pénètre l'homme du 10 mai 1981.

François Mitterrand rend visite aux tombeaux de trois prédécesseurs, de trois inspirateurs qui ont suscité l'enthousiasme des citoyens de progrès aux siècles passés. Il salue Jean Jaurès, radical IIIe République devenu héros du socialisme français avant d'être assassiné pour s'être opposé à la tuerie de 1914. Il salue Victor Schœlcher. Ce journaliste devenu député qui a fait valoir que « le sol de France affranchit l'esclave qui le touche ». Si la Révolution a ouvert la voie, l'Empire est revenu en arrière. Et, en 1848, Schœlcher met enfin un terme à cette injustice raciale. Avant de devoir à nouveau s'exiler sous le Second Empire pour avoir défendu une république sociale et démocratique et une instruction publique gratuite. Et il salue Jean Moulin, résistant, préfet unificateur de la Résistance en France au nom de De Gaulle, qui finit torturé par la Gestapo.

Le Panthéon est un lieu de mémoire qui convient à l'historien qu'est Mitterrand. De ses humanités d'avant guerre, il a gardé le sens de la chronologie et s'amuse à tendre des pièges à la jeune garde qui l'entoure et maîtrise moins, elle, le déroulé des règnes, des dynasties et même des républiques. Mais Mitterrand n'en est pas resté à l'histoire faite par les héros ou à la galaxie des puissants. Il connaît le temps long, les causes multiples, les évolutions sociologiques, les données économiques, les accélérations technologiques.

Il a plaisir à croiser les différents savoirs et à leur donner de la chair, celle des hommes qui vivent au-delà des batailles et des courbes des naissances, au-delà des frontières tenues comme des cadastres et des exodes ruraux étudiés par segments de population.

Il se sent en symbiose avec ce lieu qui a accueilli tour à tour des hommes de guerre, des savants, des artistes, des inventeurs et des écrivains.

À son instigation, entrent René Cassin, prix Nobel de la paix, Jean Monnet, européen initial. Viennent ensuite, l'année du bicentenaire, l'entrée de trois révolutionnaires, Nicolas de Condorcet, l'abbé Grégoire et Gaspard Monge à qui il me reviendra de rendre hommage à sa place. Et la physicienne Marie Curie, première femme à pénétrer enfin au Panthéon, même si l'a précédée son mari Pierre. Plus tard, François Hollande y accueillera Germaine Tillion et Geneviève de Gaulle Anthonioz en même temps que Jean Zay et Pierre Brossolette.

En cette journée d'investiture, ce 21 mai 1981, je suis épaulé par Christian Dupavillon, je suis aux manettes de la mise en scène. Je plaide pour que le protocole soit maximal afin de battre en brèche le sentiment d'illégitimité qui peut encore nourrir un certain complexe d'infériorité chez nos amis. Et je suis heureux de cette cérémonie au Panthéon, où la République s'invente un rituel.

Nous sommes au cœur du Quartier latin, où les étudiants et les intellectuels vivent, réfléchissent, contestent, s'amusent et s'aiment. Dès cet instant, nous plaçons la présidence de François Mitterrand sous le signe de la jeunesse, de la culture, du savoir et de l'ouverture au monde.

François Mitterrand monte la rue Soufflot porté par la houle manifestante venue de loin, par les intellectuels venus du monde entier et par la camaraderie amie qui le propulsent aux marches du Panthéon. Il y entre seul, conscient de la lourdeur de la tâche à accomplir et du poids de l'histoire à subvertir.

Il en ressort, rehaussé, accompagné par le souvenir des gisants réveillés par les hommages. Et, en haut des marches, il se statufie sous la pluie d'orage qui gronde tandis que l'*Hymne à la joie* de Beethoven tarde à finir.

Avant que retentisse enfin *La Marseillaise* de Berlioz, chantée par Plácido Domingo, la pluie de juin cingle le visage de l'élu du peuple. Stoïque, il fait front au tonnerre, imperturbable, visage marbré de placidité heureuse, calme sous l'orage.

Devant leur téléviseur, bien des spectateurs ne peuvent retenir leurs larmes de joie et d'émotion.

J'ai d'autres soucis plus immédiats qui interdisent tout relâchement. La foule monte vers le Panthéon, en une vague affectueuse mais dangereuse. Nous avons choisi de diminuer les forces de police. Il faut exfiltrer le Président. Et nous voilà transformés en gardes du corps débutants.

Un peu partout, de petits orchestres, qu'avec Christian Dupavillon nous avions installés à travers la ville, invitent à la fête. On danse sous la pluie. Beaucoup crient : « Vive le soleil ! » Pour certains, il plane comme un parfum de Mai 68. L'après-10 mai rappelle aussi Lisbonne en 1974, la fin de la dictature de Salazar et la révolution des Œillets, ou plus tard Prague en 1989, pendant la Révolution de velours. Tout à coup, par une étrange alchimie, un monde rêvé, un monde neuf prend corps. Je ressentirai à nouveau cette impression le jour de l'investiture du président Obama, aux États-Unis. Un homme, cet homme, a vaincu l'impossible. Ce jour-là, il est comme transfiguré, et nous avec lui. Alors les barrières sautent, les cloisons craquent, le quant-à-soi cède. C'est cela aussi le vrai socialisme : l'amour d'être ensemble.

Dans les jours qui suivent, Barbara compose un texte beau et juste qui exprime parfaitement l'atmosphère indéfinissable qui règne alors : une autre musicalité, une tendresse réinventée.

Regarde/Quelque chose a changé/L'air semble plus léger/
C'est indéfinissable
Regarde/Sous ce ciel déchiré/Tout s'est ensoleillé/C'est
indéfinissable
Un homme/Une rose à la main/A ouvert le chemin/Vers
un autre demain
[...]
Regarde/On a tellement rêvé/Que sur les murs bétonnés/
Poussent des fleurs de papier
Et l'homme/Une rose à la main/Étoile à son destin/
Continue son chemin
Seul/Il est devenu des milliers/Qui marchent émerveillés/
Dans la lumière éclatée
Regarde/On a envie de se parler/De s'aimer de se toucher/
Et de tout recommencer
Regarde/Plantée dans la grisaille/Par-delà les murailles/
C'est la fête retrouvée
[...]
Regarde/Au ciel de notre espoir/Une rose à nos mémoires/
Dessine le mot ESPOIR.

# Passation de pouvoirs 1
# (21 mai 1981)

Il est 9 h 32 quand le nouvel élu entre dans la cour de
l'Élysée et descend de la voiture officielle. Valéry Giscard
d'Estaing l'attend en haut des marches du perron. Après
quarante-sept minutes d'un entretien cordial mais sans
chaleur, l'ancien président sort de l'Élysée à pied, fidèle
à sa volonté de décontraction ostentatoire. Évidemment,

il subit une bordée de sifflets, peu sympathiques mais prévisibles.

Dans son discours d'investiture, Mitterrand invoque la mémoire de ces Français de gauche qui n'ont accédé au pouvoir que sporadiquement, en 1936, à la Libération. Il salue ce moment où « la majorité politique du pays, démocratiquement exprimée, vient de s'identifier à sa majorité sociale ».

Et puis, il fait valoir que le seul vainqueur du 10 mai, c'est l'espoir, et qu'il s'attache à rassembler. Tout en demandant également la loyauté des serviteurs de l'État. Car il faut se souvenir que la survenue de la gauche bouleverse non seulement la représentation populaire mais aussi la haute administration française qui a tenu le pays pour le compte du pouvoir gaulliste depuis vingt-trois ans, en une cogestion quasi incestueuse.

Si la droite joue à se faire peur en imaginant les chars soviétiques remonter les Champs-Élysées, la gauche paraît un peu démunie devant ces hauts fonctionnaires qu'elle connaît mal.

La défection du grand chancelier de la Légion d'honneur, qui se fait porter pâle pour ne pas avoir à passer le grand collier à François Mitterrand, semble de mauvais augure. Mais bon gré, mal gré, la transition s'effectue sans difficultés majeures. Et l'on voit aux postes de responsabilités un basculement des générations comme la survenue de talents extérieurs, syndicalistes, universitaires ou militants de formation.

Un premier déjeuner de deux cents couverts égaie l'atmosphère empesée de l'Élysée. Il y a là des militants de la Nièvre, les résistants survivants du réseau de prisonniers, les amis de toujours, les artistes et auteurs du monde entier et la jeune classe qui a mené la campagne présidentielle. Les rires sonnent haut sous les plafonds. Roger Hanin moque les manières empesées d'un service habitué à plus de componction. Ce moment est fraternel et provocant. C'est un peu comme s'il s'agissait de festoyer après la prise démocratique du palais d'Hiver. On parle haut, on roule un peu les mécaniques, on toise la tradition culbutée. On se permet quelques heures de contentement hilare. On est bien conscient que ces réjouissances ne sont qu'une trouée d'azur et que les ennuis et les déceptions ne tarderont pas à se multiplier et à griser l'horizon.

# Passation de pouvoirs 2 (1995)

François Mitterrand entre à nouveau dans un temps où sa liberté de manœuvre est entravée quand la gauche se fait étriller lors des législatives 1993. Chacun sait que la seconde cohabitation sera différente de la première, que le combat sera autre, plus doucereux, plus civil, plus à fleurets mouchetés.

Avant de devoir vivre avec le gouvernement Balladur, le Président salue l'équipe sortante, le gouvernement Bérégovoy.

L'adieu de 1993 n'est pas seulement politique, il est aussi affectif. Une époque s'achève, un homme commence à s'en aller. Les ministres sont extrêmement émus. Il y a quelques larmes.

Mitterrand explique son choix d'être fidèle au poste et d'accomplir l'intégralité de son mandat. Le combattant ne dépose jamais les armes, aussi vacillante soit sa santé, aussi inexistantes soient ses perspectives. « Privé de vous, je vais me sentir un peu seul. Bien sûr, la question m'est à nouveau posée : faut-il rester, faut-il partir ? Je me la suis également posée. Si je ne l'avais pas fait moi-même, j'y aurais été conduit par l'ampleur de l'offensive visant à obtenir mon départ... Après avoir réfléchi, j'ai décidé de rester, du moins autant que ma santé me le permettra. Je dois incarner ce combat, et je le ferai. Même si je n'ignore pas que je vais être la cible d'attaques en tout genre. Mais on ne parviendra pas à me faire rentrer dans la "ratière". D'ailleurs, si j'étais ce général défait que l'on décrit, à qui devrais-je rendre mon épée ? À M. Chirac ? À M. Giscard d'Estaing ? Ou bien plutôt à M. Bouygues ou à M. Poivre d'Arvor ? Je sais qu'on me reproche d'aimer le secret. Pourtant, il faut bien garder une part de secret pour exister. Quoi qu'il en soit, je peux vous le dire aujourd'hui, vous pouvez compter sur moi. »

Mitterrand quitte officiellement l'Élysée, le 17 mai 1995. Il y a passé quatorze ans. Il y a exercé un pouvoir effectif dix ans durant. Il a bataillé quatre ans pour sauvegarder une part de ses prérogatives en période de cohabitation. Pour accueillir dignement Jacques Chirac qui lui succède et qui fut pendant deux ans le Premier ministre d'une coexistence musclée, Mitterrand fait remettre en état le bureau du général de Gaulle.

En remerciement de cet assaut de prévenance, il demande que le couple de colverts qui a élu domicile autour du bassin du Palais soit épargné des appétits des chiens du nouveau locataire des lieux.

Jacques Chirac raccompagne le partant jusqu'au bas des marches. Il lui aurait même ouvert la porte de la voiture. Mais Mitterrand, détendu et primesautier malgré la maladie, tient à rester maître des lieux jusqu'au bout.

Il arrête Chirac devant les photographes pour la poignée de main, puis lui signifie d'un geste qu'il est bien capable de regagner son auto tout seul.

La musique joue. La Citroën sort. C'est fini.

Mitterrand tient ensuite à rendre une dernière visite à son parti, au Parti socialiste qui l'a porté au pouvoir. En 1981, déjà, il avait rendu une dernière visite à son bureau de premier secrétaire, rue de Solférino.

On lui offre une Twingo verte pour remplacer la Méhari fatiguée de Latche. Fêté par les élus et les jeunes militants, Mitterrand parle de transmission et prédit une rapide alternance maintenant que celle-ci est passée dans les mœurs. Il évoque la nécessaire transmission et l'œuvre collective accomplie.

« On ne peut pas limiter une idée d'organisation de la société à la vie et au travail d'un homme. Cela va beaucoup plus loin, vous êtes beaucoup plus que cela. Vous êtes la génération qui transmettra à d'autres et, moi, pour le peu de temps que j'ai devant moi, je suis heureux de retrouver des socialistes, des camarades, des amis dont je sais que, retournés chez eux, il leur faudra reprendre la tâche, entourés souvent par des classes dirigeantes hostiles, obligés d'affronter des revendications qu'ils ne sauront satisfaire, bref la vie politique dans toute son ampleur, telle qu'elle est, telle qu'elle se vit, telle qu'elle se fait. Cela vous attend. Vous allez continuer après moi. » Et de terminer en se félicitant de la continuité assurée : « C'est pour moi une joie que de savoir ici présents tant de militants et tant d'élus du parti qui font que même si les tourmentes à la tête parfois font courber les cimes des arbres, à la base c'est solide, parce qu'on y croit et parce qu'on se dévoue. »

# Peine de mort
# (Abolition de la)

Mars 1981. Sur Antenne 2. La présidentielle est dans moins de deux mois. À l'émission « Cartes sur table », François Mitterrand répond avec franchise à une question cruciale. Il évoque la peine de mort et il parle clair : « Pas plus sur cette question que sur les autres, je ne cacherai ma pensée. [...] Dans ma conscience profonde, qui rejoint celle des Églises, l'Église catholique, les Églises réformées, la religion juive, la totalité des grandes associations humanitaires, internationales et nationales, dans ma conscience, je suis contre la peine de mort. Et je n'ai pas besoin de lire les sondages, qui disent le contraire, une opinion majoritaire est pour la peine de mort. Eh bien, moi, je suis candidat à la présidence de la République et je demande une majorité de suffrages aux Français et je ne la demande pas dans le secret de ma pensée. Je dis ce que je pense, ce à quoi j'adhère, ce à quoi je crois, ce à quoi se rattachent mes adhésions spirituelles, ma croyance, mon souci de la civilisation, je ne suis pas favorable à la peine de mort. »

Deux tiers des Français sont alors contre l'abolition de la peine de mort. Les commentateurs parient que cette prise de position sans ambiguïté va handicaper la candidature de Mitterrand, qu'elle va lui soustraire des voix, pénaliser sa force. Ce ne sera pas le cas. Au contraire !

Cette annonce érige son auteur en homme libre, émancipé des stratégies politiciennes de la IVe République. L'idée prime sur l'image, le sens sur la séduction.

En s'engageant pleinement à abroger la peine de mort s'il est élu, Mitterrand impressionne par son refus de transiger avec une conviction morale. Il fait preuve d'une intransigeance dont lui sont redevables même les partisans de la peine de mort.

Mitterrand rompt enfin avec les louvoiements de ses prédécesseurs. De Gaulle est le seul à revendiquer son adhésion à cette loi du talion. Il se souvient d'avoir été condamné à mort par contumace par le régime de Vichy. Et il ne tremble pas quand il s'agit de faire fusiller Bastien-Thiry, l'ingénieur militaire organisateur de l'attentat du Petit-Clamart où de Gaulle a failli laisser la vie.

Pompidou est plus hésitant. Dans son for intérieur, il est abolitionniste et s'empresse d'accorder la grâce quand les cas ne sont pas médiatisés.

Au début des années 1970, les Français semblent majoritairement prêts à le suivre sur la voie de la mansuétude. À Clairvaux, deux détenus, Claude Buffet et Roger Bontems, prennent des surveillants en otages. Buffet en égorge deux : un gardien, une infirmière. L'opinion publique s'enflamme et s'impose comme un acteur de la décision présidentielle. Pompidou confirme l'exécution de Bomtens, défendu par Robert Badinter, et de Buffet.

Giscard est plus ondoyant. Il donne des gages au sentiment d'insécurité en forte progression. L'écrivain Gilles Perrault enquête sur la culpabilité de Christian Ranucci, l'un des derniers exécutés sous Giscard. *Le Pull-Over rouge* jette le doute sur sa responsabilité. Le dernier guillotiné sera Hamida Djandoubi en septembre 1977.

Dès son élection, Mitterrand gracie les condamnés qui attendent dans le couloir de la mort. On n'entendra plus sonner les talons du directeur venu annoncer le rejet de la grâce. Il n'y aura plus de dernière déclaration, de dernière lettre, de prêtre pour une dernière confession, de dernier verre, de dernière cigarette. Le bourreau et ses aides cesseront de dégager la nuque du condamné, de couper ses cheveux, de lui déchirer le col. Ils ne l'entraveront plus avec de la ficelle afin qu'il ne puisse se blesser, dit le code de procédure. Dans la cour de la prison, la guillotine ne sera plus cachée à la vue par un rideau. Il n'y aura plus ces petites vingt minutes seulement, entre l'annonce du rejet et le tombé du couperet. Le corps n'aura plus à être rendu aux familles qui le réclament. Les têtes resteront à leur place...

Le 18 septembre 1981, la France abolit enfin la peine de mort. Je suis heureux d'être membre du gouvernement qui accomplit cet acte majeur. Je suis fier d'être l'ami d'un président qui a été au bout de cette évolution cruciale qui manquait à notre démocratie.

Seize membres du RPR, parmi lesquels Jacques Chirac, Philippe Séguin et François Fillon, et vingt-trois membres de l'UDF se joignent à la gauche pour humaniser la France.

Depuis, la représentation nationale s'applique à ratifier divers traités, comme la Convention européenne des droits de l'homme, le protocole de l'ONU ou la charte des droits fondamentaux de l'Union européenne pour rendre extrêmement difficile le rétablissement promis inconsidérément par le FN. L'opinion publique, elle, est toujours aussi versatile en la matière.

# Pelat (Roger-Patrice)

Impossible d'oublier quelqu'un qui vous prend en charge alors que vous êtes prisonnier et qui vous donne ses rations de nourriture quand vous mourez de faim. Roger Pelat est né en région parisienne, à Saint-Cloud. Il a deux ans de moins que François Mitterrand.

D'origine ouvrière, il est d'abord commis boucher, puis manœuvre chez Renault. Proche du PC, il part rejoindre les Brigades internationales en Espagne pour combattre le franquisme.

Mitterrand et Pelat se rencontrent au stalag. Prisonniers, ils ne pensent qu'à s'évader. Membre du réseau animé par Mitterrand, Georges Beauchamp se souvient des relations entre les deux hommes : « Patrice était un type d'une générosité extraordinaire. Il avait payé de sa personne pendant la captivité. Il avait rendu de grands services à François, en le faisant manger, en lui permettant de subsister, en lui donnant ses rations pour son évasion[1]. »

Ayant lui aussi réussi à s'évader, Pelat entre dans la clandestinité. Il prend le nom de colonel Patrice. De haute stature et d'une belle force physique, il fait montre d'un courage certain. Il est célébré en héros à la Libération.

Le colonel Patrice est amoureux d'une jeune femme prénommée Christine. Celle-ci appartient au réseau dirigé par Mitterrand, caché derrière le pseudonyme de Morland. Un soir, le capitaine Morland passe voir le colonel Patrice qui réside chez Christine. Sur le buffet trône la photo d'une jolie brunette. La pose très Studio Harcourt ne gomme pas

---

1. Caroline Lang, *Le Cercle des intimes, op. cit.*

le sombre regard farouche, le front offensif et les sourcils froncés. Il s'agit de la cadette de Christine Gouze.

Avant que celle-ci ait le temps de nommer Danielle, Mitterrand s'exclame : « Elle est mignonne, votre sœur. » Et il aurait ajouté : « Je l'épouse. » La citation est peut-être apocryphe mais jamais Mitterrand ne démentira. Quand la légende est belle, autant l'imprimer.

Tandis que Mitterrand se lance en politique, Roger-Patrice Pelat développe des entreprises. Il fait fortune et finit même par s'acheter une Rolls, clinquante revanche d'ancien pauvre.

Devenu riche, Pelat se trouve mêlé à deux affaires qui vont rejaillir par ricochet sur Mitterrand. Il prête sans intérêt à Pierre Bérégovoy pour l'achat de son appartement. Ce qui n'a rien d'illégal. Et il aurait bénéficié d'une information d'initié lors de la vente de Péchiney. En public, Mitterrand soutient Pelat, évoque son courage par temps de guerre.

Je suppose qu'en privé Mitterrand fait valoir à Pelat sa façon de voir les choses. Pas besoin de hausser le ton, parfois une litote glaciale suffit à mortifier le fautif. En réalité, je n'en sais pas plus, je n'en sais trop rien. Mitterrand n'est pas du genre à s'épancher, ni même à se confier sur ce genre de difficultés.

Pelat fait une crise cardiaque avant d'avoir à en répondre en justice. Ce qui ne vaut pas aveu de culpabilité et ne signifie pas forcément qu'il s'en voulait d'avoir mis son ami dans un certain embarras médiatique. Parfois la physiologie n'a rien à faire de la psychologie.

Il n'est pas sûr que, s'ils s'étaient rencontrés la cinquantaine venue, les deux compères aient pu se trouver des atomes crochus. Entre le leader socialiste et le patron impérieux, l'écart des centres d'intérêt aurait sans doute été important.

Mais en amitié Mitterrand mélange nostalgie et indéfectibilité. Il ne renie jamais le passé, ce qui est une façon comme une autre de refuser que sa jeunesse s'enfuie. Il est d'autant plus prêt à pardonner les erreurs que la rencontre est ancienne. Il faut vraiment que le manquement soit important pour que Mitterrand coupe les ponts. Dans ce cas, il n'y a jamais de revenez-y. C'est définitif. Ce n'est pas forcément exprimé. Il ne veut pas prêter le flanc à débat, explication, justification, sans parler du chantage à l'émotion.

Souvenons-nous plutôt de leurs promenades sur les quais de Seine. Les deux gaillards prennent le frais après le repas de midi. C'est l'automne ou l'hiver, ils sont bien couverts. Mitterrand fait les bouquinistes. Moins intéressé par la littérature que par les gambettes des demoiselles alentour, Pelat détaille, évalue. Il fait part de ses commentaires à Mitterrand qui en sourit.

Malgré les gros pardessus de bonne facture et les casquettes d'hommes respectables, on dirait deux lycéens en goguette.

## Postérité (inversion de perception)

Le temps sculpte les figures, émacie les conflits, tranche dans les polémiques.

Quand un homme de progrès et de transformation est encore en vie, il provoque l'intérêt et la détestation, la curiosité si ce n'est l'inquisition, l'adulation comme la frénésie destructrice. François Mitterrand, plus que tout autre, ne laisse personne indifférent. Il déclenche des controverses hors de propos, hors de contrôle. À l'égal des hauts et des bas de sa trajectoire politique qu'il a escaladée et dévalée sans se départir de sa constance, il semble avoir encaissé ces assauts sans perdre son calme, ni sa compréhension de l'humaine nature.

Les premières années qui suivent sa mort restent agitées. Il y a des répliques sismiques des tremblements atterrants qui ont précédé. Les ennemis de toujours profitent de sa disparition pour continuer à maltraiter sa réputation. Ils sont sans crainte, et pour cause, d'être démentis par le premier concerné. Les observateurs soi-disant distanciés vident leurs carnets de notes. Ils font parler le mort pour mieux le déchiqueter ou l'encenser en se faisant valoir en miroir. Les proches, et c'est bien normal, racontent leur Mitterrand, le tirent à eux, le recomposent au risque de le réinventer. Et c'est peut-être ce à quoi je me livre ici.

Chacun veut sa part de la dépouille pour l'ingurgiter à sa guise, en anthropophage de célébrités côtoyées ou rêvées.

Vingt ans après, les passions se calment. La fébrilité de l'actualité laisse place au repli argumenté de l'histoire. Et on arrive à évaluer l'apport de Mitterrand, sa place dans la légende des siècles, sa contribution à l'évolution du pays.

À la fin du xxᵉ siècle, Mitterrand est celui qui installe la gauche au pouvoir durablement, qui lui donne légitimité et crédibilité, et qui fait rimer justice sociale et liberté.

Mitterrand instaure une logique d'économie mixte, édicte des lois de libération, redonne de l'envergure à la culture et décentralise le jacobinisme d'État.

En France, avant Mitterrand, la gauche ne fait que des apparitions sporadiques. 1830, 1848, la Commune, 1936, 1945. Le temps est compté. Avec Mitterrand vient la durée.

Pourtant, en 1981, nous avons encore un sentiment d'urgence. Le mot d'ordre est d'« agir vite et fort ».

Il y a dans nos têtes, de façon tout à fait irrationnelle, comme une malédiction qui rôde. C'est comme si l'utopie n'était pas réelle et qu'un fantôme ricanant allait venir nous tirer par les pieds dans notre sommeil et lancer : « Réveillez-vous, c'était une plaisanterie. Giscard est toujours à l'Élysée. » Dans les premiers mois, les décisions tombent comme à Gravelotte pour endiguer cette peur de n'être que de passage.

Aujourd'hui, la gauche a un rapport sain avec la conquête des responsabilités. Elle est acceptée sans difficulté par le pays, quelles que soient les critiques sur la politique suivie.

De 1997 à 2002, Jospin dirige depuis Matignon. En 2012, Hollande est le premier successeur de gauche de Mitterrand à l'Élysée.

La présence de la gauche au pouvoir est tellement naturelle que Hollande peut décider d'inverser les priorités. À l'opposé de Mitterrand, il préfère manger le pain noir des débuts douloureux et des réformes impopulaires avant de distribuer la brioche du réconfort en fin de mandat. Il peut choisir d'agir ainsi. Il n'est plus dans l'angoisse de se voir destitué du jour au lendemain qui nous inquiétait tant en 1981.

# Programme commun de la gauche

Il faut réaliser que, dans les années 1950 et 1960, la vie politique, intellectuelle et culturelle de la gauche s'articule autour du Parti communiste. Certains penseurs sont des adhérents prêts à tout pour ne pas désespérer Billancourt, d'autres des compagnons de route que fascinent les représentants de la classe ouvrière. Ceux qui quittent le PC deviennent souvent ses plus farouches contempteurs. Mais que les avis soient en phase ou en rupture, la question du communisme et celle du rapport à l'URSS emplissent la vie de la cité. De grands talents du théâtre, de la littérature ou de la poésie ont leur carte et, chaque mois de septembre, la fête de l'Humanité est un moment de débats qui donne le *la* de la rentrée.

Électoralement, le PC fait 20 % des voix. C'est beaucoup et c'est peu à la fois.

En réalité, le PC est le meilleur allié des gaullistes. C'est devenu l'opposition de Sa Majesté.

Le PCF a beau tempêter et attiser des grèves par le biais de la CGT, il y a comme un Yalta français. D'un côté, à de Gaulle et aux siens, le vrai pouvoir et l'économie réelle. De l'autre, au PCF, le beau rôle du parti tribunicien, les banlieues rouges, le communisme municipal, certaines Maisons des jeunes et de la culture et quelques rares départements dans l'escarcelle.

La guerre froide engendre un équilibre des forces confortable à chacun. Les États-Unis ne permettraient jamais qu'un allié majeur comme la France crée une brèche rouge au cœur des terres de l'OTAN.

En face, l'URSS aime la stabilité et préfère un PCF qui reste inféodé à Moscou plutôt que des dérives autogestionnaires à la Tito ou un eurocommunisme à l'italienne. Attachée à la stabilité du continent et à la répartition des forces, l'URSS des années 1970 sait bien que la droite est son meilleur allié et prendra le parti de Giscard en 1981.

Il faut un sacré culot doublé d'une vista anticipatrice à Mitterrand pour songer à faire alliance avec le PC juste après le congrès d'Épinay de 1971.

Les cyniques aigris qui sont souvent des conservateurs cachés ricanent devant ce benêt de socialiste en peau de lapin qui va se faire manger tout cru par l'ogre rouge.

Les observateurs ricaneurs pensent que Mitterrand devrait faire comme ses devanciers, imaginer une troisième voie, aller faire le beau devant les chrétiens-démocrates et tenter de gauchir leur belle âme.

Les conseilleurs qui ne paient jamais la note voudraient que le PS conclue avec les centristes des avancées sociales modérées afin de se partager les duchés et de parier sur la lassitude devant le pacte conclu avec Giscard qui n'a pas rapporté lourd.

En face, Georges Marchais et les siens rient sous cape de la naïveté de l'idéaliste à la rose au poing. Les staliniens maintenus que sont les caciques de la place du Colonel-Fabien se voient déjà plumer la volaille socialiste dans des secteurs qui pourraient convenir au PS. Le PC s'imagine prendre pied dans les cités pavillonnaires pour classe moyenne, dans les métropoles régionales en plein développement ou dans les vieilles cités industrielles gagnées par la gentrification et la civilisation des loisirs.

Mitterrand, lui, avance en confiance. Il fait le pari que l'archaïsme du PCF sur les thématiques économiques et sur les sujets sociétaux va entraver durablement son évolution. Le premier secrétaire est convaincu que le PC est trop étatiste et trop ouvriériste pour pouvoir prendre la mesure de la demande d'autonomie des salariés français. Il voit bien que le puritanisme édifiant du PC qui pense la bourgeoisie dépravée par nature, quand la classe ouvrière serait virginale et pure, ne peut que fatiguer une jeunesse qui veut respirer large, penser par elle-même et s'amuser à sa guise.

En 1972, Robert Faure pour les Radicaux de gauche, Georges Marchais pour le PCF et François Mitterrand pour le PS font affaire. Le projet est assez décoiffant. Nationalisation, décentralisation, lutte contre le chômage, libertés publiques, très bien. Mais il y a aussi l'abandon de la force de frappe nucléaire, la sortie de l'OTAN et la réduction du service militaire à six mois à une époque où l'armée française est encore une armée de conscription. Les gages donnés par le PS au PC sont consistants.

Mais les résultats électoraux prouvent bientôt qu'à gauche on préfère la copie à l'original, le socialisme démocratique au stalinisme autoritaire. Et que la conquête du camp du progrès vaut bien une messe rouge et quelques génuflexions devant les désirs supposés du Kremlin.

Les candidatures uniques profitent davantage au PS qu'au PC. Petit à petit, de scrutin en scrutin, le PS étend son emprise et finit par passer devant.

En 1977, devant ce reflux permanent, le PC va à l'affrontement. Il veut renégocier le Programme commun de gouvernement. Ses exigences sont telles qu'il est clair qu'il s'agit de provoquer la rupture en faisant mine de tomber à gauche.

Satisfait de l'évolution des scores du PS, Mitterrand tente d'être unitaire pour deux. Mais il ne voit pas forcément d'un mauvais œil la logique d'isolement dans laquelle s'enferme le PC. Tant pis pour les candidatures uniques. Mieux vaut retrouver son indépendance en feignant d'être désolé d'être livré à soi-même. Dans ses « 110 propositions » pour 1981, Mitterrand va continuer à mettre en avant des idées lancées par le PC et que le PS a reprises sans y croire excessivement.

Au pouvoir, il les mettra en œuvre et cela provoquera des bouleversements majeurs, preuve que les temps sont audacieux. Mais la France ne quittera pas l'OTAN et ne se privera pas de la force de dissuasion nucléaire.

Entre les deux tours de 1981, Marchais et sa camarilla font voter Giscard, comme Chirac choisit Mitterrand. Élu, ce dernier tient pourtant ses promesses, salue les militants du PC et fait entrer des ministres communistes au gouvernement après les élections législatives de juin. Ce qui affole le ban et l'arrière-ban du monde dit libre.

Les ministres PC se révéleront fidèles, disciplinés, excellents.

# Promenades

François Mitterrand aime mettre un pied devant l'autre et sait bien que c'est la meilleure façon de marcher. L'homme est un péripatéticien qui va et vient et aime s'oxygéner les neurones en détaillant les paysages, en visitant les quartiers reculés des villes, en cheminant en bord de rivières.

Il célèbre souvent ces moments volés à la pesanteur fessière des réunions plénières, aux stations assises à signer des parapheurs derrière un bureau, aux facilités automobiles pour faire dix mètres, protocole et sécurité obligent.

Il écrit : « Ah, le bonheur utile des longues promenades où respirer est penser. » Il insiste : « Je sens mes pas épouser la souplesse du chemin. Le silence et l'espace me guérissent du mal des villes. Brève incursion dans un royaume presque oublié ! »

Mitterrand ne laisse jamais passer l'occasion de battre la campagne et d'arpenter la cité. Il visite, il repère, il hume l'air du temps ou jauge le sentiment des passants. Parfois, ça donne des idées. Je me souviens d'un regard commun au triste dôme des Invalides et de la décision prise ce jour-là de redorer tout ça.

Ça le délasse. Ça lui fait de l'exercice, surtout les dernières années quand la pratique sportive s'en est allée loin de lui, médecins ordonnent. Et puis, ce sont des instants de détente dont la politique ne s'éloigne jamais vraiment.

Mitterrand marche souvent accompagné et le choix du partenaire n'a rien de neutre. Même s'il faut éviter d'interpréter le type de compagnonnage qui tient souvent à l'habitude ou au hasard.

Le piéton de Paris aime les quais de Seine qu'il rejoint aisément depuis la rue de Bièvre. Ça lui permet de faire les bouquinistes.

Le berger landais inspecte ses futaies ou rejoint la côte landaise, avec rouleaux déployés en blanc farineux et surfeurs égarés entre deux déferlantes.

L'amoureux de Venise se perd dans les ruelles au pavé glissant et se retrouve à se glisser en chat maigre du côté des *zattere*.

Et puis souvent, la marche au grand air fait de belles images qui persistent dans la rétine des foules.

Il y a le de Gaulle des landes irlandaises, allant de l'avant, furieux dans la tempête, pans d'imperméable au vent, courbé par la violence de l'échec subi et du renoncement orgueilleux, oubliant derrière lui Yvonne, la trotte-menue.

Et il y a le Mitterrand royal et détendu, inspectant, matois, la tenue flambant neuve d'un Rocard médiocre amateur d'escapade buissonnière. On est en 1988. C'est la campagne présidentielle. Et il s'agit d'allier les deux gauches et de laisser entrevoir une union possible, une nomination envisageable à Matignon. Avant un meeting à Montpellier, Mitterrand propose une marche champêtre à son futur Premier ministre. Sauf qu'il pleut. Rocard court s'équiper au magasin d'à côté. Et le voilà transformé en Tintin de sous-bois, avec chaussures de montagne brillantes, guêtres montantes, casquette de coursier et imperméable des villes. À ses côtés, au risque du grotesque généralisé, Mitterrand arbore blouson adapté et chaussures appropriées. Sans parler du bâton de marche. Dont il n'a pas même besoin d'user pour prouver sa prééminence.

# Pyramide du Louvre

On est le 27 juillet 1981 et je rédige une note sur le Grand Louvre que je fais porter à l'Élysée.

J'écris : « Au titre des grands projets dont nous pouvons rêver pour Paris, il y aurait une idée forte à mettre en chantier : recréer le Grand Louvre en affectant le bâtiment tout entier au musée. »

Je ne cache pas que cela suppose de déménager le ministère des Finances. Je précise que les fonctionnaires de cette administration que l'on nomme alors Rivoli sont plutôt mal logés. Et j'ajoute, taquin, mais ne réalisant pas bien la solidité de la forteresse à laquelle je m'attaque, « à l'exception du ministre ».

Je souligne quand même : « Seul un acte de souveraineté peut donner corps au dessein ambitieux du Grand Louvre. »

La proposition me revient griffée à l'encre bleue comme souvent : « Bonne idée mais difficile (par définition comme toutes les bonnes idées). » Le tout est signé des initiales F. M.

Après une phase d'élaboration du projet que nous menons à bien, l'architecte sino-américain Ieoh Ming Pei est sollicité. Il prend son temps pour donner sa réponse. Il vient à Paris, consulte, s'imprègne de la culture française. Il réfléchit, finit par donner son accord, tout en s'entourant d'architectes locaux comme Michel Macary et Jean-Michel Wilmotte.

Pour Pei, la principale faiblesse du Louvre tient à son entrée dérobée. Il propose de creuser un nouvel accès au cœur de la cour Napoléon. Celui-ci doit impérativement être surmonté d'une structure transparente pour que la lumière du jour puisse l'éclairer. Pei suggère de le coiffer d'une pyramide en verre.

Le Président et moi sommes immédiatement séduits. La pyramide est à la fois une forme antique qui renvoie à l'Égypte des pharaons et une rupture moderniste dans l'architecture classique de la cour du Louvre.

Ce télescopage est artistiquement stimulant et intellectuellement satisfaisant. Il représente parfaitement la philosophie du projet culturel de la gauche au pouvoir. Nous sommes là pour mener en profondeur une action de réforme et de transformation à travers tout le pays tout en imaginant de grandes opérations emblématiques.

À côté de la Pyramide du Louvre, nous encourageons un essor sans précédent des musées de province.

Dans chaque secteur culturel (livre, cinéma, patrimoine, arts plastiques, musique, architecture…), la logique est la même. Les symboles brillants sont là aussi pour surligner le patient travail accompli avec les citoyens pour tisser une tapisserie culturelle à la trame suffisamment serrée, de telle sorte que les Pénélope de droite ne pourront tout défaire au matin de l'alternance.

En matière de grands travaux, Mitterrand est soucieux d'aller vite, de frapper fort pour rendre le projet irréversible. Pour la Pyramide, il est plus volontariste que jamais. Il scrute la maquette sous tous les angles, suit chaque phase du chantier, bottes aux pieds et casque sur la tête. Il me demande sans cesse des nouvelles de l'avancée des choses et m'incite à faire acte d'autorité quand les résistances se manifestent. Et elles sont nombreuses. Mais Émile Biasini, directeur de l'Établissement public du Grand Louvre, les vainc avec efficacité.

Les conservatismes s'allient pour s'offusquer de cette dénaturation, de cet outrage, de cette nouveauté anachronique et archaïque. Tous les arguments sont bons pour attaquer la Pyramide.

Certains critiques d'art aussi fameux que fielleux voient en nous des Bouvard et Pécuchet. On nous reproche à la fois de faire du Louvre une maison des morts à l'égyptienne, un Luna Park ou un Disneyland. Nous serions à la fois des antiques et des mondialisés standardisés, zélotes de la civilisation des loisirs et du relativisme culturel.

Maire de Paris et leader de l'opposition, Jacques Chirac a deux bonnes raisons de mettre des bâtons dans les roues au projet. Le Louvre est un lieu d'attraction de la capitale et Mitterrand est sa cible principale.

Après des mois de querelles et de polémiques, Chirac suggère de réaliser sur le site une préfiguration de la Pyramide. Il imagine pouvoir démontrer l'énormité de l'objet, sa lourdeur, son incongruité. C'est l'inverse qui se produit. Cette proto-Pyramide tissée de filins de Téflon impose son élégance. Chirac, le premier, doit convenir que ce geste architectural est équilibré et raisonné.

Le deuxième front est autrement compliqué. Les inspecteurs des Finances qui sont les grands féodaux du ministère du même nom ne veulent surtout pas quitter le centre historique de Paris. Comme ils essaiment au sein des diverses administrations, ont fait souvent du cabinet ministériel avant d'aller parfois pantoufler dans le privé, ils ont un pouvoir de nuisance considérable. Ils refusent de quitter Rivoli. C'est à la fois une question de confort et d'habitudes, mais aussi un haut-le-cœur devant ce qu'ils vivent comme une externalisation hors du centre du pouvoir. Pour ces messieurs qui tiennent les cordons de la bourse, il est inimaginable d'être à plus de dix minutes à pied de l'Élysée ou de l'Assemblée qu'ils font marcher à la baguette, à la cadence de leurs refus d'amender les collectifs budgétaires au nom du respect des grands équilibres.

Laurent Fabius, Jacques Delors, Pierre Bérégovoy et Henri Emmanuelli poussent les feux pour inciter leurs équipes à laisser la place. Mais, en 1986, Édouard Balladur et ses proches conseillers réintègrent les bureaux ministériels rue de Rivoli.

Les hauts dirigeants du ministère des Finances ne digèrent toujours pas la mise en demeure de Mitterrand. Avec ironie, celui-ci lance au moment du début des opérations dès 1981 : « J'ai demandé au Premier ministre de prévoir l'installation et la construction d'un ministère des Finances dans des lieux aussi nobles qu'il le mérite, mais sans qu'il y ait de confusion excessive entre l'état de fonctionnaire de cette noble maison et les objets d'art qu'il convient de montrer au public. » Las de tenir des réunions rythmées par le bruit des marteaux-piqueurs, Balladur finit par battre en retraite.

En mars 1989, la Pyramide du Louvre est inaugurée. Elle fait 22 mètres de haut et 35 de côté. Elle compte trois sœurettes miniatures sur les flancs et une jumelle inversée dans la cour suivante.

Le pays est bluffé.

L'un des opposants les plus virulents au projet, *Le Figaro Magazine*, tourne casaque. L'hebdomadaire dirigé par Louis Pauwels, qui m'a traité de « pape du sida mental », me sollicite pour organiser une fête sous la Pyramide. Poussé par Mitterrand qui en sourit, je joue les grands seigneurs et accepte fort obligeamment la demande, reddition comprise. Et les membres du G7 qui se tient à Paris les 13 et 14 juillet 1989, à l'occasion du bicentenaire, posent pour la photo sous la verrière si décriée et qui maintenant fait l'unanimité.

Vingt ans après, les visiteurs du musée du Louvre sont trois fois plus nombreux.

Souvent, les polémiques coulent sous les ponts de la discorde nationale comme l'onde si lasse de nos indignations de saison. Mais elles témoignent de l'intérêt maintenu pour ce monument et peuvent être intéressantes à revisiter.

1. La Pyramide vaut à Mitterrand des accusations de compulsion pharaonique. Et les délires sont sévères. « Mitterramsès » voudrait se faire ensevelir avec son gouvernement, sa famille, ses favorites et sa domesticité au creux de la Pyramide comme dans l'Égypte ancienne. « Tontonkhamon » sertirait de bandelettes la momie de son pouvoir pour la conserver dans le catafalque des mémoires. Diabolique, le grand maître en ésotérisme aurait fait assembler 666 losanges et triangles pour couvrir

l'édifice, quand les losanges de chez Saint-Gobain sont au nombre de 603 et les triangles, 70.

2. Mitterrand n'est pas Lénine ou Mao qui voient défiler devant leurs mausolées les derniers pèlerins en deuil du communisme et des curieux en bataillons ricaneurs. Le PCF ou les derniers Mohicans du maoïsme français peuvent témoigner que Mitterrand n'a jamais été des leurs. Malgré tout, la Pyramide édifiée en plein Paris parle de ce que nos sociétés ne veulent plus évoquer. Elle nous parle de la mort. Elle incite chacun à s'interroger sur le temps qui reste, sur la vie qui va, sur le sort que lui réserve la postérité, sur ce que l'histoire gardera de son passage sur terre. C'est un *memento mori*, une de ces « vanités » que les peintres glissaient dans leurs tableaux. Mitterrand nous dit : « N'oublie pas que tu vas mourir. » Et c'est un rappel nécessaire à la bonne santé mentale des populations guettées par l'amnésie du confort et la promesse de l'immortalité.

Sinon, il est intéressant de noter qu'un palais où régnait l'absolutisme royal et que se sont accaparé l'économisme ambiant et le jacobinisme a fini par céder devant la culture pour tous.

Le succès de la Pyramide, comme emblème des collections du Louvre, dit que l'art est plus fort que le sceptre et que la monnaie. Certains peuvent dauber sur ces processions culturelles qui seraient les grands-messes d'aujourd'hui. Le musée aurait supplanté l'église au cœur du village. Mais il vaut peut-être mieux sacrifier au culte de la beauté et du talent des artistes que s'agenouiller devant des idoles, aussi sacrées soient-elles.

# Q

# Quartier latin (rue de Bièvre)

François Mitterrand a toujours habité rive gauche.

Dans les années 1950, il réside rue Guynemer, au sud du jardin du Luxembourg, près de la Closerie des Lilas et du restaurant universitaire de Port-Royal.

Puis, il s'installe rue de Bièvre, entre la Mutualité où se tiennent les meetings et les quais de Seine qui font face à la basilique Notre-Dame.

C'est un entrelacs de rues pavées où se mélangent les boutiques des derniers artisans épargnés, les petits restaurants grecs qui prospèrent autour de la rue de la Huchette et les bouquinistes qui ouvrent leurs étals.

Aux terrasses des cafés s'attablent les étudiants en attente de révolution, les professeurs d'université, et les touristes que viennent solliciter les jongleurs de rue et les clochards folkloriques.

Rue de Bièvre, une lourde porte de bois troue le mur d'enceinte qui protège une courette pavée. Les Mitterrand résident dans un rez-de-chaussée. Il y a là la cuisine et une salle à manger meublée année 1970.

François Mitterrand a établi son bureau et sa bibliothèque dans un petit pigeonnier. On y accède par un escalier étroit aux marches de guingois où les visiteurs se contorsionnent pour arriver à destination. Ce lieu est agréable. Mais l'espace est compté, les facilités mesurées et le confort particulier.

Mitterrand est assez pigeon voyageur en les murs. Il volette entre sa circonscription du Morvan, ses visites à toutes les fédérations départementales socialistes, ses expéditions à l'étranger et autres itinéraires privés.

Malgré tout, la rue de Bièvre devient un endroit aussi emblématique que Latche ou Solutré. C'est le gîte parisien d'un politique qui aime les livres et la compagnie des artistes. C'est le castelet miniature d'un seigneur intellectuel qui, à trop fréquenter les populations mal traitées, a réduit d'autant ses prétentions immobilières. Il en reste pourtant les vestiges en mode mineur ou en version ironique. Comme si Mitterrand moquait par son minimalisme rustique les prétentions dorées sur tranche des châteaux des Giscard ou des Chirac.

La rue de Bièvre se tient au bas du Quartier latin. Et c'est un signe de reconnaissance et d'appartenance important. Avant mai 1981, Paris est scindé. Sur la rive droite, l'argent, le brillant, le pouvoir. À la rive gauche, l'art, la culture, l'intelligence. Le Quartier latin est également le centre nerveux de la contestation, celle des jeunes, des enseignants, des chercheurs. Mitterrand a beau entretenir des rapports contrastés avec Mai 68, il n'est pas anodin qu'il réside au pied de la Sorbonne.

Et c'est aussi pour réunir toutes les familles de la gauche, l'étudiante et la bourgeoise, l'ouvrière et la fonctionnaire, que le nouveau président remonte la rue Soufflot le jour de son investiture, direction le Panthéon.

Il est chez lui au cœur de ce quartier qui s'est hérissé de barricades en 68 et où l'on étudie, où l'on lit, où l'on va voir des films d'art et essai avant de manger au coude à coude dans des petits bistrots.

R

# Radios libres

En ce mois de juin 1979, quelques émetteurs pirates se cachent dans les greniers. Des antennes radio émergent discrètement sur les toits de France, les châteaux d'eau ou les sommets des alpages.

Les premières radios libres tentent en vain de se frayer un espace à travers le pays. Le coût du matériel a baissé et la bande FM pourrait multiplier le confort d'écoute. Mais tout cela reste interdit, clandestin. Des pionniers tentent de faire éclore des radios associatives, militantes ou fantaisistes.

Depuis 1945, l'État a le monopole audiovisuel. La radio est sous l'emprise directe du pouvoir à l'exception de quelques stations périphériques qu'il influence néanmoins.

Ce 28 juin 1979, pour la première fois, Radio Riposte émet depuis le siège du PS, cité Malesherbes. Dans un message enregistré, François Mitterrand « attire l'attention de l'opinion publique sur la situation scandaleuse de l'information ». Les dernières campagnes électorales ont prouvé que le pouvoir giscardien savait couper le sifflet à ses opposants. Au bout de dix minutes, l'émission est brouillée. Comme souvent, la police en fait trop et donne l'assaut. L'émetteur est installé au dernier étage et l'escalier est bloqué. La maréchaussée sonne la charge sans grand discernement et finit par embarquer Laurent Fabius et quelques autres militants.

Mitterrand et Fabius sont accusés d'atteinte au monopole d'État et traduits en justice.

Cet affrontement fait remonter la cote de popularité du PS au cœur de la jeunesse avide de libertés nouvelles. Dès notre accession au pouvoir, nous autorisons les radios libres. Une fabuleuse explosion d'initiatives surgit. Un exemple parmi beaucoup d'autres : l'essor en France du mouvement hip-hop auquel j'apporte évidemment mon soutien est dopé par les radios libres. Le hip-hop sort de la sphère des initiés. Phil Barney rejoint Carbone 14, Dee Nasty anime l'émission « Funkabilly » sur radio Ark-en-ciel FM de 1981 à 1983 avant de passer sur Nova avec son Deenastyle, DJ Chabin intervient régulièrement à l'antenne de Radio Aligre. Dans le sud de la France, Philippe Subrini et Patrick Gastine diffusent à partir d'avril 1983 l'émission « Prélude » à l'antenne de Radio Delta Sud, à Arles, avant de rejoindre Radio Star à Marseille à l'automne, mais aussi Carbone 14, Radio Sprint... Les radios libres sont à l'avant-garde du mouvement, elles vont permettre sa diffusion dans tout l'Hexagone et l'apparition des premières figures emblématiques du hip-hop en France. Sidney a été l'une des premières personnalités médiatiques françaises de la culture hip-hop et le premier animateur de télévision noir en France. En 1981, il se voit confier une émission quotidienne de 22 heures à minuit sur la radio libre Radio 7. En 1984, Sidney anime sur TF1 l'émission hebdomadaire « H.I.P. H.O.P. » durant un an. La culture hip-hop touchera ainsi un public plus large encore. D'autres radios libres connaissent un destin moins heureux. Faute d'une réglementation claire, des dérives commerciales dénaturent l'esprit pionnier de cette belle aventure. Malgré tout, à l'arrivée, François Mitterrand, initiales F. M., a libéré la bande FM.

# Résistance intérieure

François Mitterrand n'est pas à Londres, le 18 juin 1940. Il est prisonnier et hospitalisé. Il entend parler de l'appel un mois plus tard. Il ne connaît rien de De Gaulle, mais salue la démarche et trouve que le nom est prédestiné.

Ils se croisent une première fois à Alger, en 1943. Mitterrand décrit ainsi celui qui le reçoit : « Et voilà que, devant moi, était avec sa drôle de tête, petite pour son grand corps, son visage de condottiere frotté chez les bons pères et ses jambes repliées sous la table, celui que j'avais tant imaginé. »

De Gaulle veut imposer son neveu à la tête du mouvement des prisonniers. Mitterrand se sent légitime pour la fonction. C'est d'ailleurs à cet effet qu'il est venu jusque-là.

Ce refus de céder déplaît à de Gaulle et aux siens. De là naîtront les rumeurs qui présenteront Mitterrand comme un giraudiste ou comme un agent anglais. Tandis que de Gaulle mandate Jean Moulin pour unifier la résistance intérieure et la mettre sous la coupe gaulliste, Mitterrand rentre en France pour reprendre le combat sur le terrain. Le père de Jane Birkin le largue sur un petit canot au large du Finistère. Il rame dans la tempête, débarque à Beg An Fry, prend le train à Morlaix et manque de se faire cueillir à Montparnasse. Il veut retrouver ses équipes, son réseau.

Il est fier de l'action accomplie : « Je considérais notre résistance sur le territoire national, au contact incessant de la torture et de la mort, comme d'une autre nature que la résistance extérieure et ne reconnaissais pas à celle-ci la prééminence dont elle se prévalait. Je contestais que le mot Résistance pût s'appliquer au combat mené de Londres et d'Alger, épisodes d'une guerre traditionnelle. D'une certaine façon on a confisqué la Résistance au peuple français. »

Même si, à la Libération, de Gaulle nomme Mitterrand membre du Gouvernement provisoire, leur relation est viciée. Non seulement Mitterrand a discuté les ordres, mais surtout il appartient à cette résistance intérieure qui estime qu'elle a des droits sur la victoire et renâcle à se laisser manœuvrer et dominer par les gaullistes de Londres.

Une querelle majeure va opposer deux personnages et deux camps. Opposition qui aurait pu tourner court. De Gaulle est sur le balcon de l'Hôtel de Ville, le jour de la libération de Paris. C'est la bousculade et, alors qu'il se penche au balcon pour saluer la population rassemblée, il manque de basculer dans le vide. Deux hommes sont là pour le saisir aux chevilles et l'empêcher de tomber. L'un d'eux est le capitaine Morland, *alias* François Mitterrand.

# Retraite à 60 ans

Le droit à la retraite à 60 ans apparaît au 82e rang des « 110 propositions ». Elle est mise en place par ordonnance en mars 1982 et prend effet après négociation avec les partenaires sociaux le 1er avril 1983. Ce qui est loin d'être un poisson d'avril.

Les régimes de retraites complémentaires abondent les pensions servies par le régime général. En 1983, un smicard qui prend sa retraite à 60 ans au lieu de 65 reçoit 80 % de son dernier salaire. Un cadre moyen touche, lui, entre 65 et 70 % de ses précédents revenus.

Pour les ouvriers des hauts-fourneaux ou autres travaux pénibles, l'avancée est importante. Leur espérance de vie ne dépasse pas 63 ans. Elle est inférieure de deux ans à l'âge légal de départ à la retraite. Ces durs au mal et au labeur ont droit à un repos bien mérité quand ils sont déjà dans la tombe.

Cette mesure inscrit François Mitterrand dans la lignée de Jaurès et de Blum. Elle est socialement importante, symboliquement limpide, politiquement juste. Bien sûr, cela pose la question du financement de l'assurance retraite. Mais, en 1983, la pyramide des âges permet encore d'aller en ce sens.

La retraite à 60 ans est une chose. Le partage du travail en est une autre. Les temps viendront en 1997, avec Martine Aubry. Il est intéressant de réfléchir à panacher les trois temps de la vie (formation, production, repos-retraite). Ces différents registres doivent pouvoir se mélanger au lieu de se succéder et de s'exclure.

Mitterrand a 65 ans quand il prend le pouvoir. Il a l'âge légal de la retraite, avant qu'il ne l'abaisse à 60 ans.

La retraite est une disposition d'esprit que je lui imagine mal. Je ne le vois pas se retirer à Latche en demi-saison, à l'automne et au printemps quand tout s'agite dans le pays. Je ne le vois pas se caler dans son transat, regarder ses pins pousser, écouter ses ânes braire et attendre que les beaux ciels atlantiques varient leurs splendeurs et noircissent l'horizon. Je ne le vois pas se dédier au jardinage et à l'élagage, devenir un grand-père gâteau, même s'il a toujours été un aïeul attentionné.

S'il n'avait pas été réélu en 1988, je pense que Mitterrand aurait écrit ses mémoires et aurait affronté son désir d'écrire. Mais je le vois mal ne pas continuer à chroniquer l'actualité et abandonner la scène publique.

J'approche doucement, le plus doucement possible de l'âge qu'il avait lors de ses dernières années de mandat. Et je n'envisage pas une seconde de dételer.

Pour autant, je continue à batailler pour que ceux qui souhaitent partir à leur heure puissent continuer à le faire. Question de principe. Et de liberté.


# Rigueur (Tournant de la)

En mars 1983, Mitterrand hésite à sortir du Système monétaire européen (SME), ce qui aujourd'hui reviendrait à sortir de l'euro. La situation économique est mauvaise. La relance par la consommation a causé du déficit en matière de commerce extérieur. À force de vouloir faire de la croissance dans un seul pays, la France se retrouve à contre-cycle. Le chômage continue à augmenter. Des pans entiers de l'industrie nationale sont sinistrés et demanderaient à être radicalement restructurés au risque de conflits sociaux majeurs. Vent debout contre le « socialo-communisme », les entreprises réclament comme toujours une baisse des charges.

La gauche de gouvernement garde du crédit. Elle a tenu ses engagements de réforme : hausse du Smic, 39 heures, cinquième semaine de congés payés, retraite à 60 ans, lois Auroux. Pourtant, alors qu'une troisième dévaluation menace, Mitterrand est tiraillé entre deux logiques.

La deuxième gauche, celle de Delors et Rocard, soutenue par la technostructure et les jeunes conseillers de l'Élysée réunis autour de Jacques Attali, tient à appliquer une politique de rigueur, manière de mettre la France en conformité avec le libéralisme venu des pays anglo-saxons et qui commence à s'imposer à Bruxelles.

En face, une curieuse alliance se noue. Elle comprend des antieuropéens de toujours (Jean-Pierre Chevènement, Michel Jobert) auxquels pourraient se rallier le PCF, mais aussi des chefs d'entreprise comme Jean Riboud. L'« autre politique » prônée est un mélange d'isolationnisme et de colbertisme, une alliance de nationalisme et de volontarisme. À ceux-là se joignent des ministres (Pierre Bérégovoy, Laurent Fabius) tentés par cette rupture même s'ils hésitent devant la difficulté de la mise en œuvre.

Le dilemme est intense, pesé, réfléchi. Mitterrand finit par trancher pour le maintien dans le SME. L'européen en lui prend le pas sur le socialiste à l'ancienne. Si c'est la rigueur et l'orthodoxie qui l'emportent, Mitterrand renâcle à confier à Delors l'ensemble des manettes. Il

préfère continuer avec Pierre Mauroy dont il apprécie le dévouement et l'esprit de sacrifice. Avec le Lillois,
Mitterrand se sent en confiance, quand les menaces de
démission permanentes de Delors l'exaspèrent.

Cette décision est importante et symptomatique. Elle
témoigne du souci de Mitterrand de prendre en compte
le réel économique après l'excès d'optimisme du début.
Mais l'ensemble des avancées sociales sont maintenues et
les nationalisations ne sont pas remises en cause.

C'est pourquoi je comprends le refus de Mitterrand de
parler de « tournant » de la rigueur. Il n'y a pas virage,
il n'y a pas bifurcation, il n'y a pas tête-à-queue, il y a
parenthèse. Ce changement de cap n'exclut pas un prochain coup de gouvernail. Le début du second septennat
le démontrera.

Ce choix difficile de 1983 prouve aussi le dur désir de
durer de la gauche de gouvernement. Il ne s'agit plus de se
contenter de flambées sociales réduites en cendres par les
suivants qui sont rarement des suiveurs.

Il faut sortir de la brièveté vécue par le Front populaire. Il faut construire sur la durée, afin d'aller au bout
de nos projets, au risque parfois de devoir les amender,
les reconfigurer.

En choisissant de rester dans le SME, Mitterrand
tranche pour que la France reste un pays ouvert. La France
n'est pas qu'une économie, c'est une diplomatie, une zone
d'influence, une culture.

La gauche est internationaliste, universaliste. Il eût été
difficile pour elle de vivre dans un pays à frontières fer-
mées, dans un bastion assiégé, regardant ses voisins avec
défiance. Malgré ses manques et ses limites, l'Europe propose un tout autre projet, pacifique et collectif.

# Rivières

Il y a un souci bucolique, un amour de la nature, un goût du paysage chez François Mitterrand. Sa passion pour les arbres est connue. Au temps de la politique, il y sacrifie souvent, comme s'il aimait planter, voir pousser, élaguer, bouturer et n'abattre qu'en dernier recours. L'arbre est le signe pour lui de la lenteur impavide de la terre et de son insensibilité aux aléas humains.

Mitterrand y met certainement plus de songeries métaphysiques que de revendications strictement environnementales, même si l'un n'empêche pas l'autre. Avant les arbres, à l'époque de l'adolescence et d'une mystique panthéiste, le jeune homme se prend aussi d'intérêt pour les rivières et les fleuves. Il y voit une métaphore du temps qui passe, un signe de l'éternel recommencement. L'eau est pour lui cet élément toujours le même et toujours différent.

Il découvre la méditation silencieuse sur les berges de la Charente aux côtés de son père. Celui-ci s'installe, silencieux, à quelques centaines de mètres de la maison de Jarnac, véritable sanctuaire insensible à l'agitation des jours. Et l'enfant d'alors de raconter : « J'avais remarqué qu'il ne s'occupait guère du poisson. Je l'avais interrogé là-dessus et il m'avait dit que la vie était souvent comme la rivière. Il ne s'y passait rien à première vue. Mais si on y regardait de plus près avec des yeux qui, à force de voir, loin de s'user, s'ouvraient, on apprenait que tout changeait à tout instant. J'écoutais mon père qui parlait peu. Il jetait des mots, comme il lançait l'appât. »

L'adolescent va consacrer ses premiers bouts-rimés à cette lenteur défilante qui le transporte sans déplacer son pliant d'un centimètre. Il s'en souvient : « J'avais un goût très prononcé pour les fleuves et les rivières. Et je m'étais dit que, chaque fois que je rencontrerais un cours d'eau, je ferais un poème pour lui. Je n'ai pas tenu parole ! Au début, c'était modeste. Cela concernait mon environnement immédiat : la Charente, la Seudre, la Dordogne, la Gironde. Puis ça s'est élargi au Rhin, au Rhône, à la Garonne, ensuite au Nil, au Niger. » Elie Wiesel lui demande : « Pourquoi les fleuves ? Pourquoi pas le vent ? Les nuages ? »

Réponse : « Il faut croire que l'eau, ce mouvement qui traverse des continents et va finalement à la mer, représentait à la fois la fatalité et un ensemble d'évocations et de symboles qui m'émouvait, m'inspirait[1]. »

Au jeu des quatre éléments, Mitterrand est sans doute plus eau et terre que feu et air. L'esprit est vif et le bretteur est pugnace. Mais évitons de le craindre tempétueux.

Mitterrand a cette constance dans l'effort qui est celui des fleuves majestueux à la lenteur acharnée. Il passe le rouleau

---

1. François Mitterrand et Elie Wiesel, *Mémoire à deux voix, op. cit.*

impavide de sa confiance en l'avenir dans chaque méandre de l'adversité, jusqu'aux confins de chaque bras mort de sa destinée. Sa détermination lente effleure le moindre saule pleureur qui pourrait retenir l'écume de colères sans objet.

Et puis, c'est comme si la certitude de sa volonté allait patiemment faire son lit dans l'estuaire de l'acceptation populaire.

# Rocard (Michel)

Nous nous promenons avec François Mitterrand sur la terrasse-passerelle du Palais-Royal qui part du ministère de la Culture. En contrebas, on peut apercevoir les colonnes de Buren et leur noir et blanc qui a tant fait hurler les conservateurs.

On est en mai 1988. François Mitterrand vient d'être réélu. Rocard est Premier ministre. Le Président a pris sur lui pour unir les deux gauches comme il a convaincu le pays d'aller vers une France unie.

Il s'ouvre auprès de moi de ses difficultés avec son Premier ministre. Dans la conversation, il finit même par évoquer l'idée de ne pas le prolonger après les législatives qui sont imminentes. C'est un non-sens politique, il le sait bien. Mais cela traduit un désarroi profond qu'il est incapable de dissimuler. Je lui réponds : « Vous ne pouvez pas ne pas le garder. » Il en convient évidemment.

Mitterrand est imperméable à la manière de fonctionner de Rocard, à sa façon d'être, à son argumentation complexe. Il ne saisit pas ses ressorts profonds, sa démarche intellectuelle, sa vision des choses. Il est rétif à ses initiatives comme à son phrasé. Il prétend qu'il ne comprend pas ce qu'il dit. Il y a entre eux un affrontement perpétuel, politique et personnel, qui prospère, quoi qu'entreprenne l'un ou l'autre pour arranger les choses.

Mitterrand est fait d'eau et de terre. C'est un paysan, un homme des cantons et des bourgades, des départements disgraciés et des contrées ingrates. Il va doucement, pesamment, sans dévier. C'est aussi un guerrier féroce, un dévoreur brûlant des chairs trop tièdes, un incendiaire humain des conventions, toujours caché derrière son masque d'indifférent, derrière cette impavidité jaunie qui n'est que le papier tue-mouches de ses passions.

Rocard est de feu et d'air. C'est un itinérant et un urbain, intéressé par les métamorphoses des villes nouvelles comme par les évolutions des dernières tendances de la consommation des CSP+. C'est un marin et un pilote de planeur. Il remonte au vent en tirant parfois des bords carrés. Il adore faire croire qu'il sait où se situe sa destination finale, même si les vents contraires vous obligent parfois à des escales imprévues qui engluent les meilleures volontés d'appareiller.

Rocard a le chic pour laisser penser qu'il a toujours voulu parvenir là où on a consenti à le laisser aller. Il oublie qu'il est resté en rade quand Mitterrand, sujet au mal de mer rien qu'à voir les vagues bouger, a traversé l'océan de contrariétés pour débarquer aux Amériques. Rocard sait aussi prendre des courants portants. Monter par palier, profiter des ascendantes, au risque de se retrouver poussé par des *jet streams* qui sont parfois très *mainstream*.

Mitterrand est un littéraire, un géographe, un historien. Rocard est un économiste, un sociologue, un agitateur d'idées. Mitterrand aime le roman, Rocard aime la théorie.

Mitterrand appartient à la génération de la Seconde Guerre mondiale, Rocard à celle de la guerre d'Algérie.

Mitterrand n'aime pas 68, Rocard émerge à ce moment-là. Mitterrand a commencé à droite et fini à gauche. Rocard a commencé à l'extrême gauche et termine au centre, avec un fort tropisme de libéralisme économique.

Il faut dire que l'animosité recommencée s'explique. En 68, ils se croisent de loin. Rocard frétille comme un gardon dans ce bouillon de culture. Mitterrand se présente à contretemps en recours de gauche et gagne des galons d'archaïsme immérités qu'on lui épinglera régulièrement, et son jeune challenger le premier.

En 1974, Mitterrand attire à lui la limaille d'un PSU démagnétisé. 40 % des troupes suivent quelques membres de la CFDT et un Rocard mis en minorité. C'est l'annexion par un jeune empire en expansion, le PS, d'un laboratoire effervescent, le PSU. Cette petite maison qui eut des heures glorieuses est en voie de perdition plus qu'en ébullition mais paraît d'une modernité absolue et d'un gauchisme torride. La deuxième gauche passe souvent sans qu'on s'en aperçoive de l'ultra-révolution verbale à la reconnaissance de l'ordre établi.

Cinquante ans après, qui est le plus à gauche des descendants respectifs de ces deux branches d'une famille qui peine toujours à se réunir ?

En 1978, après l'échec cruel du PS aux législatives, Rocard entonne l'air de « sortez les perdants ». Il se présente en jeune garde novatrice et médiatique qui va parler vrai. Il veut torpiller l'homme qui l'a accueilli dans le parti et l'a remis en selle.

Le congrès de Metz où Mitterrand l'emporte sur Rocard solde les comptes idéologiques et personnels. Entouré de quadras prometteurs, Mitterrand réaffirme sa prééminence.

En 1981, Rocard est ministre du Plan et s'oppose aux nationalisations à 100 %. Il préfère une logique financière à un acte symbolique qui ne coûte pas si cher au budget de la nation. Déjà, le clivage État-société civile bat son plein.

Avant 1988, Rocard fait un petit tour de chauffe. Une nouvelle fois, il est candidat à la candidature. Il recule assez vite, comme souvent. Et se voit nommé Premier ministre par un président qu'il ne séduit toujours pas.

Mitterrand fait acte de bonne volonté en installant Rocard à Matignon. Celui-ci donne des gages et prouve son efficacité. Le gouvernement fait du bon travail, instaure le RMI, la CSG, résout la crise calédonienne.

Et pourtant, entre eux, rien ne va. Le feu couve en permanence sous les braises de la pacification. Il faut bien reconnaître que Mitterrand n'est pas le dernier à compliquer les choses ou à déterrer la hache de guerre.

J'ai beau lui faire valoir que Rocard est sympathique et talentueux, que Huchon, son directeur de cabinet à Matignon, est un pacificateur, que les rocardiens peuvent être méritants, il tord le nez quand je propose d'en nommer certains. Et s'il accepte mes choix, il ne peut s'empêcher de moquer mon empathie pour cette engeance qu'il voue aux gémonies.

Satisfait de ses premiers mois à Matignon, Rocard fait profil bas et colle à Mitterrand. Afin de préserver ses chances pour la présidentielle à venir, il se fait discret et prudent. Il se fond entre gris clair et gris foncé. Mitterrand s'irrite. Lui reproche de ne pas prendre de risques, de ne pas innover, de cultiver sa cote de popularité au lieu de brusquer les choses.

En 1990, le congrès de Rennes, qui voit Jospin faire alliance avec Rocard contre Fabius, n'arrange rien.

La guerre du Golfe prolonge la vie difficile de ce duo mal assorti. Impossible en temps de guerre d'ouvrir une crise de régime.

Mitterrand finit par remplacer son Premier ministre par Cresson. Et Rocard ne tarde pas à kidnapper le PS, l'enfant de Mitterrand qui s'émancipe et fait sa crise. Le désastre des européennes de 1994 renvoie Rocard, premier secrétaire et tête de liste PS, à ses espoirs inaboutis.

L'archaïque aura gouverné quatorze ans et changé le pays. Le réformateur autoproclamé aura explosé avant envol, en une implosion loin du *big bang* promis.

# Roger (Hanin)

Quand on évoque les proches de Mitterrand, on attribue souvent un rôle assez convenu à Roger Hanin. Il est le beau-frère, pour ne pas dire le beauf'. Il est marié avec Christine Gouze-Rénal, la sœur aînée de Danielle. Et il est le raconteur d'histoires drôles et lestes, dites avec l'accent pied-noir, qui font se pâmer le Président.

Tout cela est vrai, mais c'est un peu maigre si l'on veut rendre compte de l'envergure du personnage. Roger

Hanin, c'est aussi la fidélité incarnée, toujours prêt à faire le coup de poing pour défendre l'honneur du Président, et c'est une énorme gentillesse, débordante, sonore, joyeuse.

Roger Hanin est né en Algérie. Il se définit ainsi : « Je suis petit-fils de rabbin et fils de communiste. » Son père est fonctionnaire des PTT, invalide de guerre et membre du PCF. C'est aussi un nudiste militant qui promène ses filles dévêtues dans les rues sur le chemin de la plage. Ce qui ne va pas sans poser de problèmes de voisinage.

Roger poursuit des études de pharmacie à Paris avant de découvrir le théâtre et d'en tomber amoureux. Il joue des grands rôles du répertoire mais rencontre le succès au cinéma grâce à ses incarnations de costauds dans des films de gangsters ou de parrain de la mafia juive.

C'est surtout à la télévision qu'il triomphe. Il devient le commissaire Navarro et occupe le petit écran de TF1 pendant une vingtaine d'années. Il réalise quelques films dont le courageux *Train d'enfer* où il revient sur la défenestration d'un Arabe par des légionnaires.

Mitterrand est un spectateur assidu. Il aime le cinéma italien. Mais il est aussi du genre à braver le monde culturel que je fréquente en avouant se délecter à suivre les intrigues pétrolières de *Dallas*, le feuilleton diffusé par TF1. Regarde-t-il les épisodes de *Navarro* ? Parfois. En tout cas, les liens tissés avec Roger Hanin sont solides et tenus serrés.

En 1959, François Mitterrand est témoin au mariage de Christine et de Roger. Ensuite, la haute silhouette de Roger sort souvent de l'ombre. Roger n'est pas la discrétion incarnée, c'est le moins qu'on puisse dire.

L'homme est extraverti et démesuré, volubile et volca-
nique, grandiloquent et éruptif, misogyne sans repentir
et nostalgique d'une Algérie tôt quittée.

Ne vous avisez pas de manquer de respect à son
célèbre beau-frère en sa présence. Et s'il vous arrive
de le débiner en société, méfiez-vous ne pas avoir à en
répondre les jours suivants. Si Roger est dans les parages,
des comptes sont demandés, l'algarade est assurée et le
poing peut vite partir.

En politique, Roger a une certaine fibre populaire
et une analyse de bon sens. Mais il peut aussi se monter la tête et faire une fixation injustifiée sur tel ou tel.
C'est un ultra de son champion. En 1981, quand le premier gouvernement Mauroy est annoncé, il ne décolère
pas. Il le qualifie de gouvernement des traîtres puisque
y figurent des opposants à Mitterrand, ceux qui lui
avaient manqué au congrès de Metz en 1979, comme
Pierre Mauroy ou Michel Rocard. Sanguin, Roger
Hanin supporte mal les concessions, les compromis,
l'acceptation du rapport de force. Il est dans le tout ou
rien des enthousiastes.

Après la disparition de François Mitterrand, il s'attaque à Lionel Jospin, coupable d'avoir invoqué le
« droit d'inventaire » des années Mitterrand. En 2002,
il vote PCF au premier tour et Chirac au second. Il
fera de même en 2007, préférant à Ségolène Royal les
communistes de son enfance puis Sarkozy, le fils d'im-
migré hongrois.

Je croise Roger et Christine assez tardivement, dans les
années 1979-1980. L'entente est bonne. Ils sont vivants,
joyeux et cultivés. Avec Gaston Defferre et Edmonde
Charles-Roux, le couple Roger-Christine est l'un de mes

principaux soutiens pour une nomination au ministère de la Culture. Argument de Roger : « Au moins, toi, tu es du bâtiment »…

Mais lors de ces moments décontractés, en famille, entre amis, ce qui est sympathique, c'est que le grand Roger en fasse des tonnes pour distraire un président ployant sous les malheurs du monde.

Ce que je retiens, c'est l'abattage de Roger. Il bat l'estrade, fait des moulinets avec les bras et ne recule pas devant les effets les plus faciles. Excellent client, Mitterrand réécoute jusqu'à l'infini des histoires qu'il connaît par cœur. Il rit au même moment, salue les clowneries les plus habituelles, applaudit les manœuvres les plus éventées.

Et à mesure qu'il rit encore et encore, son visage se transfigure et l'on retrouve l'enfant sous le patriarche parcheminé, l'innocence juvénile sous le marbré du dirigeant, tenu de rester toujours sous contrôle.


# Roses

Le logo du PS naît en 1971. Un poing se serre sur une rose épanouie. On est dans l'après-68. Les affiches ont fait la révolution sur les murs. Le trait est noir et gras, enfantin et surtout pas maniéré. On est dans le monde de la BD. Et il y a comme un clin d'œil à l'affiche du festival de Woodstock qui s'est tenu en 1969 et où une colombe tenait en ses serres un manche de guitare.

Mitterrand va vivre le temps de sa carrière politique au sein du PS avec ce symbole qui va évoluer au fil du temps, le poing se rétractant, la rose s'épanouissant.

Le rouge de la révolution et de la passion ouvrière va virer au rose de la social-démocratie des classes moyennes mais aussi celui de l'acceptation des différences, comme celle de l'homosexualité, revendiquant ce triangle rose dont le nazisme la stigmatisait.

Juste après le congrès d'Épinay, où cet emblème apparaît, Mitterrand écrit : « Regardez ces cortèges dans la rue, ces gens qui se rassemblent, ces poings qui se lèvent, ces mains qui s'unissent, et bientôt la dernière image, dans le poing, une rose. Le poing pour le combat. La rose pour le bonheur. »

Les années 1970 sont celles des poings dressés. Ce poing manifeste, défile, pétitionne, proteste, cogne. Ce poing se serre sur le revers du bleu de chauffe du contremaître abusif. Ce poing saisit les galons de l'uniforme de l'adjudant ahuri. Il reprend les clés du maton matraqueur, le stylo à la plume d'or du patron licencieur et le chéquier du banquier suspicieux en costume rayé de bagnard enrichi.

Les années 1970 sont aussi celles des roses épanouies. Ces roses sont celles de l'aspiration à un quotidien plus limpide, plus harmonieux, où les droits des femmes s'imposent, où les enfants s'émancipent de la tutelle, où l'autorité se fait compréhension.

Ces roses sont celles de Marx qui pense que l'homme ne vit pas que de pain mais aussi de rose. C'est-à-dire d'une aspiration à la réalisation individuelle, à la culture et aux loisirs, à l'affection des siens et au développement personnel.

Dans les années 1970, Mitterrand est le premier secrétaire du poing et de la rose.

Le poing est celui des prolétaires qui seront bientôt appelés travailleurs, des ouvriers qui seront répertoriés comme OS ou comme smicards, des damnés de la terre qui vont finir par muter en chômeurs de longue durée. Et qui sont déjà rejoints par les fonctionnaires, les enseignants, les employés du tertiaire et même les membres des professions libérales et intellectuelles, signe que le PS voit plus grand que les catégories socioprofessionnelles traditionnellement répertoriées à gauche.

La rose est celle des animateurs socioculturels, des filles du MLF et du Planning familial, des éleveurs de chèvres tentant le retour à la terre, des jeunes gens s'essayant à la vie en communauté, des couples tentés par l'amour libre, des divorcés par consentement mutuel recomposeurs de famille.

En 1981, ce sont des roses que Mitterrand dépose au Panthéon sur les tombes de Jean Jaurès, Jean Moulin et Victor Schœlcher. En 1995, quand il quitte ses fonctions et qu'il vient saluer le PS, rue de Solférino, les jeunes militants l'accueillent en brandissant les roses de toujours.

Au cours de son long périple politique, on ne compte plus les roses que Mitterrand reçoit, offre, effeuille. Il

391

traverse la vie politique en jardinier à boutons, en fleuriste fleuri, en vainqueur à bouquet.

Le logo a ses mutations. La rose va finir par racornir le poing à mesure que les manifs vont se dépeupler. La recherche du bonheur par l'individu va prendre le pas sur la bataille à poings nus avec des adversaires qui vont se faire ectoplasmes surpuissants, fantômes intelligents.

Comme dans un stylo à quatre couleurs, la droite est bleue, les écolos verts, le MoDem orange, le FN bleu marine ou noir fasciste. Et il y aussi le PC rouge et le PS rose. Les camemberts de soirée électorales vont reprendre ce code couleur qui correspond assez à la réalité des évolutions politiques.

Et Mitterrand aura beau, sur ses affiches de campagne présidentielle, s'arroger le bleu télé, il sera toujours l'homme à la rose que chante Barbara.

Le logo a ses ambiguïtés. Le poignet est celui d'une main droite. S'ensuivront les éternels procès en abjuration faits par la gauche de la gauche à la social-démocratie. Et puis qu'est-ce que cette main fermée et masochiste qui s'écorche les phalanges aux épines des plus belles roses, qui fane ses plus belles promesses comme des pétales ?

Les gaullistes ont la croix de Lorraine et le V de la victoire. Les écologistes ont le tournesol. Le PC a la faucille et le marteau. Le PS a le poing et la rose. La France fait école. Au Chili, en Espagne, en Belgique, la rose s'impose. Et l'Internationale socialiste la reprend.

À la fin de chaque meeting, les responsables à la tribune brandissent la rose et chantent *L'Internationale*, quand aujourd'hui *La Marseillaise* emporte tout.

Et tout ira mal au PS, à Rennes, après un congrès des longs couteaux, quand Pierre Mauroy se retrouvera seul à la tribune et que la rose se flétrira en instantané, métaphore de la déliquescence du parti, d'un temps terrible pour l'unité et l'amitié.

S

# Sagan (Françoise)

Il y a souvent dans les enthousiasmes de François Mitterrand l'envie d'être surpris, le besoin de rire, le goût du contraire. Qu'a-t-il en commun avec Françoise Sagan ? Tout cela sans doute, sans compter ce prénom plus que commun si ce n'était ce *e* perdu en chemin.

François et Françoise se connaissent depuis longtemps. Ils se revoient de temps à autre et se recroisent sur le tard. L'un est déjà président, l'autre continue à laisser croire qu'elle ne fait pas grand-chose et qu'elle bâcle des romans dont elle se fiche.

Je ne suis pas certain que Mitterrand ait beaucoup apprécié l'écrivain chez Sagan et je ne suis pas sûr que Sagan n'ait pas été capable d'exercer une ironie aussi désenchantée que ravageuse, prenant pour cible la politique menée par le maître de l'Élysée. Mais l'un et l'autre s'évertuent à faire naître une amitié joueuse et joyeuse, comme chacun d'eux sait le faire.

En octobre 1985, Sagan accompagne Mitterrand en voyage officiel en Amérique du Sud. À Bogotá, une femme de chambre découvre la romancière, entre la vie et la mort, étendue au pied de son lit. La capitale colombienne est perchée à 2 640 mètres d'altitude. Françoise Sagan a les poumons fragiles et mourra d'ailleurs à soixante-neuf ans d'une embolie. Souffre-t-elle du mal des montagnes ? Ou est-ce dû à l'absorption de substances récréatives et toxiques à la fois ? En tout cas, elle est au plus mal. Mitterrand bouleverse son emploi du temps, accourt à son chevet, s'assure qu'elle est bien soignée. Et la fait rapatrier en France comme elle lui en a fait la demande.

Mitterrand aime la fantaisie de Sagan, sa désinvolture qui cache une attention jamais pesante et toujours de biais aux soucis des autres. Il apprécie son art de rendre tout léger et profond à la fois. Il applaudirait volontiers des deux mains à ses frasques, à ses excès, à ses pertes stratosphériques au casino. Il ne lui en veut même pas de s'enferrer dans une histoire rocambolesque de pétrole au Kazakhstan qui lui vaudra de gros soucis avec le fisc et qui voit le nom du Président évoqué à tort en filigrane.

Mitterrand et Sagan ont des humours compatibles, lunaire chez elle, acéré chez lui. Et il y a une proximité politique qu'on ne soupçonnerait pas entre le moineau blond qui se cache derrière sa frange pour jouer les fausses mondaines bredouillantes et l'impavide Romain au masque de cire qu'il fendille dans de grands rires inextinguibles qui le renvoient en enfance et en enfantillages.

Car Sagan est plus présente dans la vie de la cité qu'elle ne le laisse croire.

Mitterrand n'est déjà plus ministre des gouvernements de la IV\ :sup:`e` quand, en 1960, elle signe le « Manifeste des 121 sur le droit à l'insoumission dans la guerre d'Algérie ». Ce qui lui vaut une bombe de l'OAS dans l'appartement familial. Bien plus tard, elle fera valoir au journal *Libération* qui avait oublié d'en faire état : « Ma réputation de futilité étant bien assise, je vous serais reconnaissante d'en citer à l'occasion les exceptions. »

En Mai 68, elle débarque au théâtre de l'Odéon et se fait apostropher par des Robespierre à la petite semaine : « La camarade Sagan est venue faire la révolution en Ferrari ? » Sa réplique est frappée au coin de l'à-propos : « Non, c'est une Maserati. » Sagan sait mettre les rieurs de son côté et n'abjurer jamais ce qu'elle est.

Sagan signe aussi le manifeste pour l'avortement, dit « Manifeste des 343 salopes ». Lors d'un entretien, elle déclare : « Je ne suis inscrite à aucun parti politique, mais je suis engagée à gauche. Je déteste tuer et s'il y avait une guerre, je m'en irais. Mais s'il y avait une invasion fasciste, je me battrais. » Mitterrand, qui avait combattu le nazisme par les armes, devait savoir que c'était vrai et que Sagan aurait fait un excellent agent, de ceux qui jamais ne dorment.

Fidèle à Mitterrand, Françoise Sagan ajoutera son nom à ceux de ses soutiens pour la campagne présidentielle de 1988. Un proche collaborateur du Président le fera d'abord retirer de la liste, sous un fallacieux prétexte, avant que le Président, alerté de cette injustice, exige le rétablissement immédiat du nom de l'écrivain.

En Pologne, en 1987, Sagan m'accompagne. Je suis venu porter la parole présidentielle et témoigner du soutien de Mitterrand à l'opposition polonaise et au syndicat Solidarność. D'où ma présence à Gdańsk et Varsovie. Intéressée par le monde qui change, Sagan est de l'aventure. Et je dois dire que c'est un bonheur de voyager avec un esprit aussi délié et aussi singulier qui transforme toute contrariété en comédie fantasque.

Comme pour la remercier de sa venue, le pays se colore d'orange et fait flamber la nuit et l'hiver. On est le jour de la Toussaint. Et les Polonais allument des bougies pour leurs morts dans les cimetières. Je veux penser que quelques-unes étaient destinées à saluer Françoise Sagan.

## Sakharov (Andreï)

Juin 1984. Mitterrand est en voyage officiel dans l'URSS néo-brejnévienne.

À Gorky, où le pouvoir soviétique l'a exilé, Andreï Sakharov vient de commencer une grève de la faim. La santé du physicien dissident, père de la bombe H et prix Nobel de la paix, est vacillante. Sa femme Elena Bonner réclame un visa de sortie qui leur est refusé.

Avant la venue à Moscou, malgré les demandes répétées de prises de parole pour soutenir Sakharov, le président français s'est tenu sur la réserve. Il déteste qu'on lui dicte sa conduite comme il refuse de faire la morale à ses hôtes, même s'il se débrouille en général pour faire connaître sa pensée. Et puis, il adore sortir du silence sans avoir rien laissé deviner de ses intentions et prendre son monde par surprise.

Lors du dîner officiel, au Kremlin, l'heure des toasts a sonné. Le président de la République française lève son verre de vodka et évoque Sakharov. Sans attendre la traduction, Konstantin Tchernenko, qui dirige alors le Soviet suprême, plisse les sourcils. Un froid terrible gagne les rangs. Un silence glacial accompagne le président français qui finit par se rasseoir.

Mikhaïl Gorbatchev, alors numéro deux du parti, est le seul à prendre les choses avec naturel et à continuer à débattre avec Mitterrand qui fait patte de velours, histoire de ne pas irriter encore plus l'ours du Kremlin. Provocateur sans peur et sans retenue, Gorby, lui, en rajoute. Il n'hésite pas à critiquer l'économie administrée et les plans quinquennaux.

Tchernenko s'insurge :

— Mais pourquoi ?

Et Gorbatchev, décontracté, de répondre :

— Parce qu'il y a trop de centralisation, pas assez de liberté et que les administratifs se mêlent de tout.

Devant ses voisins outrés, Gorby fait valoir que son pays ne sait pas tirer parti de ses gigantesques ressources naturelles. Ne pensant pas à mal, Mitterrand lui demande :

— Et depuis quand ?

Gorbatchev s'esclaffe :

— Depuis 1917.

Le lendemain, Mitterrand confie sa satisfaction au *New York Times*, non sans une certaine malice : « C'est plaisant quand on peut parler de tout et rester amis. »

Mais il ajoute, et cela vaut leçon pour nos sociétés démocratiques qui peinent aujourd'hui à partager les richesses et à garantir à chacun emploi ou revenu d'existence : « Si M. Tchernenko m'avait dit que le droit au travail était aussi un droit de l'homme, je lui aurais dit qu'il avait raison. Le chômage est effectivement une atteinte aux droits de l'homme. »

# Santé de fer

On ne peut faire de politique sans avoir une santé de fer. Il faut embrasser les joues qui se tendent jusqu'à s'en user les lèvres et serrer les mains jusqu'au durillon.

On est là pour pétrir la pâte humaine, pour accueillir les poignées d'amour militantes. Il serait mal venu de pincer l'oreille des fidèles grognards socialistes avec des gants en chevreau ou de s'épousseter le manteau en poil de chameau après avoir été pris par l'épaule. On est là pour tenir la conversation, se souvenir des prénoms et être royal au bar sans jamais se laisser saisir par l'ivresse.

Mitterrand a des capacités de récupération parfaites et dort comme un bébé. Il n'a pas de prétention à un confort particulier. Il se satisfait aussi bien des chambres d'amis des sympathisants, des derniers hôtels de gare encore ouverts après les meetings que des literies d'ambassade ou des suites des palais qui repassent les draps présidentiels.

Où qu'il soit, tant que les conseillers de permanence ne le sonnent pas pour une urgence, il aligne ses sept ou huit heures de sommeil, placide et tranquille. Il ne connaît pas les insomnies et s'évite les petites siestes impromptues. Il déteste être surpris en débraillé, craint le laisser-aller du ronfleur, tête pendante et bouche ouverte. Il se lève gaillard au matin, se couche quand la journée est finie, et tant pis si la soirée se prolonge. Dès qu'il est sur le pont, il est sous contrôle, responsable, attentif.

Il garde secrètes les prémices de son cancer apparu dès 1981. Je ne remarque rien jusqu'à 1992 et l'annonce officielle de sa maladie à la veille de son opération. Il tient également en respect l'âge qui toujours gagne. Il est élu à soixante-quatre ans. Il reste en fonctions jusqu'à soixante-dix-huit. Il fait toujours comme si la vieillesse ne le concernait pas. Il ne s'assimile jamais aux gens de son âge, aux retraités, aux seniors. Il est pleinement dans l'action, protégé de la dégénérescence par les décisions à prendre, par les problèmes à surmonter.

Le pouvoir est une fontaine de jouvence à laquelle un président de la République boit chaque jour à grandes gorgées. C'est aussi un opiacé qui permet d'oublier que la peau se parchemine, que les débuts de conversation sont parfois un peu embrouillés avant que la clarté d'élocution retrouve son brio. Alacrité intellectuelle, tenue physique, goût continué pour les plaisirs de la vie, Mitterrand enseigne à une France, où la pyramide des âges s'inverse, l'art du bien vieillir.

Sa méthode ? N'en parler jamais, faire comme si de rien n'était, n'abandonner aucune de ses prérogatives, aller au bout de ses missions, de ses mandats. Tenir tête, menton haut et œil de jais, à ceux qui aimeraient tant que le temps vous fasse baisser le regard.

# Santé protégée

Quand il arrive au pouvoir en 1981, François Mitterrand promet de faire toute la lumière sur sa santé et de diffuser, chaque année, un état des lieux chiffré. Cet inutile assaut de transparence qui va l'obliger à mentir par omission est d'abord le signe d'une confiance affirmée dans sa vitalité, une péroraison de trompe-la-mort. C'est ensuite un besoin de mettre ses pas dans ceux d'une société qui en finit peu à peu avec le culte du secret et le respect de l'intimité. La France des années 1980 accepte de se découvrir en des domaines longtemps tenus cachés. On évoque désormais le niveau de son salaire, l'état de son patrimoine, ses croyances, ses convictions ou ses préférences sexuelles. Alors pourquoi ne pas être aussi averti de l'âge des artères de ceux qui nous gouvernent ? C'est enfin le souvenir de la mort de Georges Pompidou dans l'exercice de ses fonctions. En 1974, ce décès pose la question des capacités du détenteur du feu nucléaire à exercer ses responsabilités en cas de pathologie lourde et de traitements handicapants.

Mitterrand est marqué par ce moment. En bretteur farouche, il n'a jamais épargné le successeur de De Gaulle. Mais la disparition de Pompidou atteint Mitterrand en ce qu'elle lui impose à des questions métaphysiques. Dans *La Paille et le Grain*, il écrit : « Comme tous les Français, je savais le chef de l'État condamné à une fin prochaine, et comme tous, elle m'a surpris. Sans doute, répugnais-je à surveiller les feuilles de température, à interpréter les diagnostics qui couraient tout Paris, à scruter les bouffissures qu'exhibait la télévision, à guetter dans la fente des paupières l'éclat nocturne du regard[1]. »

Mitterrand n'a pas la fièvre auscultatrice, ni la curiosité affûtée comme un scalpel. Il se tient à distance des humeurs et des vapeurs. Si, en ami prévenant, il visite volontiers l'alité, il évite les débats à la Diafoirus. Comme beaucoup de malades qui veulent continuer à s'ignorer, Mitterrand aurait tenu les blouses blanches en respect si la mort de Pompidou ne l'avait confronté à la possibilité de la sienne. Et d'insister, à propos du mort à la tâche : « Le courage était-il de partir, était-il de rester ? Je ne tranche pas. Je crois comprendre qu'il y avait de la fierté dans cette façon d'afficher sa décrépitude. »

En mai 1981, alors que tout va bien côté santé, Mitterrand, soixante-cinq ans, se piège en s'engageant à tout dire. À l'automne, quand il apprend ses difficultés, il se retrouve les mains liées. S'il parle, il se fragilise sur la durée et ouvre la porte au procès en illégitimité de la gauche qui couve sous la cendre rose du 10 mai. S'il demande à ses médecins de dissimuler des éléments, il manque à ses promesses mais sauve son imperium, sa maîtrise des événements. Le choix est cornélien. Il fait le sien, celui qu'il croit bon et qui lui sera reproché.

Je pense que les présidents n'ont pas à faire connaître l'ensemble de leurs données biologiques. La santé ne se résume pas à des analyses de sang et d'urine, à un électrocardiogramme et à des capacités pulmonaires. La santé, c'est aussi un état d'esprit, un bien-être affectif, une résistance au stress. On peut être gringalet souffreteux et grand président. On peut être physiquement diminué et dirigeant d'envergure.

---

1. François Mitterrand, *La Paille et le Grain*, *op. cit.*

Les présidents gagneraient à s'en remettre à l'avis d'une commission médicale spécialisée. Celle-ci ne communiquerait son avis qu'en cas d'inquiétude majeure et de désaccord avec le patient. Tout en laissant le dernier mot à l'élu du peuple. Attention à ne pas robotiser la fonction. Mettons en place les contre-pouvoirs nécessaires, mais laissons à nos représentants une zone grise où exister à leur guise, avec leurs lâchetés et leurs bêtises, leurs ambiguïtés et leurs faiblesses. Même leurs secrets. Afin que, dans leur action publique, ils puissent à nouveau accomplir ce à quoi ils se sont engagés, au lieu de jouer les M. Parfait, frappés d'impuissance.

## Séducteur

Je ne sais si c'est à cause de la moustache très noire qu'il portait en guise de camouflage au cirage pendant la Résistance, mais j'ai toujours trouvé à François Mitterrand une allure d'homme du Sud.

C'est comme si le Charentais de lait tiède et d'eaux dormantes était né d'un Moyen-Orient compliqué ou d'un monde latino-américain criant « Viva Zapata ».

Jeune, il a un charme d'hidalgo lanceur de couteaux sur les silhouettes des dames du monde. Il ressemble à Omar Sharif faisant tapis au casino d'Alexandrie. Il a parfois la mine mal rasée du voleur de poules qu'arbore le baroudeur en veste de cuir revenant des confins et des conflits, ses appareils photo en bandoulière.

Avec l'âge, il blanchit, il se raidit, il crispe son allure. Il peut être sec dans l'approche, désagréable si on le prend à l'abordage. Il pétrifie si on s'avise de lui taper dans le dos ou de le traiter en vieux pote de bourlingue. Quand il entre dans une pièce, l'atmosphère change, la vulgarité reflue, le rire varie son registre.

Mais il suffit qu'il se mette en frais, qu'il lève le heaume des mécanismes de défense qui lui sont nécessaires pour survivre à l'attention permanente, pour qu'aussitôt l'assistance s'émoustille. Un mot de lui, un regard, une attention, et tout se renverse. Il sait câliner, caresser, envelopper. Il pratique de façon lente, mesurée, amusée. Il n'est pas hussard sabre au clair, ni pirate à l'abordage, mais s'il le décide, il est dans la conquête attentive, celle qui progresse pas à pas, qui ne lâche jamais l'objectif de vue. Il pense être plus à l'aise avec les femmes qu'avec les hommes. Mais avec les unes comme avec les autres, et même si le but recherché n'est pas identique, il préfère le tête-à-tête aux réunions collégiales, l'aparté aux effets de manches en assemblée plénière, le murmuré aux grandes beuglantes à l'encan.

Et puis, souvent, alors qu'il a vampé la compagnie, alors qu'on le croit parti pour rester, il disparaît. Il n'est plus là, il s'est absenté et personne ne peut dire par où il s'est faufilé. Et comme l'insupporte d'avoir à donner des indications claires de ce qu'il fait de son temps et que l'époque n'est pas encore aux textos permanents, on en est réduit à attendre qu'il veuille bien réapparaître.

Le voilà qui revient. Il est toujours aussi laconique sur ce qu'il a fait de sa liberté, toujours aussi enclin à éluder, à renvoyer ses interrogations à l'interlocuteur, à le laisser prendre ses responsabilités et à décider par lui-même, les grands axes une fois définis.

Mitterrand ? On tombe sous le charme. Ou on déteste. Et la réversibilité est rare.

## Solutré (Roche de)

À la Pentecôte, chaque année, l'ascension de la roche de Solutré fait partie des rites scrupuleusement respectés. Née juste après guerre, cette tradition strictement familiale évolue petit à petit en retrouvailles animées entre amis très proches heureux de prendre des chemins buissonniers, puis se transforme en jeu de cache-cache avec les journalistes attirés par la possibilité de glaner quelques petites phrases égarées dans un décor champêtre.

La roche de Solutré culmine à 493 mètres. Ce n'est pas un haut lieu de l'alpinisme, la pente est douce qui mène au sommet de cet escarpement calcaire. La légende veut qu'aux temps préhistoriques des chevaux se soient précipités dans le vide pour échapper aux chasseurs en peaux de bêtes.

Certains veulent aussi voir dans ce promontoire tapi au-dessus des vignes un sphinx aux griffes rentrées.

Le parallèle avec Mitterrand a bon dos. Il n'est pas du genre à se laisser acculer au point de devoir se jeter du haut de la falaise. Et s'il sait ne sortir de l'incertitude qu'à son avantage et laisser l'interprétation de ses silences à qui veut, il est passé maître dans l'art de donner des coups de patte, et des plus griffues.

On est en Bourgogne. Cluny n'est pas loin. C'est le pays de Danielle, ce sont les terres des Gouze. C'est ici que, pendant la guerre, Mitterrand fut hébergé par le père de Danielle. Vichy avait révoqué cet instituteur laïque et franc-maçon pour avoir refusé de livrer la liste des enfants juifs de son collège. La maison familiale donna aussi refuge à de grands résistants comme Henri Frenay, Berty Albrecht ou Claude Bourdet.

Pour l'ascension de la Pentecôte, la troupe se rassemble dès le samedi. Au-delà de la famille proche, il y a là Irène Dayan, la veuve de Georges, Jean Védrine et d'autres copains du temps de la guerre. Il y a aussi Paul Guimard, l'écrivain, Pascal Sevran. Et puis, chez les politiques, Claude Estier, Roland Dumas, Charles Hernu, Georges Fillioud, Louis Mermaz. Pierre Bergé ralliera l'équipée au cours des septennats.

Au matin du dimanche, François Mitterrand ouvre la marche. Il avance, hiératique et amusé, alerte et avantageux. Il est équipé comme il faut, portant vareuse, imperméable ou Barbour. Il marche d'un bon pas, chaussures appropriées aux pieds. Il se dresse en patriarche, appuyé sur un bâton de berger landais.

Derrière, la compagnie est moins bien préparée, plus dissipée. Les mocassins des villes voisinent avec les Pataugas raides de nouveauté.

Le réseau de petits sentiers qui mène à son sommet accueille des promeneurs paisibles et des chiens qui vagabondent en liberté. De là-haut, quand le temps est beau, on a vue sur les contreforts des Alpes, sur les monts du Jura, sur la Saône qui coule en contrebas et aussi sur le fleuve argenté de voitures qui saturent l'autoroute. Mitterrand écrit : « De là, j'aperçois mieux ce qui va, ce qui vient et surtout ce qui ne bouge pas. »

À la redescente, Mitterrand s'arrête toujours pour discuter un moment avec les mêmes campeurs de Grenoble. Il partage avec eux saucisson, crêpes et considérations sur l'air du temps qui lui importent autant que les prédictions sondagières de ses conseillers.

Ensuite, la table est mise dans le jardin de la maison familiale des Gouze ou dans un restaurant proche. Le menu est immuable : saucisson chaud lyonnais, gigot flageolets, mousse au chocolat. Et l'on boit l'excellent saint-véran du coin. Mitterrand dresse le plan de table, organise la conversation. Tout cela dure deux heures, deux heures et demie, au moins. À la fin, Roger Hanin raconte pour la millième fois la même histoire drôle pour le plus grand plaisir de son premier fan. Et tandis que les conversations s'étiolent au soleil, le Président s'arrache à la diffusion de Roland-Garros à la télévision pour un autre ping-pong avec les journalistes.

Le lendemain, histoire de faire bisquer sa très laïque belle-famille, Mitterrand visite parfois, à Taizé, le prieur frère Roger à l'œcuménisme éveillé. Sinon, il repart à Milly, sur les traces de Lamartine. Mitterrand apprécie le classicisme de la langue du poète trop oublié à son goût. Et sans doute considère-t-il aussi en connaisseur la trajectoire politique du conservateur antibonapartiste passé au libéralisme en 1830 et au progressisme en 1848.

Soucieux que rien ni personne n'aliènent sa liberté et son autonomie, Mitterrand est pourtant un être de rituel et d'habitudes. Solutré en est l'une des preuves recommencées.

# SOS Racisme

SOS Racisme ne naît pas par hasard en 1984. D'autres mouvements de protestation de la jeunesse le précèdent. La marche pour l'égalité et contre le racisme, appelée improprement par les médias « Marche des Beurs », traverse le pays du 15 octobre au 3 décembre 1983. C'est une première. Elle est le fruit d'affrontements avec la police dans le quartier des Minguettes à Vénitieux. Toumi Djaïdja, jeune président de l'association SOS Minguettes, est grièvement blessé. D'autres faits racistes marquent l'année 1983. S'y ajoutent des paroles malheureuses de Pierre Mauroy et de Gaston Defferre stigmatisant les syndicalistes immigrés de Renault. L'idée de cette marche est proposée aux jeunes par le père Christian Delorme et le pasteur Jean Costil de la Cimade. Georgina Dufoix d'abord, et moi-même ensuite accompagnons la marche en sa dernière étape. Sur notre conseil, François Mitterrand reçoit une délégation des marcheurs. Il satisfait l'une des revendications : la création d'une carte de séjour de dix ans. Cri de victoire, sentiment heureux d'une reconnaissance par le plus haut personnage de l'État. Pour autant, les faits racistes ne se raréfient pas. Le Front national en complicité parfois avec certains élus de droite tisse ses réseaux. La politique de rénovation des quartiers et d'amélioration de la situation réelle des jeunes n'est pas à la hauteur des espérances. SOS Racisme surgit dans ce contexte.

Son président Harlem Désir, vingt-cinq ans, incarne parfaitement ce mouvement. Son patronyme est déjà tout un programme. Le prénom renvoie au quartier de référence des Noirs à New York. Le nom est une manière d'allier combat et plaisir, engagement et envie.

Sur les plateaux de télé, à « Droit de réponse », qu'anime Michel Polac, ou à « 7 sur 7 », chez Anne Sinclair, Harlem Désir fait montre d'un sens de la formule renouvelé et d'une modernité qui sait inventer une identité sans se raccrocher à des concepts excluants.

Sa jeunesse, sa structuration politique, son talent médiatique, sans parler de sa coiffure afro, font vite de Harlem Désir un héros français.

Les lycéens et étudiants se retrouvent dans ce cri du cœur de « Touche pas à mon pote ». Il y a ce refus que le copain, le voisin, le camarade de classe puissent être maltraités juste parce qu'ils ont la peau plus sombre ou les cheveux trop frisés. C'est le rêve d'une France métissée, plurielle mais unie, colorée et solidaire, arc-en-ciel comme le sera l'Afrique du Sud de Mandela.

Mitterrand a de la sympathie pour cette initiative. Il en comprend immédiatement la pensée, la portée, la pertinence. Il noue des liens protecteurs et amicaux avec

Harlem Désir comme avec Julien Dray, le stratège du mouvement, et Rocky (le journaliste Didier François). À l'Élysée, Jean-Louis Bianco est un interlocuteur régulier. Pierre Bergé, parrain de SOS Racisme, apporte un soutien décisif.

SOS Racisme se sert avec raison de la musique pour faire passer son message. Si les musiciens se mobilisent souvent pour des causes et acceptent de chanter dans des meetings de soutien, SOS amplifie la démarche avec succès.

Je leur suggère d'organiser leur premier rassemblement d'envergure place de la Concorde, à Paris. À la fois pour la centralité du lieu, au cœur de Paris, mais aussi pour le symbole, pour que la place de la Concorde puisse pleinement mériter son nom.

Le concert est un triomphe. Et, malgré les hurlements de la droite, je m'arrange pour récolter quelques subventions et soutenir la démarche.

Quelques esprits chagrins font de mauvais procès à SOS Racisme. Les jeunes des cités à l'origine de la Marche des Beurs de 1983 s'estiment dépossédés par les gens de SOS qu'ils voient comme des militants plus politisés, moins liés aux ghettos urbains.

Mais pourquoi en vouloir à SOS qui pourrait reprendre à son compte le slogan de la Marche pour l'égalité qui disait : « La France, c'est comme une mobylette. Pour qu'elle avance, il faut du mélange » ?

D'autres encore font la fine bouche devant la confusion musique-revendications. Ils font valoir que certains porteurs de la petite main jaune viennent juste assister à des concerts gratuits et cèdent à l'effet de mode.

Mieux vaut que la mode soit fraternelle et empathique plutôt qu'excluante et stigmatisante. Et puis, on ne peut

déclencher une réaction de masse, ni uniformiser les attitudes tout en contrôlant les propos. Il faut accepter la
variété des approches et des intensités.

Quoi qu'il en soit, SOS Racisme est un moment jubila-
toire des années Mitterrand et une excellente réponse aux
haines émergentes.

D'autres mouvements vivants, créatifs, généreux naissent
ultérieurement, notamment après les émeutes de Clichy-
sous-Bois. On aimerait que leurs aspirations soient mieux
entendues. Seule une véritable révolution (de l'école, de
l'habitat, de l'emploi…) peut profondément changer la
donne.

## Stalag

On a les universités qu'on peut. Juin 1940. Mitterrand
part pour le front. Il est versé dans l'infanterie et porte
dans sa besace les *Pensées* de Pascal et *L'Imitation de Jésus-
Christ*, œuvre de piété fameuse.

Il est blessé sur la ligne Maginot, près de Verdun. Le
sergent Mitterrand prend un shrapnel d'obus dans l'omo-
plate, tandis qu'il tente de ramasser des fraises des bois à
l'heure du bivouac. Lors de la débâcle, pendant les raids
aériens, le jeune soldat est parfois abandonné par son
infirmier qui se réfugie dans le fossé. Comme il fait très
beau, allongé sur son brancard, il a tout loisir de contem-
pler le bleu du ciel.

Il va passer dix-huit mois en stalag. Il est d'abord emprisonné près de Cassel, dans la Hesse, puis en Thuringe.

Cette vie de captivité lui permet de découvrir la nature humaine, sa férocité, mais aussi son génie. La force et l'abus tentent d'abord d'imposer leurs lois. Et puis parfois, au sein du camp, l'entraide et la solidarité s'imposent et édictent des règles de vie en commun face à l'adversité.

Dans ces lieux de dénuement, Mitterrand observe le vernis social s'écailler, les bonnes manières céder devant le besoin de se nourrir coûte que coûte. Il découvre le brassage social, réalise que la difficulté révèle des caractères et éteint des vanités, et que l'argent ne fait plus rien à l'affaire. Il remet en cause les certitudes de son milieu conservateur, s'interroge sur sa foi catholique et découvre au final que « croire aux autres est possible ». Il faut l'imaginer, après les travaux de voirie, déguster des pommes de terre glanées dans les champs sur le chemin du retour, cuisinées dans de la graisse à chaussures et parfois agrémentées d'un canard saisi au vol ou d'un bout de lard volé en douce. Ensuite, les uns et les autres s'épouillent tout en discutant philosophie et religion.

Certains ont pu voir dans les camps, côté prisonniers, le rêve d'une communauté idéale, un lieu où bâtir des utopies fouriéristes. Sauf que tout cela n'a rien d'idyllique. Il reste les kapos, les barbelés, la contrainte. Et la mort qui rôde.

Depuis le premier jour, Mitterrand ne pense qu'à s'évader, à rentrer en France pour retrouver sa fiancée et pour se battre. Autrement.

**T**

# Téléapprentissage

Mitterrand entre dans la carrière quand on fait campagne sous les préaux des écoles et dans les halles de comices agricoles. Il poursuit en se produisant dans les salles polyvalentes et les palais omnisports.

Et puis, dans les années 1970, ça bascule. La télévision envoie tout valser. Finis les beaux parleurs haussant la voix pour se faire entendre de l'assistance, finis les tribuns à l'ancienne, empoignant leur pupitre et faisant vibrer les foules.

Les meetings existent encore pour faire flamber la flamme militante, mais tout se joue sur le petit écran domestique, dans la machine hertzienne qui jivarise les têtes et les met au carré.

En réunion publique, le candidat maîtrise le temps, respire la salle, fait évoluer son propos. À la télé, cela va vite. Il faut être bref, concis, percutant. Il faut aussi soigner son image et savoir qu'un sourire approprié et un air attentif vous vaudront souvent plus de considération qu'une envolée lyrique ou une cinglante repartie. La télé aime l'à-propos et la douceur de ton, l'humour rapide et la simplicité bien formulée.

Mitterrand est définitivement du temps d'avant la télé. Il a une voix qui sait courir sur toute la gamme et varier ses registres. Il manie avec la même dextérité la gravité, l'humour et l'émotion. Il sait moduler son phrasé, le faire enfler ou l'apaiser. C'est un excellent acteur tant qu'il dit son texte ou improvise. Il est incapable de s'y retrouver quand il n'est pas maître de sa partition.

Catherine Deneuve me fait valoir qu'en 1974, si la campagne s'était faite à la radio, Mitterrand aurait été élu. Sauf que la télévision est déjà dans la place. Le complimenté est moins heureux que je ne le pensais de cette reconnaissance. Il s'irrite que son apparence puisse le handicaper.

Mitterrand va mettre des décennies à se conformer à la nouvelle norme, avant de l'habiter et de finir par la plier à sa volonté. Conscient de ses lacunes, le candidat accepte de se réformer. Il ralentit le débit, s'évite les coq-à-l'âne ou l'excès de brio. Il soigne sa mise, fait appel à un bon tailleur, se lime les canines.

Sa remise en cause personnelle va jusqu'à l'acceptation de séances de training audiovisuel. Notre petite équipe installe un studio rudimentaire chez Laurent Fabius, dans son appartement situé au-dessus du Panthéon, anticipation prémonitoire. C'est Fabius qui joue Giscard et porte la contradiction à Mitterrand. Au début, c'est bon enfant. Le ping-pong est innocent, badin. Et puis, les échanges se durcissent. Fabius se fait incisif, mordant. Il tient bien son rôle, calvitie incluse. Mitterrand ploie sous l'assaut, s'énerve, se crispe. Et finit par quitter le plateau, furieux.

Le débat de l'entre-deux-tours est un moment crucial des campagnes. En 1974, Giscard, pédagogue et prédateur à la fois, domine en bête de télé. En 1981, l'angoisse monte à mesure que la date approche. Traumatisée par l'expérience passée, notre petite équipe, qui comprend Laurent Fabius, Robert Badinter, Serge Moati, Régis Debray et Paul Guimard, reste assez sceptique. Nous n'avons pas réalisé que Mitterrand a progressé et s'épanouit dans cet exercice contre nature. Il kidnappe l'outil à son avantage. D'ailleurs, ce n'est pas dans un entretien au *Monde* qu'il déclare qu'il abolira la peine de mort, mais à « Cartes sur table », l'émission politique en vogue du moment. Il sait que l'annonce de cet engagement majeur, qui va à rebours des convictions d'une majorité de Français, perd en précision mais gagne en charge émotive, s'il en parle à la télé.

Face à Giscard, Mitterrand résiste et combat. Il rend coup pour coup et impose son tempo. Il fait valoir à Giscard, qui le prend de haut avec ses airs distingués, qu'il n'est pas son élève et que lui aussi sait parler d'économie. Au-delà des séances de préparation, Mitterrand a compris la philosophie télé. Il sait masquer ses attaques pour mieux les porter. Il n'est plus « l'homme du passé » que dénonçait Giscard en 1974. Il a évolué et sait en remontrer à « l'homme du passif ».

En 1988, Mitterrand est devenu un foudre de guerre. Sur le ton de la conversation, sans jamais forcer la note, il transmet ses messages à sa guise. Il injecte de l'ironie dans son propos. Sur un plateau, il n'est plus l'invité de dernière minute qui ne sait où s'asseoir, que dire et à qui s'adresser. À la télé, il est désormais chez lui et déploie toute sa séduction.

Jacques CHIRAC    François MITTERRAND

Face à Chirac, en 1988, Mitterrand garde de la hauteur. Il refuse la bagarre de rue, les combats boueux, le pugilat d'idées. Chirac voudrait le faire descendre de son piédestal et refuse désormais de lui donner du « monsieur le Président ». Mitterrand lui répond, amusé : « Comme vous voudrez, monsieur le Premier ministre. » Les affrontements sont violents. Mais sans que Mitterrand tressaille. Il est loin le temps où ses paupières papillonnaient sous les sunlights. Le lendemain, les sondages le donnent vainqueur du débat à 42 %.

Après l'émission, au restaurant Le Pichet, devant un gargantuesque plateau d'huîtres et de langoustines, Mitterrand se détend et moque nos craintes d'antan, notre peu de foi en ses capacités à progresser.

# Telévisions

À 20 heures, le 10 mai 1981, le visage vainqueur de François Mitterrand se dessine ligne à ligne sur l'écran.

À mesure que les traits se précisent puis se figent, le peuple de gauche a deux raisons de se réjouir. La première, majeure, c'est qu'un des siens arrive enfin au pouvoir. La seconde, plus anecdotique, c'est que certains présentateurs du journal télévisé font grise mine. Ils ont servi le giscardisme hertzien avec professionnalisme et diligence.

Mitterrand les voit s'éloigner des postes de commande sans beaucoup de nostalgie. L'homme n'est pas né de la dernière pluie. Il sait quels sont les honnêtes serviteurs de l'information et quels sont les petits télégraphistes des pouvoirs en place.

Mais Mitterrand a trop souffert pendant vingt-trois ans d'être tenu à l'écart des antennes officielles pour reconduire le même dispositif avec des hommes à lui. Et puis il y a la donne qui évolue, les techniques qui changent, les potentialités qui explosent. Il est fini, le temps de l'ORTF et du ministre de l'Information dictant le conducteur du JT. Il s'agit de libérer les chaînes de télévision de la tutelle politique, de leur laisser traiter l'actualité selon les règles journalistiques en vigueur. Il s'agit aussi de faire place à des émissions culturelles et à des créations populaires.

En 1982, Georges Fillioud fait voter une loi qui proclame que « la communication audiovisuelle est libre ». Les objectifs sont limpides : renforcement du service public, aide à la création, mise en place d'une haute autorité pour garantir le pluralisme.

Mitterrand est très présent le temps de l'élaboration de cette loi. Nous sommes en totale symbiose. Mais cela ne va pas durer. Et la télévision sera entre nous un lieu d'affrontement inattendu. Il sera plus libéral que moi en ce domaine, plus soucieux de multiplier l'offre que de défendre le service public et la création française.

1984. Canal + est un projet de chaîne à péage, fondée sur la diffusion de films récents et la retransmission en direct d'épreuves sportives. Ce concept est inventé par André Rousselet, alors directeur de cabinet à l'Élysée.

Je préférerais une chaîne culturelle et je crains que le cinéma français ne souffre si les délais sont exagérément compressés entre salle et télé. Mitterrand laisse Rousselet aller au bout de sa logique et réussir son pari. Mais je bataille. Et finalement, le monde du cinéma est préservé, la chronologie des médias respectée et les mécanismes de financement de l'industrie du spectacle renforcés.

1986. Mitterrand a beau avoir agi pour la libération des ondes, il continue de croire que disposer d'une télévision à ses côtés reste un avantage important. Il a lâché les rênes du service public mais ne détesterait pas s'appuyer sur des relais moins évidents, moins visibles.

Les élections législatives de 1986 se présentent mal. Bettino Craxi, socialiste et président du Conseil italien, fait valoir à Mitterrand : « Vous allez perdre. Faites comme moi. Donnez naissance à des chaînes qui feront contrepoids. »

Et c'est ainsi que Silvio Berlusconi entre dans la danse. De l'autre côté des Alpes, l'entrepreneur milanais multiplie les chaînes commerciales, pailletées de vulgarité et farcies de jeux plus idiots les uns que les autres. Pire, Berlusconi égorge l'un des premiers cinémas du monde en inondant ses écrans de films. Recommandé par Craxi, le sinueux et mielleux *Cavaliere* vient faire sa danse du ventre à Paris. Mitterrand se laisse séduire. Des entrepreneurs positionnés à gauche veillent dans l'ombre. Jean Riboud et Jérôme Seydoux, deux hommes pourtant visionnaires, sont aux aguets, prêts à pactiser avec Berlusconi ou à récupérer Canal qui peine à développer son nombre d'abonnés.

Je m'arc-boute sur la défense du service public et de l'exception culturelle française. Je suis près de la rupture. Autoriser cette cinquième chaîne me semble le pire des renoncements. Je continue à batailler et suis sur le point de démissionner. Fait rare, Mitterrand m'adresse une lettre manuscrite. Il commence par ces mots forts :

Cessons de vivre sur les nerfs.

Et le président poursuit :

Je ne veux la mort de personne – et pas du tout celle du cinéma. Plus simplement, il faut que ce dernier compose et qu'au lieu de s'accrocher à un passé qui, lui, ne le ratera pas, il s'adapte aux conditions nouvelles d'expression et de concurrence.

C'est ce qu'a fait le cinéma américain dont vous soulignez la vitalité.

L'équilibre prévu pour la cinquième chaîne est bon, même si l'on désire lui donner plus de stabilité encore.

Je n'appelle pas cela « baisser les bras » et « laisser aux Américains le monopole absolu ».

La lettre s'achève avec franchise et amitié :

Je vois que nous sommes en profond désaccord.

Nous l'étions déjà sur Canal Plus.

Vos prévisions ne sont pas les miennes.

Ce n'est pas un péché « mortel ». Mais quand le choix est fait, mieux vaut avancer sans trop regarder derrière soi.

Ne me croyez pas présomptueux, mais je suis sûr qu'on me donnera bientôt raison.

Mitterrand insiste, déplace le débat, invoque notre amitié, s'attache à me persuader que notre concordance de vues ne doit pas être mise à mal par ce différend.

Il me connaît. Au-delà des tiraillements actuels, il sait l'affection que je lui porte. Avec sa retenue et sa délicatesse coutumières, il me propose en guise de compensation de réfléchir à une sixième chaîne « musicale ».

1988. Nous revoilà au pouvoir. Le paysage audiovisuel a beaucoup bougé en deux ans. Le gouvernement Chirac a vendu TF1, TV6, chaîne musicale créée par nous, a été détruite pour être remplacée par une chaîne commerciale généraliste confiée à la Lyonnaise des Eaux.

Passée de main en main, de Berlusconi à Seydoux, puis à Robert Hersant et enfin à Jean-Luc Lagardère, la Cinq va mal. Je ne boude pas mon plaisir quand, en 1992, elle cesse d'émettre. Un canal se libère. La chaîne franco-allemande, la future Arte, peut y prendre son envol. Arte et son ambition culturelle et européenne permettent une réconciliation ambitieuse avec le président. Une deuxième chaîne publique est mise en chantier : un canal éducatif et culturel auquel, ministre de l'Éducation nationale en 1992, j'accorde crédits, relais et soutiens. Elle préfigure l'actuelle 5. *In fine* deux nouvelles chaînes publiques enrichissent notre paysage audiovisuel.

# Temps au temps
## (Donner ou laisser du)

Selon Michel Martin-Rolland, qui avec Pierre Favier a tenu pour l'AFP la chronique élyséenne au jour le jour, Mitterrand emploie pour la première fois l'expression lors d'un entretien à *L'Observateur*, quelques mois avant le 10 mai 1981.

Histoire de montrer que la gauche est arrivée à maturité après un long voyage, il use d'une métaphore potagère et déclare : « Les idées mûrissent comme les fruits et les hommes. Il faut qu'on laisse le temps au temps. Personne ne passe du jour au lendemain des semailles aux récoltes, et l'échelle de l'histoire n'est pas celle des gazettes. Mais après la patience arrive le printemps. »

Dans mon souvenir, ce proverbe aux origines espagnoles est une idée de Régis Debray. Ce grand connaisseur de la culture hispanique glisse cette expression dans quelques projets de discours préparés pour François Mitterrand, qui se l'approprie aisément.

« Laisser du temps au temps » fait un succès étonnant dans les reprises médias ou les appropriations de la rue. Dans cette faveur soudaine, il entre la reconnaissance d'un cousinage langagier. La France s'approprie ce petit bout d'Espagne et l'accole sans nuance au caractère de Mitterrand.

Le Charentais a le sens du temps long. Il regarde au-delà de la ligne d'horizon. Comme l'historien Fernand Braudel, il sait voir loin.

Passé par le stalag, il est accoutumé à endurer, à subir, à courber l'échine sans baisser les yeux. Affronté à de nombreuses rebuffades électorales, ayant supporté manœuvres et manipulations, il sait reconnaître l'adversité, saluer sa violence avec impavidité et attendre longtemps que la vapeur se renverse, que la ferveur se réveille. Mitterrand sait se taire, ne pas se plaindre, ne pas s'énerver. Il ne connaît ni la nervosité des angoissés, ni l'hystérie de l'inconscient. En silence, il cache les forces qu'il lui reste, les dérobe à la curiosité du monde. Il est du genre à ne compter sur rien ni personne, juste sur sa force d'âme. Il est de ceux qui attendent qu'au loin contre toute raison, qu'au-delà des flots se lève enfin une aube inespérée.

Mais Mitterrand n'est pas seulement un patient qui marche au pas. Il n'est pas de ceux qui donnent le change en allant doucement s'asseoir sur le banc de bois avec les fatigués ou s'allonger dans le transat que ne quittent plus les désabusés. Mitterrand peut aller vite, prendre les choses en main, forcer la note, presser le pas. Si l'homme ne se départ jamais de son quant-à-soi plein d'équanimité, ni de son calme hypercontrôlé, le dirigeant peut aimer les décisions tranchées et les réformes au rythme galopant.

En 1981, Mitterrand pousse les feux dès les premiers mois de pouvoir. Il lui faut tenir les engagements pris et rendre le changement irréversible. Il est certain que les débuts sont décisifs, que l'attente ne peut qu'être nocive, handicapante, que l'état de grâce dure peu. C'est un moment exaltant où il n'est pas question de traîner, d'hésiter. Nous sommes en symbiose avec cette impatience. Nous avons l'ardente obligation de mettre en musique législative les « 110 propositions » du candidat.

Avec cette crainte sourde que ce pouvoir qui nous a été librement confié par le peuple nous soit soudainement repris par l'opposition hargneuse ou par la coalition des puissances d'argent. Ce cauchemar vague mais récurrent est un aiguillon puissant qui fouaille nos paresses et nous perche sur un petit nuage, celui de l'anticyclone démocratique.

Il sera bien temps, quand l'enthousiasme se sera retiré comme la marée ou que la dépression aura assombri le ciel, de laisser du temps au temps.

## Temps libre

Il y a, dans les premières années du mandat initial de François Mitterrand et du gouvernement Mauroy, un ministère qui porte un nom qui prête à polémiques et à ricanements alors que c'est une proposition ambitieuse, une utopie magnifique.

Le ministère du Temps libre ! Voilà l'accusé des uns qui le surnomment ministère du Temps vide. Voilà la nouveauté des autres qui en attendent des avancées que les ministères ne sont pas habitués à donner, ni les citoyens habitués à recevoir.

L'apporteur de l'idée est encore une fois le Front populaire. En 1936, Léo Lagrange pilote le secrétariat d'État aux Loisirs et le mouvement social s'en souvient encore. Pierre Mauroy sera d'ailleurs le fondateur d'une Fédération Léo-Lagrange qui fera découvrir le sport et la culture à bien des gamins.

En 1981 comme en 1936, mais mieux qu'en 1936 car le pays est plus riche, plus développé, plus ouvert, il s'agit de repenser le troisième temps de la vie.

Il y a d'abord le temps de la production, celui du travail et de l'accomplissement des choses effectives, le temps du social et de l'économie que la gauche prend à bras-le-corps en réfléchissant à la durée du travail et aux pouvoirs des salariés au sein de l'entreprise.

Il y a ensuite le temps de la formation, initiale ou continue où, là encore, il s'agit d'acquérir des droits à l'acquisition des savoirs tout au long de la vie, afin de rompre avec la prédétermination du système scolaire français.

Il y a enfin le temps du loisir, vacances ou retraite, année sabbatique ou mercredi libéré, le temps de l'engagement et de la distraction, de la culture et de l'association, du sport et de la détente.

La gauche des années 1980 nage dans une utopie rafraîchissante. À l'époque, nous sommes certains que le temps libre peut être riche et créatif, heureux et imaginatif. Qu'il peut nous faire échapper à l'écran télévisuel qui n'est pas encore escorté de sa légion de clones numériques. Qu'il peut nous faire sortir de chez nous, sortir de nos habitudes et de nos rengaines, sortir de nos routines.

Et comme nous sommes confiants dans les capacités de l'État à innover, à créer, à libérer les énergies, il nous semble bon qu'un ministère s'occupe de ces choses. Il s'agit de permettre à tous, quelles que soient les classes sociales ou les classes d'âge, d'accéder à des activités diversifiées, à des entreprises imaginatives.

Le ministre en charge est André Henry. Il ne va pas réussir à faire du temps libre une avancée assez forte, assez décisive, sur laquelle il est impossible de revenir. L'intitulé tombe dès 1983. Et ne restent que les chèques-vacances.

N'oublions pas tout de même que c'est en France, à la fin du XXᵉ siècle, sous le mandat de Mitterrand, que la gauche au pouvoir tenta de proposer au pays d'imaginer un autre rapport au temps… libre.

# Tonton

Il y a des surnoms qui prennent quand d'autres s'évaporent immédiatement. Mitterrand devient « Tonton » pendant la première cohabitation entre 1986 et 1988, ce sobriquet rencontre une faveur publique enthousiaste.

D'où vient ce « Tonton » ? Les théories divergent.

1. Il pourrait faire référence à un nom de code employé pendant la Résistance pour désigner le capitaine Morland. Rien de précis en la matière, pourtant.

2. Il serait lié à la notoriété montante de Frédéric Mitterrand, voix télévisuelle aux accents mélodramatiques qui raconte les misères des grands de ce monde. La notoriété du neveu, qui lui aussi mènera la rue de Valois sous Sarkozy, aurait fait rebaptiser l'oncle en conséquence ? Peu probable. À moins que, déjà, les présentateurs télé ne soient plus connus que les présidents…

3. Le plus probant tient au petit nom glissé de talkie-walkie en oreillettes. Respectueux, le personnel de sécurité aurait préféré appeler le Président du gentil « Tonton » plutôt que de le désigner par une terminologie plus militaire, du genre « Tango Zoulou Bravo ».

Qu'importe. Politiquement, la trouvaille est géniale. Septuagénaire, Mitterrand a l'âge d'être perçu comme le père de la nation, si ce n'est comme son grand-père pour ne pas dire comme son papy. L'oncle, lui, est un adulte complice et jovial, plus décontracté qu'un père qui doit faire acte d'autorité. « Tonton », ça sonne gai luron, joyeux drille, transgresseur qui fait découvrir le monde d'une autre façon aux neveux et nièces.

Avec « Tonton », on apprend à conduire en montant sur les genoux ou à marcher sur les étangs gelés même si la glace est un peu fendillée. Il y a aussi toujours un peu d'oncle d'Amérique chez « Tonton », quand ce n'est pas le Cristobal cousu d'or que chante Pierre Perret. Il fournit des jetons pour les bandits manchots au casino, il double la ration de Chantilly sur les gaufres et il applaudit quand les bottes prennent l'eau dans la mare d'à côté. Et l'on revient avec les genoux écorchés et le nez rouge, mais des étoiles plein les yeux.

François Mitterrand n'a pas l'allant d'un moniteur de colonie de vacances, ni le bagou d'un VRP à l'entrain farces et attrapes. Je vois mal le président de gauche monter sur les tables et jouer les boute-en-train, même s'il aime rire des facéties des autres.

« Tonton » n'est pas un libellé qui lui aille comme un gant ou qui donne une exacte idée de son caractère. Mais politiquement, c'est d'un rapport immédiat. Cela le sort des logiques élyséennes corsetées, cela écaille la dorure des faux plafonds. Cela ajoute une touche populaire à l'image d'un personnage amical, prévenant, attentif à l'autre mais pas forcément youp-la-boum ni y a de la joie.

Le PC a quitté le gouvernement depuis 1984. Les ouvriers et les petits employés commencent à regarder du côté du Front national. La stratégie d'ouverture déboussole les militants les plus classiques. Et c'est pour ça que « Tonton » remet du rouge dans le rose. Dans la phase d'attente, avant qu'on sache si le Président va se représenter, le chanteur Renaud s'offre une page dans le quotidien *Le Matin*. Et intime à son champion : « Tonton, laisse pas béton ! » De jeunes militants conçoivent un flyer qui dit, joliment : « Tonton, c'est tentant. » Parmi les concepteurs, il y a, heureuse coïncidence, le fils de Catherine Langeais, la speakerine, premier amour de Mitterrand.

# Touvent

François Mitterrand vit une enfance d'avant les résidences secondaires à la mer ou à la montagne, sans même parler des charters *low cost* et des clubs *all inclusive*.

Entre les deux guerres, partir en vacances suppose un niveau social acceptable ou un réseau familial accueillant. Souvent les deux… Les déplacements accomplis sont rares. On se rend au village voisin, dans la campagne proche. On retourne chaque été au même endroit, ravi de cette routine, ne songeant pas à des exotismes.

Les enfants Mitterrand retrouvent leurs grands-parents maternels à Touvent. C'est un lieu-dit, à 70 kilomètres au sud de Jarnac, à la jonction des départements de la Charente et de la Dordogne. Il y a là des champs de blé où courir, des bosquets et des futaies où se tailler des épées de chevalier et des épieux de vacher, et une rivière « belle et souple » où s'embarquer pour des traversées

mirobolantes, où s'éclabousser en ramant et où faire som-
brer des périssoires. Il y a un grenier où s'isoler, où rêver
et où former des sensations pour toujours. De là-haut, de
cet observatoire qui sent le maïs, il contemple par-delà les
tilleuls un déroulé lent et harmonieux de prairies et de
bois, de vallons et de coteaux qui deviendra pour lui l'alpha et l'oméga du paysage français.

Dans cette maison de vacances, il dit avoir « accu-
mulé des sensations au contact du vent, de l'air, de l'eau,
des chemins des animaux ». Et ces visions éprouvées, ces
impressions ressenties n'en sont que plus vives quand
elles sont menacées et quand on finit par en être privé.

François Mitterrand a quatorze ans quand ses grands-
parents doivent se résigner à vendre la propriété. La crise
de 1929 est passée par là. L'adolescent le vit comme un
déchirement : « Voilà mon premier deuil. Un vrai deuil
comme l'arrachement d'un être cher. » L'adolescent
assiste au déménagement avec désolation. Tandis qu'on
vide la maison de ses meubles, sa grand-mère est assise
dans un coin, les yeux rougis.

Dans la seconde moitié du siècle, la fratrie revenue en
fonds n'a de cesse de reconquérir le lieu perdu. Le mariage
d'une nièce y est célébré. François Mitterrand y revient
deux fois par an. Mais le propriétaire, rapatrié d'Algérie, ne veut pas vendre. Opposé à la décolonisation, il ne
décolère pas envers l'homme politique de gauche, lui faisant valoir combien il est difficile de devoir quitter une
terre aimée, d'être tenu d'abandonner des odeurs et des
couleurs, celles de l'enfance.

Le président de la République finit par abandonner
l'idée de revenir à Touvent. Néanmoins à la sortie de
l'Élysée, il s'installe quelques jours tout près, au bord de la

Dronne, la rivière si chèrement aimée. Et il désigne à son fils Gilbert l'emplacement où il aimerait être inhumé dans un petit cimetière, près de Touvent. Cette fois encore, cela ne se fera pas. Rendez-vous manqué pour l'éternité.

Mitterrand n'est pas un mélancolique. Il a trop le souci de la conquête et du lendemain pour y céder. Mais il ne nie pas sa nostalgie des temps enfuis. D'où chez lui ce besoin de routines à accomplir posément, de retrouvailles réglées avec le passé.

## Trente-neuf heures (payées 40)

La gauche a toujours poussé à la diminution du temps de travail. C'est sa mission historique, son ardente obligation. Elle a toujours bataillé pour que le quotidien des hommes ne soit plus asservi à la tâche, pour que l'emploi ne soit plus une servitude mais devienne un épanouissement. À tout le moins, qu'il ne soit plus une contrainte physique qui laisse exsangue, inapte à toute vie familiale, sociale, culturelle.

Les choses ont beaucoup évolué depuis le XIXe siècle. Et en 1981, les 40 heures hebdomadaires semblent une contrainte raisonnable, même si, dans les grandes villes, il faut y ajouter le temps de transports.

La gauche qui vient au gouvernement se sent tenue d'aller plus loin. Mitterrand accorde les 39 heures à tous les salariés. Et après quelques mouvements sociaux, il est décidé que ces 39 heures seront payées 40, secteur public ou privé, qu'importe. C'est une manière de redonner un peu de pouvoir d'achat à l'ensemble de la population qui ne bénéficie pas forcément de l'augmentation du Smic.

Bien évidemment, les deux gauches s'opposent sur cette mesure. La première gauche la soutient, aiguillonnée par le PCF, la CGT et FO. La seconde s'arrache les cheveux. Les rocardiens et la CFDT sont pour le partage du travail afin de lutter contre le chômage. Mais ils sont également pour la diminution des salaires en conséquence afin de ne pas mettre le couteau sous la gorge des employeurs.

Comme pour les nationalisations, Mitterrand choisit l'axe le plus social, le plus à gauche. Il est souvent horripilé par la trop grande compréhension des logiques patronales que manifestent Rocard, Delors et les autres tenants de la gauche qu'on nomme alors américaine et qu'on appellera bientôt sociale-libérale. Mitterrand les suspecte de cacher, derrière leur inventivité plus ou moins sociale, une certaine bienveillance envers le capitalisme le plus classique. Il voit chez eux un côté social-chrétien, pour ne pas dire chrétien-démocrate qu'il trouve trop accommodant, trop droitier.

Il est d'un temps où le politique en impose à l'économie, où l'on pense que la démocratie doit dicter sa loi au monde des affaires, où l'on se dit comme de Gaulle que l'intendance suivra et qu'il sera fait selon ce que le peuple voudra.

L'homme Mitterrand passe évidemment sa vie à servir son pays, à remplir sa mission et ne compte pas ses heures. La fonction ne permet pas le moindre relâchement. Mais Mitterrand sait aussi qu'il faut avoir les idées claires pour prendre des décisions pertinentes, qu'il ne sert à rien de s'enchaîner à son bureau ou de multiplier les réunions. Il sait prendre le temps de vivre, apprécier les moments de

plaisir, débattre avec des amis, voir du monde. Il lit assi-
dûment des ouvrages qui ne le ramènent pas forcément
à son travail.

Il sait couper dans la continuité des obligations. Il
prend du temps pour se promener, pour s'aérer, pour
jouer au golf une fois par semaine. Il a besoin de sortir de
l'Élysée, d'aller respirer le même air que ses concitoyens et
de s'imprégner des paysages et de la géographie du pays
qu'il dirige.

# Tribun

Souvent quand il est enfant, pendant les vacances,
François Mitterrand monte dans le grenier de la maison
de Touvent. Il redit les discours des héros de la Révolution
et retrouve les propos des membres de la Convention. Il
s'exprime à haute voix et à grands gestes. Il réinterprète
les textes à sa manière, changeant les termes ou le propos
à sa guise. Et c'est un peu comme s'il devenait lui-même
Danton dont il admire le coffre, le talent, l'ampleur de
vues, malgré sa tendance à la vénalité. Il déclame tout en
déambulant à grands pas, sur le plancher poussiéreux où
sèchent des épis de maïs.

François Mitterrand a une voix veloutée, caressante,
enveloppante. Il ne chevrote pas, ne tonitrue pas, ne psal-
modie pas. Il ne part ni dans les graves des basses des
piliers des nuits bleues, ni dans les aigus des castrats qui
font l'ange. Il module agréablement, sans effets forcés,

sans ruptures de rythme trop artificielles. Il a une belle voix de radio.

Mitterrand raconte bien, sait argumenter, aime tenir l'estrade. Ce n'est pas un acteur. Il est incapable de dire un texte qu'il n'a pas écrit. Il se refuse à improviser sur un canevas qu'il n'a pas déjà brodé. Il adore se confronter à des salles chauffées à blanc par la ferveur ou à empoigner le revers des assemblées venues là pour le mettre à l'épreuve.

Il saisit à pleines mains les rebords du pupitre où il a placé ses notes. Parfois, il s'accoude sur le lutrin et pose son menton sur sa main. Le moment est venu des fausses confidences, du temps calme et des plaisanteries cruelles. Avant que l'homme ne se redresse, ne hausse le ton, n'élargisse la cible.

Il sait faire rire, vibrer, rêver. Il passe de l'attaque mordante au lyrisme le plus chaleureux, de la démonstration brillante aux rafales exécutant l'adversaire.

Il est époustouflant dans les salles de meeting. Il a le justaucorps verbal adapté aux gymnases de sous-préfectures. Il a l'accordéon politique qui joue un parfait tango dans les bals électifs des chefs-lieux de canton.

Il faut toujours écouter ce qu'en disent les opposants politiques. Et Jean Cau, secrétaire de Sartre devenu un gladiateur du gaullisme le plus raide, est un ennemi vigoureux et venimeux. Mais un ennemi qui, dans *Portraits crachés*[1], décrit admirablement le talent des temps d'avant : « Sous une halle, à la ville, Mitterrand clôtura son périple de séducteur électoral. Il y avait grand et gros public. Et moi. Et moi qui, stupéfait, vis et entendis, à la tribune, un extraordinaire orateur qui paraissait surgir d'une énorme coquille comme un énorme oiseau. D'abord, un œuf à la tribune. Puis des bruits étouffés. Des coups de bec sourds. Ce n'était qu'un œuf qui parlait, mais l'animal logeait à l'intérieur. Ensuite, les coups se firent plus nets, plus rapides – et la parole fut percée –, plus rageurs et le bec de l'oiseau, sa tête, ses plumes, ses ailes s'arrachèrent de l'œuf qu'ils firent voler en mille éclats [...] pendant que l'oiseau maintenant sur la tribune perchoir roulait des trilles, poussait des cris, sifflait des anathèmes, du bec pinçait toutes les cordes de sa lyre. Je regardais, j'écoutais cette machine à parler, tailler, couper, lacérer, froisser ou repasser, coudre ou découdre l'argument, de sa baguette lancer les violons ou, brusquement, déchaîner les cuivres... L'orateur ! Les spectateurs étaient conquis. » Évidemment, Jean Cau termine son panégyrique en prenant ses distances : « J'admirais mais en même temps me tenaillait une gêne car l'homme à la tribune usait, me semblait-il, d'un lyrisme uniquement fabriqué pour être projeté à l'extérieur avec une violence impudique et insincère. Je pensais que cet homme était étrange, qui dosait ses fougues à la commande et je n'aurais pas été étonné

---

1. Denis Jeambar, *Portraits crachés*, © Flammarion, 2011.

qu'en coulisses, après son numéro, quelqu'un s'avançât vers lui pour lui tendre dans une enveloppe un salaire d'avocat. »

Mitterrand est du temps des orateurs et il lui a fallu un effort pour devenir maître en sous-entendus télévisés, en émotions individuelles à voix baissée, en tête-à-tête éclairé à la chandelle hertzienne. Il y est parvenu après un long travail de déconstruction. Il a même réussi à faire entendre ses seconds degrés. Et à rendre le grinçant de son ironie acceptable en la jouant atone, sans la tambouriner jamais.

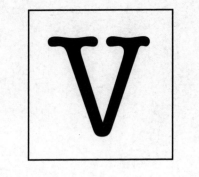

V

# Verdun

Le Président et le Chancelier se tiennent côte à côte, face au catafalque recouvert des drapeaux de la France et de la République fédérale allemande. L'hymne allemand vient de résonner. *La Marseillaise* va retentir. François Mitterrand se tourne vers Helmut Kohl et lui dit quelques mots. La main gauche du socialiste français cramponne la main droite du chrétien-démocrate allemand.

Et ces deux hommes d'âge certain, ces deux responsables politiques majeurs se donnent la main comme deux écoliers réconciliés, comme deux enfants d'un même continent réconciliés après des bagarres séculaires.

Cela se passe à Verdun, à l'ossuaire de Douaumont, où se mêlent les ossements indifférenciés des soldats de la guerre de 14. Les pères de Kohl et de Mitterrand participèrent à ce qui ne fut pas la der des der. Et ce souvenir du premier conflit aux torts partagés permet d'enjamber le souvenir encore vif du nazisme, né en Allemagne, et qui a emporté le pays dans la tourmente, même si une partie de celui-ci sut résister.

On est en 1984 et le sens politique de cette mise en scène est aveuglant. L'Europe est un projet porté avec force par deux anciens ennemis qui s'allient pour faire pièce aux habituelles récriminations anglaises. En 1984, les postes frontières commencent à s'effacer entre les deux voisins. La construction commune d'un hélicoptère de combat et la participation au programme spatial Ariane V sont décidées.

Il s'agit de délier l'Allemagne de son assujettissement aux États-Unis. Pour que la France évite de paraître trop gaullienne et trop hautaine, Mitterrand a fait le nécessaire pour dénoncer les fusées russes qui sont à l'Est et les pacifistes qui sont à l'Ouest.

Les Alliés n'ont pas accepté la présence allemande aux commémorations du débarquement de 1944. Afin de réintégrer l'Allemagne fédérale dans le chœur des nations, Mitterrand et Kohl s'entendent pour convoquer une mémoire antérieure qui ne prête pas à polémique. Verdun fait l'unanimité.

Si je soutiens le rapprochement franco-allemand, si je comprends parfaitement la force du symbole, je suis plus perplexe sur la mise en scène. Sans doute est-ce dû à cette disproportion physique qui se trouve accentuée par ces mains liées. Le bon géant d'outre-Rhin domine le vieil homme du vieux pays.

Cela dit, cette image va s'imprimer dans les consciences et faire beaucoup pour une noble cause. Mitterrand prétendra que son geste était spontané. Peut-être. Avec plus de pertinence, il en dira aussi : « Le geste que nous avons fait serait resté pâle si ce n'était pas un geste qui avait déjà été accompli dans le cœur de beaucoup d'hommes. »

# Vitesse (voitures)

Mitterrand ne conduit pas lui-même sa voiture bien souvent. La France est ainsi, qui prive de volant ceux qui doivent la piloter vers des ailleurs meilleurs. On est dans un vieux royaume où il faut un cocher au carrosse et un chauffeur aux Citroën SM, Peugeot 606 ou R 25 du Président.

La Suède, elle, ne concède un chauffeur qu'au Premier ministre. Mais la banalisation ostentatoire et pénitente de la fonction est plus fréquente en terre luthérienne que chez les Latins.

Prendre sa place dans le trafic mobilise temps et attention, lesquels font souvent défaut. Et les trajets effectués en voiture étaient des moments de répit pour les gouvernants avant que les portables ne surgissent.

Pierre Tourlier, le chauffeur de Mitterrand, s'en souvient : « Le Président aime bien la voiture parce que c'est son lieu de repos. C'est le seul endroit où il n'y a pas de téléphone. Il n'en veut pas. C'est un havre de tranquillité où il n'a pas à parler de politique et où il lit *L'Équipe*[1]. »

---

1. Caroline Lang, *Le Cercle des intimes*, *op. cit.*

Mitterrand s'assied souvent devant, à droite du chauffeur. Il met rarement sa ceinture, affaire de génération.

Tourlier raconte : « Il aime que je le conduise très vite, à des vitesses folles. Comme c'est un homme qui est très en retard, parce qu'il n'a jamais de montre, souvent il monte dans la voiture au moment où on devrait déjà être arrivé au rendez-vous suivant. Il faut rattraper le temps perdu, faire des exploits automobiles. Mais ça, c'était entre 1974 et 1981. Quand il est devenu président, il a pris conscience de ses responsabilités. »

Quand il lui arrive de conduire, Mitterrand ne se laisse guère perturber. On est en 1978. Le dîner était bon. L'heure est venue de ramener les convives à bon port. Il fait nuit noire et il faut rapatrier la troupe jusqu'à Latche. Il prend le volant de sa Méhari, véhicule sans vitres, prévu pour des balades en forêt.

La route est longue, droite et ennuyeuse, bordée des sempiternels mêmes pins. Mais cela ne perturbe pas le premier secrétaire qui se cale de part et d'autre de la ligne blanche et accélère dans la nuit. La Méhari tressaute sous les étoiles. Les passagers se cramponnent à la carlingue qui tremble à chaque nid-de-poule. Impavide, seigneurial, Mitterrand fonce dans le noir. Il vient de la guerre et de la Résistance, il en a vu d'autres. Ce n'est pas un retour d'après manger et boire, dans une voiture brinquebalante qui va l'impressionner. Allez, fouette cocher !

# W

# Wagram (salle, 1943)

10 juillet 1943. On est salle Wagram à Paris. Le nouveau commissaire aux prisonniers de guerre nommé par Pierre Laval organise une opération de propagande pour éviter que les anciens détenus ne passent à la Résistance.

Mitterrand est dans la salle. Il a réussi à s'introduire grâce à diverses complicités. Des milliers de délégués venus de toute la France sont présents. La salle est bondée et la tension est forte. Laval est présent. Et quand l'orateur essaie de rattacher les évadés au régime de Pétain, Mitterrand se dresse. Au mépris de toute prudence, il apostrophe l'orateur et lui lance : « Non, ne croyez pas que les prisonniers marchent avec vous. » Stupeur, bronca, mobilisation du service d'ordre. Mitterrand se perd dans la foule. Son intervention crée un tel remue-ménage que la séance est levée.

Ce type d'intervention impose sa mémoire. À l'époque, Mitterrand est aussi un chef de guerre courageux, qui mène des actions de sabotage et ordonne des exécutions. Mais la lumière continue d'éclairer un acte politique, un moment de bravade publique pour le contrôle d'une organisation que Vichy tente de récupérer et que Mitterrand va continuer à faire basculer dans le camp de la Résistance. Preuve que le souvenir d'avant tombe souvent du côté où penche l'homme d'après. Preuve aussi que l'homme a du courage, ce qui est peu fréquent. Et qu'il sait survivre à ses provocations. Ce qui est encore moins fréquent.

# Note

Toutes les citations de François Mitterrand à l'origine non précisée explicitement sont tirées de ses ouvrages littéraires ou politiques et de ses livres d'entretiens. J'aimerais citer en particulier *La Paille et le Grain* (Flammarion, 1975) et *L'Abeille et l'Architecte* (Flammarion, 1978).

Pour les entretiens, j'ai pu compter sur *Mémoire à deux voix* avec Elie Wiesel (Odile Jacob, 1995) et *Mémoires interrompus* avec Georges-Marc Benamou (Odile Jacob, 1996).

J'ai aussi tiré grand profit de la lecture du beau livre intitulé *François Mitterrand* de Florence Pavaux-Drory et Fabien Lecœuvre chez Ipanema, 2010, de *Pourquoi Mitterrand ?* de Pierre Joxe (Philippe Rey, 2005) et des témoignages rassemblées par ma fille Caroline, dans *Le Cercle des intimes : François Mitterrand par ses proches* (La Sirène, 1995). Et bien sûr, quand la mémoire venait à manquer, je me suis souvent tourné vers les ouvrages de référence de Pierre Favier et Michel Martin-Rolland, *La Décennie Mitterrand*, tomes 1 et 2 (Seuil, 1990).

Par le passé, j'ai déjà évoqué longuement mes relations avec Mitterrand dans deux ouvrages, un livre d'entretiens *Demain comme hier* (Fayard, 2009) et un récit de souvenirs, *François Mitterrand, fragments de vie partagée* (Seuil, 2011).

Je tiens par ailleurs à remercier Marc Samson pour son sens de la formule.

# Table

*Table* 453

*Table* 455

Patrick Cauvin
*Dictionnaire amoureux des héros* (épuisé)

Jacques Chancel
*Dictionnaire amoureux de la télévision*

Malek Chebel
*Dictionnaire amoureux de l'Algérie*
*Dictionnaire amoureux de l'islam*
*Dictionnaire amoureux des Mille et Une Nuits*

Jean-Loup Chiflet
*Dictionnaire amoureux de l'humour*
*Dictionnaire amoureux de la langue française*

Catherine Clément
*Dictionnaire amoureux des dieux et des déesses*

Xavier Darcos
*Dictionnaire amoureux de la Rome antique*

Bernard Debré
*Dictionnaire amoureux de la médecine*

Alain Decaux
*Dictionnaire amoureux d'Alexandre Dumas*

Didier Decoin
*Dictionnaire amoureux de la Bible*
*Dictionnaire amoureux des faits divers*

Jean-François Deniau
*Dictionnaire amoureux de la mer et de l'aventure*

Alain Duault
*Dictionnaire amoureux de l'Opéra*

Alain Ducasse
*Dictionnaire amoureux de la cuisine*

Jean-Paul et Raphaël Enthoven
*Dictionnaire amoureux de Marcel Proust*

Nicolas d'Estienne d'Orves
*Dictionnaire amoureux de Paris*

Dominique Fernandez
*Dictionnaire amoureux de la Russie*
*Dictionnaire amoureux de l'Italie* (deux volumes sous coffret)
*Dictionnaire amoureux de Stendhal*

Franck Ferrand
*Dictionnaire amoureux de Versailles*

José Frèches
*Dictionnaire amoureux de la Chine*

Max Gallo
*Dictionnaire amoureux de l'histoire de France*

Claude Hagège
*Dictionnaire amoureux des langues*

Daniel Herrero
*Dictionnaire amoureux du rugby*

Homeric
*Dictionnaire amoureux du cheval*

Serge July
*Dictionnaire amoureux du journalisme*

Christian Laborde
*Dictionnaire amoureux du Tour de France*

Jacques Lacarrière
*Dictionnaire amoureux de la Grèce*
*Dictionnaire amoureux de la mythologie* (épuisé)

André-Jean Lafaurie
*Dictionnaire amoureux du golf*

Jack Lang
*Dictionnaire amoureux de François Mitterrand*

Gilles Lapouge
*Dictionnaire amoureux du Brésil*

Michel Le Bris
*Dictionnaire amoureux des explorateurs*

Jean-Yves Leloup
*Dictionnaire amoureux de Jérusalem*

Paul Lombard
*Dictionnaire amoureux de Marseille*

Peter Mayle
*Dictionnaire amoureux de la Provence*

Composition et mise en pages
Nord Compo à Villeneuve-d'Ascq


Achevé d'imprimer en novembre 2015
dans les ateliers de Normandie Roto Impression s.a.s.
61250 Lonrai

Dépôt légal : décembre 2015
N° d'impression : 1502634
*Imprimé en France*